Amando de Miguel

Los españoles
Sociología de la vida cotidiana

Colección España hoy / 9

Amando de Miguel

Los españoles
Sociología de la vida cotidiana

EDICIONES TEMAS DE HOY

Colección ESPAÑA H

Diseño de cubierta: Rudesindo de la Fuente
Fotografía de cubierta: Ciuco Gutiérrez
EDICIONES TEMAS DE HOY, S. A. (T. H.)
Paseo de la Castellana, 93. 28046 Madrid
Primera edición: octubre 1990
Depósito legal: M. 33.647-1990
ISBN: 84-7880-051-4
Compuesto en Fernández Ciudad, S. L.
Impreso en Talleres Gráficos Peñalara, S. A.
Printed in Spain - Impreso en España

INDICE

Para Ignacio y Sergio.

INTRODUCCION. DE LOS NOMBRES DE ESPAÑA

Qué difícil es para un español escribir sobre España y los españoles sin que nadie se irrite. Hasta ese punto resulta ardua la cuestión. La simple mención de «España» destapa sentimientos encontrados, viscerales. Una manera de burlarme de esa maldición en este libro va a consistir en referirme, no tanto a esa entidad mayúscula que llamamos —o evitamos llamar— España, como a los sujetos que la integran, los españoles, los de ayer, pero sobre todo los de hoy.

Dice un historiador, torturado por la materia de sus averiguaciones: «Desde hace siglos vienen intentando los españoles dar respuesta a la inquietante pregunta de cómo sea España. Ese hacerse cuestión del propio vivir no ha sido ni es curiosidad erudita, sino una manifestación más de su problemática historia» (Castro, 54: 59) *. No quisiera yo enredarme aquí en esas polémicas de los historiadores sobre si España es esto o lo otro, sobre si su destino está escrito en el frontispicio de la galaxia para toda la eternidad. Todo eso son ganas de dar vueltas a la noria

* Esta y las siguientes referencias, que remiten a la bibliografía que encontrará en las páginas finales de la obra, explicitan el nombre del autor, el año de publicación y la página correspondiente del libro citado.

de la historia. Somos un pueblo viejo, pero hay otros también. Nacer aquí o allá, en ésta o la otra fecha, son hazañas sin mérito.

No me atrevo a llamar a este volumen «ensayo sociológico» porque, si soy sociólogo, tengo que declarar que una buena parte de los escritos de mis colegas nacionales no se refieren a la sociedad española y hasta me tienta decir que no se refieren a ninguna sociedad en concreto. Así pues, me desvío de esa norma corporativa y trato de entender la vida de mis compatriotas, que no es la de las abstracciones con mayúscula, sino la de las minúsculas afinidades que distinguen a los españoles contemporáneos. El intento es comprometido por eso que digo: nada molesta tanto a los españoles como hablar de sí mismos. Una forma elegante de zafarse de ese compromiso suele consistir en referirse a unos cuantos españoles y a ser posible fallecidos. Tampoco voy a caer en esa trampa. Atravesaré algunos andurriales históricos cuando lo exija la narración y cuando lo permitan mis limitadas lecturas, pero mis preocupaciones se centran en lo que son y en lo que parecen los españoles de mi tiempo. Creo que he conocido a una buena muestra de ellos y de todas las capas sociales, móvil que ha sido uno. Esa movilidad es la señal del sociólogo. Puede ser uno de la tribu, como en este caso, pero con el suficiente despego y el necesario descreimiento como para observar desde el aire, levantando los tejados.

Se han escrito bibliotecas enteras sobre España, principalmente sobre su historia, las más de las veces desde un ánimo filosófico, cuando no moralizante. Más parvos son los escritos sobre los españoles, casi siempre sobre su vida pública, se entiende, la de los pocos que la tienen. Son raros los trabajos sobre la vida corriente de los españoles. Dice Julián Marías que «la vida [humana] es primordialmente vida cotidiana y sobre su fondo acontece todo lo demás, lo excepcional» (Marías, 86: 64). Algo de eso es lo que me propongo ilustrar en estas páginas, discurrir sobre ese fondo de la vida cotidiana de todos nosotros, pues escribo desde dentro.

La razón para estampar un libro es clara: otros no lo han hecho. Se entenderá que en las hojas que siguen haya mucho de autobiografía encubierta, más incluso de lo que yo me he propuesto trasladar al papel. Va en ello tanta experiencia vivida como ciencia leída. Si de lo que se trata es de dar cuenta de la vida común de los españoles, se me perdonará que me tome yo mismo en ocasiones como parte de la muestra. Después de todo, he tenido la suerte de que mi vida haya coincidido con el período de mayores transformaciones a que ha estado sometida la sociedad española. En los extremos de esa vida las primeras lecturas fueron a la luz del carburo (ya nadie sabe qué producto o qué artefacto era ése) y los últimos escritos se envían por fax. No se trata sólo, ni fundamentalmente, de artilugios técnicos, sino de que en poco más de medio siglo los españoles han abandonado el quehacer ancestral de matarse unos a otros y han pasado a constituir una población libre, tolerante y bien alimentada.

Para mi desazón, tengo que reconocer que últimamente proliferan los libros colectivos sobre España. El género los hace irregulares. Lo más grave es que cada capítulo presenta una realidad «sectorial». Este método lleva a que se diluya o se desvanezca la misma existencia de la España que se quiere presentar y que aparece, por tanto, como un hipotético «círculo» de radio desconocido. Se nos muestra por partes una España «turística», «laboral», «financiera», etc. Por más caras que dibujemos del poliedro, al venir dadas por separado, nos impiden recomponer la figura enteriza, tridimensional. Lo más general y necesario es presentar a España de una pieza como conjunto de los españoles, los que han sido, pero sobre todo los que son. Eso es lo que me propongo. El lector español me dirá si reconoce a los suyos o si se reconoce a sí mismo en las descripciones que siguen.

En los libros de Historia de España, en los textos escolares que se refieren al país y en las secciones de «España» de los periódicos, ese misterioso nombre propio se reduce en la práctica a las incidencias y tribulaciones de unos pocos españoles, los más egregios y acaso también los más pillos. Para compensar esa especie de sinécdoque —tomar la parte por el todo, pero enalteciendo la parte con mayúscula—, este libro se refiere en principio a todos los españoles en su ordinaria variedad, a los comportamientos medios, a los tipos representativos, a los ragos del común.

La invocación de «España» la asociamos casi siempre a factores de autoridad. Es decir, alguien, desde una posición elevada, habla en nombre de España: el maestro de las primeras letras, el coronel del regimiento en la jura de bandera (para los varones), los políticos en sus discursos. Curiosamente identificamos también el nombre de «España» con la presencia de españoles fuera de las fronteras: la selección nacional de fútbol, el equipo olímpico, la compañía Iberia, las embajadas y los consulados.

Por encima de todo, el título de «España» se destaca en las monedas y sellos, objetos mínimos, pero que representan la soberanía de la nación. Es decir, se mire como se mire, siempre surge la asociación con lo grandioso, lo elevado. Hay que empezar a sospechar que España es algo más que la suma de sus habitantes. Eso es lo inquietante.

A finales del siglo pasado, los primeros ideólogos del nacionalismo vasco, obsesionados por la construcción de un Estado propio, empezaron a hablar de «Estado español» o simplemente del «Estado», para evitar la pronunciación del nombre vitando de «España». Con el tiempo, ese capricho léxico tuvo una regular fortuna y hoy es la fecha en que, para no tener que decir «España», muchos hombres públicos —y cada vez más, privados— prefieren hablar del «Estado» o de otros eufemismos. Monumental confusión que merece algunas palabras y sobre la que habremos de volver.

Parece haberse olvidado que la pretensión de reducir «España» a «Estado español», y éste a una pura labor administrativa, fue también una operación mimada por los intentos adoctrinadores del primer franquismo. Los sellos de Correos emitidos por el Gobierno de Burgos llevaban la denominación de «Estado español». Nada se opone más a una de las tesis de este libro: que España es sobre todo la integral de sus habitantes. Cualquier otra abstracción no es más que ganas de revolver. Por lo mismo que resulta triste la sustitución de Vasconia o Euskalherría (el pueblo de los vascos) por Euskadi (el Estado de los vascos).

Nadie sabe a ciencia cierta si España es un Estado, una nación, una nación de naciones o un Estado de naciones, entre otras varias posibilidades. La cuestión no ha quedado resuelta con el galimatías del Estado de las Autonomías. Se habla de comunidades, regiones y nacionalidades; pero ¿qué diferencia puede haber entre la *Región* de Murcia y la *Comunidad* Valenciana? No todas las demás son comunidades. Hay países, islas, principados, reinos. Se habla de la Comunidad de Madrid, pero de la Comunidad Foral de Navarra, Ceuta y Melilla, ¿qué son, aparte de poseer una extraña «españolidad»? Al final, el abstracto «autonomía» ha quedado como sustantivo genérico para las diecisiete entidades mayores que componen el mapa español. ¿Cuántas de esas autonomías pueden aspirar al título de verdaderas naciones? ¿Las que a sí mismas se llaman «históricas»? El adjetivo no puede ser más molesto. ¿Por qué Alava va a ser un «territorio histórico» del País Vasco y Avila una «provincia» de la Región castellanoleonesa? Decimos País Vasco como denominación más neutral, pero en la literatura escrita en castellano se pueden ver también otros títulos: Comunidad Autónoma Vasca, Vasconia, Provincias Vascongadas, Euskadi, Euzkadi, Euskadi Sur, Euskalherría. El placer español de la logomaquia está servido. Buena la armaron los autores de la actual Constitución. Por cierto, para redondear la suerte, en medios del partido socialista se acuñó lo de «bloque constitucional» para designar a ese partido y a los que le apoyan en determinadas votaciones. ¿Cabe mayor desbarajuste?

Hay que reivindicar la autonomía de la sociedad (no hace falta decir «civil») o, mejor, de la población, del vecindario, frente al Estado. Este deseo discurre a veces contra corriente, porque el Estado es el que va acaparando más y más terreno. Lo tenemos en esa misma expresión de «los españoles» que, aunque parezca extraño, cada vez se utiliza menos y es por tanto beligerante. En su lugar se emplean vaporosos términos como «los ciudadanos» o «la ciudadanía», es decir, los españoles no como integrantes de una sociedad, sino como destinatarios de una relación política. El exceso de politización en la vida pública española es uno de los restos de primitivismo que todavía nos quedan.

Nada es gratuito en el uso de las palabras. No lo es, desde luego, la progresiva sustitución de «españoles» por «ciudadanos» en la parla pública de nuestro país. Al contemplar así a la población española se destacan los aspectos que la relacionan con los tentáculos del poder, con los resortes del Estado, con la necesidad de apoyo que demanda el Gobierno para sostenerse. Son abundantes los escritos de los que antes se llamaban «publicistas» (que ahora designan a los publicitarios), en los que se produce esa reducción. Pretendo superar en este libro ese sesgo profesional. La referencia a los españoles no tiene por qué equivaler a destacar su papel político, de votantes o contribuyentes. Sería un empequeñecimiento y un retorcimiento de la vida, al modo como se logra, en los asuntos de jardinería, con esa nueva manía nacional que es el cultivo de los bonsais. Pase que la ortopedia reductora se oriente hacia el reino vegetal, pero su aplicación al conocimiento de la sociedad de los humanos resulta en verdad estrafalaria.

A comienzos de siglo hubo un renacimiento de la literatura iberista, que llegó a sugerir la denominación de «España» como nación para el conjunto de pueblos dominados por los Estados español y portugués. Esta es, por ejemplo, la propuesta de Máximo Vergara en su apologético libelo *La unidad de la raza hispana* (1925). Es curioso que, aunque soplen en la actualidad vientos de unidad europea, la reunificación de España y Portugal siga pareciendo una idea lejana y hasta estrambótica. Ni siquiera se podría admitir sin tensiones que «Iberia» fuera la compañía aérea de los dos Estados peninsulares, algo que en principio parece natural. Se observa aquí una rara asimetría para vergüenza nuestra, de los españoles. Son casi siempre mentes portuguesas las que propugnan el acercamiento de los dos pueblos ibéricos por encima de los roces de la común historia. Son muchos los portugueses interesados por España, y raros los españoles que se preocupan por las cuestiones portuguesas. Mientras subsista esa asimetría, seguirá pesando el nacionalismo español y la peligrosa tendencia a subsumir la sociedad en el Estado.

En el idioma castellano tenemos una serie de desinencias para formar los gentilicios: *-ense, -és, -no.* Así, decimos «costarricense, portugués, italiano». La desinencia en *-ol,* que se emplea para «español», resulta rarísima; sólo recuerdo «mongol» —hay que ver qué compañía—. Por lo mismo, la voz «España» contiene una desinencia muy poco frecuente, que sólo se aplica a contadas naciones (Gran Bretaña es una de ellas) y que incluso se encuentra poco en palabras comunes. Lo peregrino es que, en esos escasos ejemplos con la desinencia en *-aña,* predomina un sentido despectivo, siniestro, negativo. Y si no, véase la lista: «guadaña, maraña, extraña, calaña, legaña, migraña, maña, cizaña, piraña, patraña, artimaña, telaraña, alimaña, saña, cucaña». Esta singularidad léxica es la desesperación de los vates patrios. No hay forma de acordar rimas enaltecedoras y solemnes.

Tantos años en la escuela, se nos hacen carne los vicios escolares. Uno de ellos consiste en identificar «España» con la Historia y la Geografía de esa entidad. El maestrillo que se preciaba de tal no podía considerar que «España» era la vida que rodeaba a los escolares y a él mismo. El paisaje que entraba por los ventanales de la escuela no podía ser su geografía, porque la escala era 1:1. Las historias que se contaban en las tertulias y reboticas no podían ser parte de la Historia solemne, porque los personajes de esta última estaban todos muertos.

Así que voy a renegar un tanto de mis recuerdos escolares y voy a escribir un libro sobre los españoles, que poco tiene que ver con lo que sobre España nos enseñaron en la escuela. Eliminaré, si puedo, engreimientos nacionalistas y también complejos de inferioridad. Quedémonos como somos: un pueblo viejo, teatrero, tierno, socarrón y alborotador.

Los manuales escolares daban un contenido bélico a la cualidad de sentirse uno español. El patriotismo se definía casi siempre como rechazo u oposición a una agresivo «extranjero». Ese sentimiento está ya lejos de los que ahora privan, excepto por la parte de los inmigrantes de color. Los *otros* europeos no se ven como invasores, salvo a la manera más bien pacífica de los turistas. Los españoles lo son, de una manera más tranquila, porque conviven en ese territorio donde vivieron sus antepasados, el grueso de ellos. Lo son sobre todo porque se relacionan entre sí a través de ciertos símbolos exclusivos, como la lengua española, la liga de fútbol, la peseta y la mayor probabilidad de entrar en contacto unos con otros. Vamos a hablar de esos contactos, no siempre placenteros.

Capítulo I

EL MUSEO DE LOS ERRORES: ESTEREOTIPOS SOBRE LOS ESPAÑOLES

Produce pasmo comprobar que los españoles son lo contrario de lo que tantas veces se ha dicho que son, tan confusa es la trama literaria que sobre ellos se ha ido tejiendo.

¿Realmente somos un pueblo tan misterioso y arcano? ¿Pues no es lo nuestro lo luminoso? Más bien parece ser lo lóbrego, fuera del paisaje y el clima. No hay más que recordar la sensación de tenebrosidad que da el entrar en una sala de pintura española de cualquier museo. No hay que pararse en Zurbarán, en el último Goya o en Solana. El tono dominante en la pintura española es frío, oscuro. Por algo será. Al menos hay que pensar que los compradores iniciales de los cuadros respiraban de ese mismo gusto sombrío. Ya empezamos a disentir de un viejo clisé: el de que los españoles somos alegres, radiantes, jubilosos. Por lo menos la pintura —que es, de las bellas artes, la mejor cultivada en España— no registra esa conclusión. Desde los retratos de El Greco hasta el *Guernica* de Picasso, todo es serio, cuando no trágico. Pintura de sacristía, escultura de paso de Semana Santa, arquitectura de pesadas moles, ésa es la estética española, si es que hay una dominante. ¿No es acaso el héroe nacional el Caballero de la Triste Figura?

Hay testimonios sobreabundantes sobre ese costado más prieto, sombrío, de la vida española. Afirma compungido Américo Castro que «lo que yo llamo España se hizo y se sigue haciendo en un telar de angustia» (Castro, 54: 63). Y concluye, después de su monumental excursión histórica: «Los españoles se han pasado los siglos increpando a su sombra» (p. 617). Esa es la visión melancólica sobre España que han tenido muchos historiadores y es la que, por paradoja, ha tentado a los extranjeros que han venido a visitarnos y a estudiarnos. La España negra y sórdida resulta ser la más atractiva.

Distingo aquí entre hispanistas e «hispanólogos». Los primeros son los investigadores foráneos que se ocupan de nosotros con una mezcla de curiosidad y enamoramiento. Los «hispanólogos» son los que desde dentro nos enzarzamos en las penosas disputas de cómo somos los españoles, por lo general con una combinación de pesimismo, prejuicio y proyección de las personales debilidades. Una de ellas suele ser el afán comparativo, acaso porque no nos sentimos muy seguros de nuestra capacidad productiva en el amplio mercado internacional. Se trata de comprobar si los rasgos de la vida en España «son también equiparables (...) a los demás países de su entorno europeo» (Flaquer, 90: 21). Es curiosa esa expresión de «entorno europeo» (que luego repiten con delectación los políticos), cuando España se sitúa más bien en una esquina del continente, sin verdadero entorno europeo que la circunde, sobre todo porque nadie piensa en Portugal cuando se alude al mismo. Lo es más que ningún otro país y completarían la circunvalación Marruecos, Argelia y Francia. Asombra en verdad lo lejos que se encuentra España de esos cuatro países, sobre todo de Portugal, hermano nuestro para siempre. Más próximos nos hallamos vitalmente de Italia, México o Perú, a pesar de la distancia étnica o geográfica.

Cerca o lejos de otros países, lo que importa es superar la obsesión comparativa, más que nada porque la desilusión con que se encara revela un autoderrotante complejo de inferioridad. No está escrito en ninguna parte que todos los países tengan que pasar por los estadios que han inaugurado los países de la Europa protestante. Lo que ocurre es que muchos «hispanólogos» han estudiado en esos países tenidos por centrales y les tira el modelo en el que ellos hubieran deseado medrar. Homologarse —éste es el verbo— con el ritmo o el estilo de vida de los británicos, los alemanes o los escandinavos no me parece deseable en todos los casos. Es lógico que se rechace el hambre, el tribalismo, el autoritarismo y otros males que se enseñorean en muchos de los países que tenemos por atrasados, pero la historia del mundo no puede ser tan simplona. Tampoco es que haya de descansar en el polo opuesto del regusto nacionalista, entre otras razones, porque los nacionalismos suelen degenerar en exclusiones y violencias, es decir, en excesivo sufrimiento colectivo. Reconozcamos que lo europeo es lo diverso. No hay por qué obsesionarse con dejar de ser lo que se es para parecer más europeos.

No se trata de dar cuenta de lo que son los españoles, metafísica entidad que resulta inaprehensible. Hay que saber, primero, cómo son, qué hacen, de qué viven, cómo se ven a sí mismos y cómo los ven desde fuera. Lo que después sean los españoles se puede fijar de varias maneras aproximadas. Son lo que no eran antes los que vivieron en estas mismas tierras y son algo distinto a nuestros actuales vecinos. Todavía hay una tercera dimensión oblicua: los españoles son de modo distinto a lo que algunos estudiosos han imaginado que eran. Por cualquier lado aparece la sorpresa. ¿Será que los españoles han dejado de ser españoles?

Intentemos —tú y yo, lector— aproximarnos a la vida común de los españoles sin los resentimientos de una clase cosmopolita y pedante y sin las autocomplacencias de casino de pueblo que se nos inocularon en los textos escolares.

Una de las notas que caracterizan a la república de las letras españolas es su falta de curiosidad por el estudio de otras sociedades. Nos comparamos vagamente con ellas, pero sin llegar hasta las mismas para analizarlas como se merecen. Ni siquiera abundan los libros de viajes por otras tierras. Viajaban más los catedráticos de Salamanca o Alcalá en el siglo XVI que los de ahora mismo, teniendo en cuenta los medios a disposición de unos y otros. A nuestras costas arriban de continuo los curiosos hispanistas, los que vienen a investigar algún aspecto de la cultura española, por lo general algún episodio de su historia. Casi todos se enamoran de España y su obra se contamina de ese amor, para mal y para bien. En estas páginas se podrán criticar los errores de percepción que a veces se encuentran en las observaciones de los hispanistas, pero no sin antes reconocer la profunda relación asimétrica que mantenemos con ellos. Para empezar, existen los hispanistas, pero ni siquiera hay término para designar a los españoles que tendrían que ir a estudiar otras sociedades. ¿Dónde están los «niponistas» o los «africanistas» en España? Ni siquiera se puede decir que abunden los «iberoamericanistas». Esta ausencia es ya una tacha que conviene registrar. No se corresponde con una nación que fue madre o partera de naciones, sino que revela un enrarecido aire provinciano en la hueste literaria española que todos hemos de lamentar.

Lo que me interesa resaltar es que hispanistas e «hispanólogos» suelen cometer parecidos errores de percepción, casi siempre los mismos. Se explica esa común contumacia porque unos y otros se fecundan mutuamente. Unos son fuente para los otros, fuente de información o de autoridad. Al final, los libros sobre los españoles no son sobre los españoles todos, sino sobre la visión que tienen unos pocos españoles sobre sus compatriotas.

Los sociólogos hemos sido los más dispuestos a resaltar, exagerar incluso, las desigualdades de la sociedad española, quizá porque las ponemos en relación con un hipotético país en el que la igualdad fuera la deseable. Lo cierto es que las desigualdades en España no son más llamativas que en otros países mediterráneos y desde luego menos que en los países iberoamericanos. Por eso mismo llama la atención el estereotipo que imprime algún viajero, tan fino observador como Michener en su famoso libro *Iberia*. Con impresiones de los años sesenta, concluye: «No puedo recordar ningún otro país, excepto la India, en donde las discrepancias entre ricos y pobres sean tan grandes (...). Ha sido un milagro que España haya podido mantenerse en paz ante tal situación y ahora entiendo por qué la Guardia Civil vigila los pueblos» (Michener, 68: 65). ¿Realmente las diferencias entre ricos y pobres habrían sido menores sin la Guardia Civil? Parece una suposición especiosa. No lo es menos que no se le ocurra a nuestro visitante el nombre de otro pueblo con más desigualdades que el nuestro. Hay un ciento.

Lo que funciona aquí es el espejismo orientalizante. Desde los países anglosajones (de donde provienen la mayor parte de los hispanistas) se ve a España como un pueblo oriental, acaso porque en el territorio español subsiste una colonia —Gibraltar— que era el primer puesto en la ruta para las colonias asiáticas del Imperio Británico. Es innegable la influencia musulmana en España, pero no puede ser suficiente como para incluirnos en la cultura arábiga. Así nos ve una hispanista en los años del desarrollo: «El español medio —me refiero a los del centro y sur de España— es como el oriental: te recibe con los brazos abiertos y se esfuerza por complacerte mientras estás delante de él; pero cuando te ha perdido de vista, sólo una catástrofe le hacer sacudir su letargo mental. La vitalidad del español es engañosa al tiempo que exhaustiva. Gasta sus energías hablando, paseando, gesticulando y fumando, y no le quedan fuerzas para dedicarlas a las cosas del espíritu y mucho menos para escribir a los amigos ausentes» (Epton, 71: 162). La última ironía es atinada: los españoles no son muy dados a escribir cartas y menos a contestarlas. Es verdad que les gusta declamar y vociferar, pero ¿es eso suficiente como para que nos puedan tomar por «orientales»? La obsesión por la imaginería oriental hace ver a la autora, viajera por Galicia, que los hórreos «parecían templos de Bali y acentuaban el aire oriental del paisaje» (p. 169). Aun acordando que España en su conjunto sea un país oriental, por arabizado, nadie puede dudar de que Galicia en particular es lo menos oriental que hay en España. En realidad, geográficamente hablando, es lo más occidental que tiene la Europa continental.

Sobre Galicia menudean las leyendas de los visitantes. Un corresponsal inglés, en un reciente libro sobre los españoles —por lo demás bien interesante y agudo—, interpreta que las Rías Bajas deben de ser una denominación similar a la de los Países Bajos y así explica que la Galicia costera «se ha hundido bajo el nivel del océano» (Hooper, 87: 16). Extraño prodigio geológico.

Las imprecisiones geográficas se detectan de otro modo en los «hispanólogos». La más llamativa se corresponde con el término «España», que muchos, para evitar nombrarla, denominan «Península Ibérica». Se emplean, además, curiosos juegos retóricos como «la piel de toro» o «a lo largo y a lo ancho de nuestra geografía». También se maneja mucho lo de «este país» para no hablar de España, una fórmula entre despegada y pretenciosa que gusta mucho a políticos y periodistas. A veces produce divertidas ambigüedades. Por ejemplo, si un político vasco pronuncia «este país», no se sabe si se refiere al «Estado» o a «Euskadi peninsular». Para seguir con los equívocos, un congreso de abogados españoles, ¿se podría llamar «congreso de abogados del Estado» o «congreso de abogados de este país»? Para evitar el término «los españoles» se puede llegar al despropósito de darle vueltas con este circunloquio: «Los ciudadanos y ciudadanas de este país».

En relación con lo anterior, hay que anotar la imprecisión histórica que consiste en no saber bien cuándo empieza a haber españoles. ¿Lo eran los habitantes de la Hispania romana? ¿Se gestó la nacionalidad en las luchas contra los moros? Son problemas de gabinete sobre los que nunca se pondrán de acuerdo los investigadores. Durante mucho tiempo, en las escuelas se ha estado celebrando el Día de la Independencia el 2 de mayo, fecha en que, en 1808, los madrileños fueron masacrados por las tropas francesas. Todavía hoy, el equivalente del monumento al soldado desconocido es la tumba de Daoíz y Velarde, los héroes de esa matanza de los franceses. ¿No habrá victoria y no habrá victorias más antiguas que puedan certificar una mayor solera de la nación española? Se debe anotar que también los catalanes celebran su día nacional como recuerdo de la derrota de sus libertades. Asimismo los castellanos conmemoran la capitulación de Villalar como la fiesta regional, en la que entran también los leoneses, sin venir mucho a cuento.

Un escritor actual, que pretende desligarse de la metafísica españolista, da por sentado que «España comienza a existir en el siglo XV, al casarse Isabel y Fernando» (Racionero, 87: 26). Ya es dar importancia a los Reyes Católicos. Entre otras razones, porque con ese supuesto Navarra no sería España (no entró en las arras del matrimonio de los Reyes Católicos), cuando lo navarro ha sido lo pluscuamespañol. No, no hay que tomar la frase literalmente. El autor se desdice más adelante para reformular un principio más general y no menos discutible: «España es todo lo que ha sucedido en la Península Ibérica y cuya herencia arrastramos nosotros» (p. 64). ¿Habrá que incluir, entonces, a los portugueses sin consultárselo? ¿Habrá que excluir a los isleños de Baleares o Canarias? ¿Eran ya españolas las tribus que decoraron la Cueva de Altamira?

Lo curioso es que también los isleños hablan de «la península» para referirse a España. Así, el mallorquín Baltasar Porcel señala que se entrevista con Enrique Tierno Galván «para hablar de la península y de la sociedad que en ella habita» (Porcel, 71: 238). Digamos que por lo menos hay dos sociedades nacionales en el territorio de la Península Ibérica, más las correspondientes islas adyacentes. Ni los iberistas más entusiastas pueden olvidar ese hecho.

Cuando se habla de los españoles suele ser para confirmar que los unos y los otros, los de ahora y los de antes (aunque no quede claro el momento en el que se empieza a contar), participan de una comunidad de formas de vida. ¿Realmente hay un «carácter nacional» de los españoles, como se ha afirmado tantas veces?

El ser humano tiende a olvidar todo lo que puede su pertenencia a la común especie, que, cuando la menciona, la considera sapiente. Lo que trata, en su lugar, es de reafirmar las variedades familiares en las que esos hombres se agrupan. Hoy ha caído en un cierto descrédito la pertenencia a esas familias humanas por los rasgos físicos, lo que se llamó la raza. Es igual, si se rechazan esas similitudes físicas, surgen otras, como las manoseadas «señas de identidad», que no son más que los caracteres raciales un poco más espirituosos.

El signo principal de identificación de un grupo de humanos suele ser la nación. No se busquen definiciones demasiado objetivas, reconocibles. Uno es de la nación a la que dice pertenecer. Los militares la llaman patria. Sea como sea, el hecho de identificarse con un gentilicio nacional hace creer a sus componentes que forman un grupo distintivo y a menudo excelso. La creencia acaba ejerciendo su poder sobre la realidad. El hecho es que nuestro mundo de hoy es un mosaico de naciones. Una de las piececitas es la que forman los españoles. Habrá que explicar en qué consiste esa identificación. Ya veremos que, si la contemplamos a la conveniente escala, España es también un mosaico, una nación de naciones, como ahora se dice con deliberada ambigüedad. El hecho es que somos españoles porque nos ven así los demás. Nos ven no sólo con esa etiqueta, sino que la misma prejuzga que tengamos que comportarnos de acuerdo con unos estereotipados modos.

La idea de que hay un «carácter nacional» español, un «alma española», procede de los intelectuales regeneracionistas (Costa a la cabeza) y de sus contemporáneos, los de la Generación del 98 (Ganivet fue el abanderado). La influencia de ambos linajes intelectuales ha sido considerable desde entonces, sobre todo en la grey de hispanistas extranjeros.

Uno de los trucos de la argumentación sobre el carácter nacional recuerda la lógica de los refranes. Consiste en afirmar un rasgo como indeleble, pero también el contrario. De esta manera siempre se pueden acomodar las ilustraciones para una u otra propuesta. Siempre habrá españoles valientes y cobardes, pacíficos y violentos. Es más, siempre podremos afirmar que lo innato del español es su carácter contradictorio. Así, en efecto, lo representa un destacado hispanista: «El español es contradictorio, inclinado a oscilar entre los extremos. Es alternativamente un entretenido parlanchín o un aburrido de pocas palabras, un violento y exaltado o un frío e indiferente. Ve todo blanco o negro, cielo o infierno, agonía o éxtasis» (Thomas, 62: 11). En definitiva, el español es cualquier cosa. Para llegar a esta conclusión no se necesitan muchos esfuerzos de investigación.

Aunque parezca extraño, la idea de que los españoles son esencialmente contradictorios resulta atractiva también para los «hispanólogos». Cito un escrito bien reciente: «El nuestro es un pueblo [el español] a la vez predominantemente original e incorregiblemente mimético, se entiende, respecto de las influencias foráneas» (Martín Herrero, 87: 76). «Nuestra vida como pueblo es a la vez rígida y laxa» (p. 84). «Un pueblo intransigente y tolerante; bondadoso y ocasionalmente cruel; un pueblo en el que conviven la generosidad y la envidia, la laboriosidad y la independencia, el desinterés y la avidez, el mimetismo y la originalidad; un pueblo viejo y joven, antiguo y moderno» (p. 111). Parece una broma que se puedan predicar todos esos contrarios de un mismo carácter. Decir tanto es como no decir nada, pero se dice.

La discusión de si existe o no un carácter nacional tiene que bajar de las nubes de la metafísica histórica si se quiere sacar algo en limpio. No puede existir un carácter nacional, ni nada que se le parezca, por los siglos de los siglos. Aun suponiendo que hubiera constancias en el modo de presentarse los españoles, esas regularidades no pueden llevarse hacia atrás indefinidamente. ¿Desde cuándo son españoles los españoles? ¿Lo eran las tribus iberas, la colonia hispanorromana, el pueblo visigodo, los reinos medievales? Cuanto más atrás vayamos en la línea del tiempo, más arbitrario será el procedimiento de adscribir unos u otros usos como típicamente españoles. La Edad Media puede ser un punto de partida razonable. De hecho es entonces, y no antes, cuando se empieza a hablar de España y de los españoles.

Aunque se reconozcan ciertos rasgos característicos en el proceder de los españoles modernos y contemporáneos, hay que advertir que no cabe pretender la exclusividad. Muchos de esos rasgos pueden verse también en otros pueblos. Por encima de todo, la sociedad española se va haciendo cada vez más compleja. Eso quiere decir que los pretendidos rasgos fijos se alteran, aparecen otros nuevos, y las diferencias internas —por clase social, región, estrato etáneo, etc.— empiezan a contar también. Con todo, si se determina bien la fecha y el lugar, se puede anotar algún tipo de comportamiento más característico que ayude a entender el modo de vivir de los españoles, los de ese momento frente a los de antes o frente a los otros europeos. Con espíritu de observación e inteligencia siempre se puede generalizar. Es lo que aquí se intenta.

Algunos estudiosos (Caro Baroja, Ninyoles) rechazan de plano la idea del carácter nacional. Se resisten a admitir que los pueblos sean organismos vivos y mucho menos fósiles. Ellos mismos, en su apasionamiento, están interpretando una de esas regularidades que se han predicado tantas veces de los españoles.

Una posición mesurada puede ser ésta: «El carácter de los países no es invariable, pero existe; confiere a sus habitantes un cierto aire de familia (...), es decir, se hace notar» (Pinillos, 87: 14). Se hace notar viniendo desde fuera, a efectos comparativos. Los españoles se saben tales cuando viajan y ven otros caracteres, otros aires de familia.

No hay caracteres fijos, pero sí hay rasgos generales que transmite una cultura y no otros. Por ejemplo, en las conversaciones de sobremesa se oye muchas veces el comentario de alguien que se cree tímido y que al tiempo no se arrepiente de nada. He aquí un rasgo bien español, porque la sociedad española es proclive a una deficiente relación interpersonal. Quien se cree dominado por la timidez, tiene que aparentar seguridad en sí mismo. ¿Qué mayor seguridad que la de no arrepentirse de sus actos? La mezcla de timidez y de resolución para no arrepentirse conduce a otro rasgo «familiar» en el comportamiento característico de los españoles: el alto sentido del ridículo. El español suele ser un apasionado actor y es muy sensible a los aplausos o pateos de su público. No hay nada misterioso, ni mucho menos biológico, en esos o en otros rasgos que se pueden adjudicar a los españoles innominados. Simplemente en la sociedad española se admiran, se valoran, y es lógico que los que quieran sobrevivir en ella los asimilen.

Una propuesta que se sale de lo corriente es la del historiador Pedro Voltes. Sostiene que hay unos «modos españoles de estar», una serie de gestos que se repiten en muy distintos actores, personajes históricos de relieve, en épocas también diferentes, aunque de un modo central en la Edad Media. Quedan como un exponente del modo como los españoles se presentan ante los demás.

Enunciemos algunas de esas españoladas históricas, según Voltes:

1) Violencias, tumultos y trifulcas.
2) El que no tiene padrinos, no se bautiza.
3) Serenidad, impavidez frente a las adversidades.
4) Disfraces y engaños mil.
5) Espíritu de superación cuando se está lejos de la patria.
6) Crueldad contra la felicidad del prójimo (la cencerrada contra las bodas entre viudos).
7) Aversión a las novedades (o también entusiasmo por las mismas).
8) Evasión de riqueza al exterior por parte de los ricos.
9) Insistencia en meterse a redentor.

10) Igualitarismo descarado (sátira a los poderosos).

11) Simpatía por el delincuente, conllevancia con el delito (siempre que no sea contra el pensamiento).

12) Orgullo de la pobreza, desprecio de la riqueza.

13) Pesimismo respecto de la patria y su futuro. («Y si habla mal de España es español»).

14) Efusión del genio estéril.

15) Inútiles discusiones sobre los asuntos de utilidad pública.

La lista no pretende ser cerrada ni coherente. El autor reconoce asimismo que esos rasgos del «estilo español» de vida no son exclusivos de la raza hispana. En sí misma, la propuesta es un fiel trasunto de ese perfil que se toma por españolísimo, tan llena está de socarronería, escepticismo y efusiones de una inventiva demoledora. Lo mismo se podría decir de este libro mío y de algunos de los que cito. ¿Qué puede haber más español que ridiculizar a los compatriotas todos, especialmente si tienen un gramo de representación? La famosa envidia española, ¿no es algo de eso? ¿No es *El Quijote,* nuestra obra cumbre, una monumental sátira contra todo lo solemne y establecido?

La propuesta de Voltes mezcla observaciones muy discutibles. Hay constancias que muchos reconocen, como el amiguismo o la crueldad contra la felicidad del prójimo (pariente de la tan mentada envidia), pero hay otras que son sólo restos del naufragio de la nacionalidad. Así, el desprecio por la riqueza, que en los tiempos que corren se ha transformado en su contrario, para seguir una vez más esa favorita ley de la física española que es la ley del péndulo. Se observará también que algunos «modos de estar» tienen que ver con una disposición teatrera y retórica ante la vida. De ahí los disfraces y engaños, la insistencia en meterse a redentor, el igualitarismo descarado, la simpatía por el delincuente, la efusión del genio estéril. Son elementos literarios que se muestran a la perfección en nuestra epopeya nacional —*El Quijote*— y que aparecen muchas veces en las comedias de capa y espada.

La mayor parte de las constantes que se destilan del comportamiento colectivo de una y otra época parten de una condición común: en el territorio que ha terminado siendo España sus habitantes han vivido en una forzada densidad, es decir, ha habido siempre demasiados pobladores para los recursos del espacio. Dicho en términos más directos: los españoles han pasado mucha hambre. Ya en el primer párrafo de *El Quijote* se nos cuenta con detalle lo poco que comía nuestro hidalgo. La obsesión por lo escaso del condumio acompaña toda la historia a Sancho Panza. A los muchos escuderos e hidalgos que han poblado las tierras españolas —de pan llevar— no les ha ido mejor. De ahí la Reconquista —que gesta la nacionalidad y, si se quiere, las distintas nacionalidades— y las sucesivas conquistas, emigraciones, guerras civiles, expulsiones, sangrías e inquisiciones de todo tipo. De ahí la pobretería general, la picaresca y el comportamiento inseguro de los poderosos. De ahí por fin la envidia y el resentimiento, el escepticismo y el humor sarcástico. No son expresiones de una pretendida raza, ni sanciones de una Providencia antiespañola, sino materialismo de lo más vulgar. Cualquier pueblo, sometido a esos mismos estímulos, acabaría con parecidos rasgos de ese hipotético carácter nacional, escribiría más o menos las mismas historias. La mejor prueba de esa interpretación es que, doblada la mitad del actual siglo, los españoles empiezan a saciar sus hambres seculares y se convierten en extranjeros de sus propias tradiciones. Cuando empieza a haber harina ya no todo es mohína. Es el momento en el que se puede hablar del pasado sin acrimonia. Es el momento en el que los españoles se dan a sí mismos una democracia y se empiezan a sentir europeos como los demás.

Los analistas discuten si el paso de un régimen autoritario a otro democrático supuso, después de 1975, una reforma o una ruptura. La paradoja es que oficialmente se pudo lograr una pacífica y gradual reforma política, porque en la base social tuvo lugar una verdadera «constelación de rupturas», al decir de un sociólogo (Jiménez Blanco, 86: 506). Por ejemplo, sugiere este autor que en el País Vasco, al lado de la sucesión política de uno a otro régimen, se manifestó un proceso de ruptura con el Estado español, aunque fuera democrático, simplemente por ser Estado. Pero más que las rupturas políticas, se puede emplear dicho término para caracterizar lo que de intenso cambio tuvo lugar en la sociedad española a partir de 1975. Aunque después de esa fecha los españoles se hayan enfrentado con una aguda crisis económica, esa circunstancia no ha sido obstáculo para que haya tenido lugar un intensísimo ritmo de alteraciones sociales, algunas de las cuales vamos a documentar aquí. Empiezan a ser visibles como consecuencia del intenso proceso de desarrollo que tiene lugar a partir de los años cincuenta, pero no se detienen con la crisis subsiguiente.

Lo que sí parecen congelarse son las ideas que se siguen manteniendo sobre el ser colectivo de los españoles (o mejor, del «estar», para seguir con la propuesta de Voltes). Y es que éste se construye sobre la divagación histórica, que como tal resulta sujeta a todos los caprichos de la imaginación. Se precisa el acopio de las demás ciencias sociales, o simplemente del llano discurrir, para salir de ese marasmo.

Una creencia muy compartida es la de que el desarrollo, la urbanización y todo lo demás son procesos que terminan por homogeneizar la sociedad en la que tienen lugar. No es así más que en una lámina muy superficial. En todas las capas interiores lo que se revela es complejidad, heterogeneidad. La sociedad española de fines de este siglo XX es, no ya compleja, sino heteróclita respecto a lo que era la de hace un siglo. Una sociedad compleja es aquella en que sus habitantes pueden tejer muy diferentes combinaciones biográficas, con cierta prescindencia de las circunstancias de su nacimiento. Esa variedad es riqueza y también riesgo y percance. La sociedad española de estos últimos decenios ha avanzado prodigiosamente en complejidad. Cierto es que determinadas formas de desigualdad se han corregido, pero otras, acaso menos lacerantes, se han prodigado en los últimos tiempos, los del desarrollo más espectacular y su crisis consiguiente. El extremo de verdadera miseria se ha reducido (aunque hayan surgido nuevas formas de aislamiento rural y de pobreza urbana), pero la inmensidad de las capas medias presenta una variedad infinita de posibilidades de vida. La dificultad estimula el interés y por eso es tan interesante rastrear los elementos constantes que se pueden aislar en esas formas de vida tan dispares.

Sean cuales sean las constantes del modo que tienen de presentarse los españoles, algo va quedando claro. Los españoles actuales no reconocen demasiado como suyo ese rasgo que se atribuía a sus antepasados de parecer demasiado solemnes, de estar tocados de una especial gravedad, de pertenecer a una suerte de nuevo pueblo elegido. Abundan los testimonios en esa dirección, que podríamos llamar nacionalista. Elijo uno, escrito ya en los momentos del despegue económico, cuando los españoles empezaban a ser otra cosa, si es que alguna vez habían sido lo que en este texto se describe: «No somos los españoles más hombres que otros por razones de gallardía meramente glandular, sino porque las pasiones, la soledad y el sentido trágico del destino humano son más honda, más gravemente sentidos aquí que en tierras más mollares e industrializadas» (Barco Teruel, 63: 91).

El texto anterior podría reproducirse muchas más veces con pocas variaciones. Identifica a los españoles como personajes calderonianos, engolados. No se ha abandonado del todo esa imagen tradicional, a pesar de los cambios objetivos que hayan podido producirse en los últimos decenios. En un texto más reciente, Francisco Ayala se refiere al «rasgo más visible de nuestro común carácter», común en el sentido de lo que distingue a los españoles e hispanoamericanos frente a otros pueblos. Ese elemento «sería una especie de resentido orgullo» que se manifiesta de varios modos, «desde lo adusto hasta lo más irónico y jocoso» (Ayala, 86: 19). Aunque corramos otra vez el peligro de las descripciones polares (en qué quedamos: ¿somos adustos o jocosos?), resulta aguda esa observación del «resentido orgullo». Habrá que volver sobre el asunto porque en torno al resentimiento se centra el modo de presentarse más genuinamente español.

Con independencia de las constancias que puedan aislarse, lo que no se puede admitir es que ese elemento permanente sea eterno, incambiable, como suponían los apologistas del «alma española». Guárdese este testimonio, por nítido: «El nervio racial ha variado muy poco a través de la historia y el carácter nacional se ha conservado incólume, pese a todas las vicisitudes, porque ha pasado la nación española» (Bergua, 34: 101). Es posible que esa pétrea significación fuera así hasta los años treinta. En efecto, una película contemporánea de ese texto —*Nobleza baturra*— se parece a un drama de Calderón. Pero las similitudes no van a ser perdurables. Los españoles actuales no se reconocen en esas caracterizaciones dramáticas. En todo caso funcionan como lo que son, estereotipos, esto es, imágenes que se repiten sin mucho fundamento, que son cómodas de traer y llevar, que no se discuten demasiado, pero que tampoco se rechazan.

Un grueso estereotipo sobre los españoles es que constituyen un pueblo insolidario, individualista. Me remito a otro enunciado del autor que acabamos de leer: «Una de las características del pueblo hispano, la más fuerte de ellas, es sin duda ninguna su individualismo» (p. 96); el cual se ha interpretado por un insigne historiador como «falta de solidaridad» (Menéndez Pidal, 59: 60). De nuevo se puede decir que esas declaraciones se encuentran en mil lugares, pero hay también una miríada de datos que demuestran lo contrario. Las fiestas de los pueblos y barrios de tantos pueblos y ciudades de España son una ilustración de una ejemplar solidaridad entre los vecinos. Piénsese en las Fallas de Valencia o en las procesiones de Semana Santa en tantos lugares. Recuérdese que los cofrades de estas procesiones van encapuchados, una forma de anonimato que parece más bien contraria al individualismo. Las casas regionales en algunos países iberoamericanos son un monumento a la ayuda mutua entre los emigrantes. Algunas instituciones de mucho arraigo popular, como la matanza del cerdo o las «participaciones» de la lotería de Navidad, revelan esa misma idea de desprendimiento y de colaboración entre vecinos, parientes o amigos, más allá del ánimo de lucro, que se tiene por la máxima expresión del individualismo.

En esto como en todo, hay que distinguir y precisar. Los españoles son solidarios para algunas cosas e insolidarios para otras. Comparten fácilmente el pan con el desconocido, pero se resisten a donar su sangre o sus órganos para que se puedan salvar enfermos graves. Aquí se detecta que muchas personas creen más en la otra vida de lo que ellas mismas suponen. Por eso quieren llegar intactas a esa otra circunstancia. Por la misma razón son muchas las personas que se resisten a ser incineradas.

Ocurre con esto, como en otras abstracciones, que la idea de individualismo se expresa de mil modos. Habrá que ponerse de acuerdo en cuál de ellos es el que se puede aplicar a los españoles.

Aunque Julio Caro Baroja abomine los «caracteres nacionales», no deja de darnos un retrato del español tipo, consonante con su inmisericorde pesimismo: «Yo siempre he creído que el español no es individualista, sino personalista, que es distinto. Es un hombre que tiene una conciencia tan viva de su persona, que no conoce nada más que su persona. A la vez, tiene una especie de ímpetu tan arrollador para no enterarse de que existen los demás, que asusta» (Caro Baroja, 85: 223). Ese personalismo vendría a ser, por tanto, una difusa mezcla de insolidaridad y egoísmo, de no reconocimiento de los demás. Algo hay de eso, pero también es verdad que hay numerosas ilustraciones que prueban lo contrario. Es patente un cierto gregarismo en las costumbres del país, que se aleja mucho de esa pretendida centralidad de la persona individual.

La tacha de individualismo puede querer decirlo todo, puede significar que se tiene en cuenta la dignidad de cada persona o puede equivaler a insolidaridad y egoísmo. Una vez más se repite la historia de los conceptos polares. No termina aquí. ¿Somos los españoles fatalistas o voluntaristas? Un juicio reciente nos da una visión que parece contradecir otro estereotipo, el del fatalismo oriental (o providencialismo cristiano) del español: «Aunque se ha tildado a los españoles de fatalistas, la verdad es que ningún pueblo europeo ha creído con mayor fe que el nuestro en las virtudes de la voluntad, la existencia de la culpa y la responsabilidad individual y la relatividad de las fuerzas ciegas de la historia» (Flaquer, 90: 71). Es curioso que la cubierta del libro donde se estampa ese laudatorio párrafo consista en una representación abstracta de «el crimen de Cuenca», un brutal episodio que revela todos los vicios del fatalismo, la insensibilidad ante la culpa, la irresponsabilidad y la creencia en las fuerzas ciegas de la historia, en menos palabras, la España atroz, que también existe junto a la España simpática. No nos podemos evadir de las ideas polares.

En el fondo de toda esta literatura sobre la manera de ser o de comportarse de los españoles (que se reproduce al hablar del carácter colectivo vasco, catalán, castellano, etc.) late una poderosa vis nacionalista. Esta sí que es una constante de las personalidades públicas en España y, desde luego, de los «hispanólogos». Detrás de la creencia de que «somos únicos» se encuentra la esperanzada sospecha de que «somos los mejores» o, por lo menos, mejores que «los otros» con quienes nos comparamos. Poca psicología hay que saber para presumir que esa petulancia esconde un vergonzante complejo de inferioridad. De nuevo asoma el resentimiento colectivo. Reconozcamos que no hay forma de averiguar la existencia de pueblos mejores o peores, aunque hay mentes preclaras que creen saberlo: «El hombre español es, esencialmente, un hombre ético (...). Cualquier mujeruca del último de nuestros pueblos castellanos ha guardado en su seno, como reliquia profunda, más valores éticos que la mayor parte de la masa europea» (López-Ibor, 60: 188). El autor contrapone el político español, tocado por la ética, con el político de otros países europeos, movido por el éxito que «lo justifica todo» (p. 189). Lo malo es que ese texto se escribe originariamente en 1940, en el momento en que los políticos españoles en el poder perseguían sañudamente —hasta fusilarlos— a los que habían perdido la guerra. La verdad es que ni entonces ni ahora (es decir, la época del estraperlo o la del tráfico de influencias) la ética ha presidido la vida pública española. Los españoles serán interesantes ejemplares de la especie humana, pero no veo por ninguna parte que sean moralmente superiores, en especial los españoles que asumen la representación pública.

Lo de que las mujerucas de los últimos pueblos castellanos (o de cualquier otra región) constituyan un ejemplo de ética revela simplemente la ideología de la «alabanza de la aldea» que tanto han practicado los que medran en la corte. Quien conozca de verdad la vida de los pequeños pueblos sabrá también de los odios eternos, las venganzas ruines, los conflictos enconados. Son infinitas las historias rurales en torno a la mezquindad de la «concentración parcelaria». La regla de conducta no es tanto que el sujeto se beneficie como que no resulte favorecido el vecino. Aquí sí que resuena la insolidaridad.

La percepción nacionalista de lo que es el pueblo español lleva a la construcción de un estereotipo idealista, hipercristiano, quijotesco, desprendido de las ataduras terrenas. Veamos de nuevo un testimonio del momento en el que la economía española decide desperezarse, lo que acentúa el contraste: «El español se siente síntesis del Universo; considera, cristiana y democráticamente, que no existe jerarquía superior a la de ser hombre; se dispara fácilmente hacia la idealidad, con pérdida de contacto con la tierra sustentadora; suelen preocuparle mucho más las supremas cuestiones (ese haz de últimas interrogantes sobre el sentido de la vida) que los problemas inmediatos. Cierta filosofía intuitiva y adánica es innata en el español típico, tan poco dado a la filosofía técnica. De todo ello se deriva, con gran frecuencia, olvido de la realidad; e incluso indiferencia —cuando no auténtico asco— hacia la realidad en torno» (Barco Teruel, 63: 144). Insisto en el momento en el que se publica ese texto. Habría sido demasido fácil ofrecer testimonios de épocas anteriores, más agrarias, en las que contrastaba una amorfa masa campesina con una minoría de hidalgos ilustrados. Es comprensible que en esa sociedad más sencilla y estática, los mandamases de la cultura cantaran loas sobre la espiritualidad y el idealismo de los españoles. Que eso mismo se pueda seguir escribiendo después de los años del despegue desarrollista, es algo que maravilla.

Se ha dicho y redicho que Cervantes retrató en don Quijote al arquetipo español: idealista, caballeroso, despegado de intereses materiales. No me lo parece, y la discrepancia exige un poco de atención. ¿Cómo puede ser la quintaesencia del español una persona que se volvió loca de tanto leer? Don Quijote es un ejemplo de erasmista, muy ajeno a las tradiciones españolas. No, el español típico de verdad es Sancho Panza: por un lado tierno, cuerdo, simplicísimo, socarrón, rebosante de sentido común, pero también ambiciosillo, fingido, contumaz. Es una mezcla de buenas y de malas cualidades en la que reconocemos mucho mejor a nuestros compatriotas.

La personalidad de Sancho Panza se dibuja con precisión en el largo y divertido episodio de la ínsula Barataria. Recordemos la ironía. Barataria viene de «barato», que en tiempos de Cervantes equivalía a fraude o engaño. Muy lejos, pues, de los idealismos caballerescos a los que sirve de contraste. El duque de la farsa cervantina ofrece a Sancho Panza la ínsula con la que desde el principio de la historia había soñado el fiel escudero. Sancho, que quiere parecer siempre religioso (hoy diríamos que hay que estar a bien con los que mandan), afirma zalamero que se conformaría con «una tantica [pequeñísima] parte del cielo (...) [mejor] que la mayor ínsula del mundo». El duque, cínico y tentador, le replica que, aceptando el cargo, «si vos os sabéis dar maña, podéis con las riquezas de la tierra granjear las del cielo». El ofrecimiento desata las pasiones de Sancho, quien piensa en voz alta: «Tengo que probar a qué sabe el ser gobernador.» Ya se imagina el astuto escudero en el estrado y fantasea, al modo tan querido del arbitrismo español de todos los tiempos: «Teniendo yo el mando y el palo, haré lo que quisiere.»

El codicioso Sancho escribe a su mujer que está presto para aceptar el cargo de gobernador, «adonde voy con grandísimo deseo de hacer dineros, porque me han dicho que todos los gobernadores nuevos van con ese mesmo deseo». Donde pone «gobernador», escríbase cualquier cargo vitalicio al que aspira siempre el español, a poder ser donde se manejen dineros públicos.

Don Quijote, más ingenuo que ingenioso, atribuye a la buena estrella de Sancho Panza el que hubiera conseguido su ansiado puesto de gobernador: «[Unos] cohechan, importunan, solicitan, madrugan, ruegan, porfían y no alcanzan lo que pretenden; y llega otro, y sin saber cómo ni cómo no, se halla con el cargo y el oficio. Hay buena y mala fortuna en las pretensiones.» Qué español es esto de confiar en la suerte. Por aquí, el de la Triste Figura es también un producto de la tierra.

No voy a resumir la archiconocida historia de Barataria. Entre dolido y resignado, Sancho Panza hace un balance de su frustrado paso por el cargo: «No he pedido prestado a nadie ni metídome a granjerías.» Con poco se conforma.

Es curiosa la similitud de Sancho Panza, de cómico gobernador en su ínsula, atendiendo a súplicas de mendicantes y avispados, con una figura que puede ser su reencarnación actual. Me refiero a Juan Guerra en su despacho vicario del gobierno autónomo andaluz, un epónimo antihéroe de la España democrática. Se parecen los dos en el físico y en las marrullerías, en la filosofía práctica de la vida, orientada al provecho personal. Qué españoles ambos. Uno y otro se hallan dispuestos, como se queja el manchego, a «sentir las importunidades de los negociantes, que a todas horas y a todos tiempos quieren que los escuchen y despachen, atendiendo sólo a su negocio, venga lo que viniere». Uno y otro, gobernador y asistente, andan siempre en pendencia de asuntos crematísticos, con el mismo aire de farsa. Ambos pierden el efímero cargo, lo que impide seguir medrando a sus respectivas familias. Todo ha sido una representación. El público se identifica con las atribuladas víctimas. Lo único que Sancho Panza es real y Juan Guerra una ficción, pero ambos son archiespañoles.

Capítulo II

SOCIOLOGIA DE LA VIDA COTIDIANA

Una sociedad no es algo grandilocuente. Pasa por la suma de los hábitos y los usos sociales mínimos. Resulta difícil la generalización en este apartado porque, como veremos en páginas posteriores, el sexo y sobre todo la edad condicionan mucho los comportamientos y las maneras de ver la vida de los españoles. Si se trata de valores nuevos, se puede aventurar que empezarán por los jóvenes; cuando nos refiramos a modos de actuar inveterados, habrá que suponer que se detectan más bien en personas de cierta edad. La relación admite, sin embargo, todas las excepciones, sobre todo ahora que en ciertos círculos de jóvenes domina una cierta actitud conservadora ante la vida. Por encima de esas excepciones nos interesa el modo de proceder más general.

Empecemos por la cabecera del documento nacional de identidad. Hay personas que se hacen llamar por el apellido, precedido acaso de la inicial del nombre propio. Así se estila ahora en algunos ambientes intelectuales. Pero ésa es moda foránea que no termina de cuajar. Los españoles se llaman por el nombre y apellido y, a veces, por los dos nombres y los dos apellidos, que a su vez pueden ser compuestos. Como si dijéramos, el retablo completo. El español concede un valor mágico al nombre (que por eso llama) propio. Celebra su santo y, por lo menos hasta hace poco, procuraba transmitir ese nombre (aparte del apellido) a sus descendientes, a veces a algún ahijado. Un cambio sí se observa, y es que cada vez hay más españoles que no llevan nombres de santos. Esto era antes hábito extravagante de anarquistas, esperantistas, vegetarianos y demás excéntricos. Hoy es de buen tono sustituir el santoral por el exotismo y la eufonía de la mitología vasca o, de modo más general, la cinematografía. La consecuencia no deseada es que a muchos les falta el día del santo. Es extraño que hayan despreciado una oportunidad para celebrar algo. Lo que interesa es que, empezando por el nomhre propio, son abundantes y sutilísimos los cambios en la vida cotidiana de los españoles.

Los españoles son otros, literalmente, si atendemos a una reciente transformación en la vida colectiva de índole más prosaica. Se trata de la decisión de cambiar la longitud normalizada de los colchones: de 180 cm. han pasado a 190 cm. Sabia medida para que a muchos no se les enfríen los pies por la noche. La estatura tendría que ser una constante biológica y así fue durante siglos, pero en la actual centuria los huesos de los españoles han empezado a estirarse en una suerte de inesperada mutación genética. Tenemos el dato fidedigno de la talla de los «quintos». En 1927 sólo un 16 % de los reclutas llegaban o superaban el listón de los 170 cm.; en 1960, con el despertar del desarrollo, el 36 % de los soldados se encontraban en esa situación; el porcentaje sigue subiendo y llega al 72 % en 1987. Esta misma evolución puede identificarse en muchas fotografías familiares. No hay más que recordar las fotos y películas de la Guerra Civil: aquellos soldaditos parecen literalmente de otra raza, por lo menudos que son, también por lo sufridos.

No todos los cambios se producen en el sentido de acercarnos a las pautas de vida de los países de economía más compleja. Tenemos, por ejemplo, el horario. Tradicionalmente los españoles retrasaban un poco la hora de la comida y de la cena en relación a lo que sucedía en otros países europeos. Pues bien, ese retraso se acrecienta cada vez más, a pesar de que las cadenas de televisión adelantan la emisión de los espacios de noticias.

El que fuera embajador en Estados Unidos durante los años cincuenta, el célebre José Félix de Lequerica, al comparar las costumbres de ese país con las españolas, observa la disparidad de horarios. Una consecuencia —según él— de las veladas tan largas en los hogares americanos era que fomentaban los divorcios. En contraste, en España «en general el matrimonio es admirable. Los esposos no se ven, viven como en un divorcio permanente y por eso no necesitan divorciarse» (González-Ruano, 57: 67). Se trata, claro está, de una ironía, pero contiene un punto de razón. El retraso en la hora de recogerse en casa para la cena hace que disminuya el tiempo en el que coinciden en el hogar padres e hijos y los esposos entre sí, por lo menos en el esquema de la familia nuclear, que siguie siendo la típica.

Muchos de los hábitos que aquí se describen como rasgos generales son más bien propios de los ambientes urbanos. Lo son doblemente porque se afirman como contraste u oposición de la pauta rural, que para muchos urbanícolas de primera generación se quedó atrás, en las raíces familiares. Si se fuerza una comida copiosa y se retrasa la hora de ésta es precisamente para distanciarse de ese campesino originario que va inscrito en el árbol genealógico y que almorzaba poco y con el sol en el cenit. El mismo efecto distanciador tiene el hecho de fumar, beber, viajar y cambiar de indumentaria.

Se podría pensar que el hábito de fumar está en regresión debido a las campañas de información sobre sus efectos perjudiciales, a la difusión de las ideas antitabaquistas que nos llegan de otros países más avanzados, a la sensación de minoría acorralada que a veces tienen los fumadores en un lugar público. No está tan claro. Las encuestas del CIS (Centro de Investigaciones Sociológicas) nos revelan que en la población adulta española la proporción de fumadores es un 41 % en 1985 y un 37 % en 1988, una reducción modesta si la comparamos con el esfuerzo institucional para desterrar el hábito. Sólo las mujeres están abandonando poco a poco la práctica de fumar. Aun así es un efecto desproporcionadamente bajo respecto a la presión de las campañas públicas. Bien es verdad que el Estado tiene que atender un doble frente: reducir el consumo de tabaco y fomentar su producción para satisfacer las exigencias de los agricultores. El dato más espectacular no es tanto la extensión de esta práctica como su relación con la edad. En una y otra fecha los jóvenes —en torno a los veinte años— constituyen el grupo con mayor proporción de fumadores.

Un dato que corrobora el fracaso de las recientes campañas antitabaquistas es que en la encuesta de 1988, hasta la edad de 50 años, la proporción de los que señalan que su padre fumaba cuando ellos eran niños es mayor en las personas de 40 a 50 años que en las más jóvenes. Quiere esto decir que debió de producirse un ligero abandono de la práctica de fumar en la generación anterior para recuperarse otra vez, precisamente cuando la sanidad pública se propone que los españoles dejen de fumar.

No es una cuestión de falta de información, sino de testarudez. Más del 80 % de los consultados están convencidos de que el hábito de fumar provoca enfermedades graves, como el cáncer. En esto no hay diferencias apreciables según los grupos de edad, sexo y otras características; es decir, se trata de una práctica unanimidad. Ahora bien, los jóvenes son los que más sostienen que se exageran esos efectos perniciosos y los que menos inconvenientes ven en salir con personas que fuman. Son también los jóvenes los que más rechazo expresan a las recientes medidas de limitación del fumar en lugares públicos. En España se da la curiosa circunstancia que, en ciertos ambientes progresistas, se prodiga una defensa y hasta una apología pública del tabaco.

Otro dato poco esperanzador es que el grupo de las personas con estudios superiores e ingresos más altos es el que ostenta la mayor proporción de fumadores (más de la mitad). Estas relaciones no parecen augurar un abandono radical de la viciosa práctica, como se está produciendo en otros países. Un fenómeno concomitante es el escaso desarrollo en España de la ideología de «los verdes». Entre nosotros, el magnífico eslogan «verde que te quiero verde» se utiliza por la Junta de Andalucía para promover, genéricamente, los alimentos de la región. Hay que suponer que los consumidores no van a considerar el tabaco como un alimento. No sería descabellada la suposición, pues así suele figurar en muchas estadísticas oficiales.

Mi interpretación de por qué las recientes campañas antitabaquistas oficiales están teniendo tan magros resultados es porque son oficiales, porque vienen desde arriba. Los españoles se avienen a cambiar de pronto ciertos usos sociales si se presentan como una moda a imitar que se recibe de los países más prósperos (singularmente de Estados Unidos) y que empieza por los grupos jóvenes mejor instalados. Cuando, en lugar de ello, el cambio se plantea «a la turca», desde las instancias del poder, como una reforma institucional, entonces se produce un fenómeno de rechazo correlativo de la desconfianza que suscita todo lo que promueva el Estado. Recuérdese el episodio del «motín de Esquilache», una famosa algarada popular contra el valido Esquilache, a finales del siglo XVIII, que quiso erradicar la indumentaria tradicional del sombrero chambergo.

Sea por lo ineficaces que resultan las campañas de opinión en este aspecto o sea por lo inveterado del hábito de fumar, el hecho es que éste no desaparece en España de la manera que lo hace en otras sociedades complejas. Una encuesta levantada en 1989 a los jóvenes de 15 a 24 años manifiesta que el 43 % se declara fumador, porcentaje que se eleva al 56 % en el grupo de 21 a 24 años. Curiosamente, fuman más los jóvenes de izquierdas que los de derechas (González Blasco, 89: 58). Otro dato chocante de esa misma encuesta es que el hábito de beber y fumar en los jóvenes se asocia estrechamente con el grado de religiosidad. Los indiferentes o ateos son los que dicen «beber más de la cuenta» y los que más fuman habitualmente. No es sólo que los jóvenes menos religiosos sean mayores y, por tanto, beban o fumen más. En cualquier grupo de edad, estos hábitos entre los jóvenes son más sobresalientes si se encuentran apartados de la fe religiosa (Elzo, 89: 318). Hay que convenir, pues, en que la religión supone un cierto freno morigerador de ciertos usos perniciosos.

Se podría pensar que la sociedad que se llama de consumo, al descansar en la producción en masa, unificara los comportamientos, las modas del vestir, por ejemplo. Pero no. Antes bien, los personajes de la escena española de hace medio siglo iban, por decirlo así, uniformados de acuerdo con su profesión, oficio o posición social. Hoy día se ve a muy poca gente de literal uniforme por la calle; ni siquiera curas, monjas o militares. Cada cual viste a su manera, por más que siga hubiendo modas unificadoras, aunque distintas a la del pasado. Hasta hace poco la ropa ordinaria era la de los días de labor y la más elegante se reservaba para los domingos. Incluso hoy se puede atisbar esa práctica en los ambientes rurales, pero en el dominante medio urbano la ropa usada se deja para los fines de semana, mientras que a diario ciertas actividades exigen vestir más o menos bien. Lo nuevo y significativo es que el obrero, el profesional o el alto directivo pueden llevar en su trabajo un atuendo uniforme, pero fuera de ese ambiente laboral la ropa es consecuencia del estricto gusto personal. Por eso hay ahora, paradójicamente, más variedad en los atuendos, para empezar más colores y sobre todo más marcas. Hay variedad en el vestido, pero nivelación por lo que significa de posición social. Es más el gusto personal lo que determina la moda que se sigue, no tanto las posibilidades económicas, a partir de un cierto umbral.

Lo de la nivelación social por el atuendo viene de lejos. Ya lo señala un publicista a principios de siglo: «Son varias las provincias y localidades de España donde, en un día festivo, se confunden por los trajes los señores ricos y los más modestos menestrales (...). Hasta los criados, desde su humildísima posición económica, tratan de copiar las hechuras, las formas de los trajes de sus señores (...). Nadie quiere ser menos que otro en las apariencias» (La Iglesia, 08: 97). Una queja tan antigua y reiterada quiere decir que los españoles atribuyen trascendencia al modo en el vestir. De hecho, las estadísticas nos señalan que se gastan, efectivamente, una alta proporción de sus ingresos en ropa. Esa significación es congruente con la idea de la representación escénica en la que de continuo se hallan los españoles. Por todas partes se nos muestra esa impresión de la cultura de las apariencias. Volveremos sobre ella.

Una confirmación de esa tendencia secular a destacar la importancia del aliño indumentario la tenemos en la insistencia con que la Iglesia católica ha condenado (en otros tiempos, ahora es ya batalla perdida) las modas en el vestir. Siempre las que llegaban como últimas eran procaces. Visto el hecho desde el presente, no deja de tener su gracia. Anotemos, como caso extremo, el de la condena de la moda femenina por el cardenal primado en un libro que se publica en plena Guerra Civil. Hay que imaginar los atuendos de las mujeres de entonces en el bando nacional para entender lo peregrino de la reprobación: «La indumentaria hoy en uso en el mundo elegante es antiespañola» (Gomá, 38: 64). «Quizá en toda la historia de la indumentaria femenina no se encuentre época semejante al desenfreno de la moda actual» (p. 174). «Las modas de hoy son inmodestas, caras y feas» (p. 265).

La vida cotidiana se teje no sólo de usos y costumbres, sino de valores que se aceptan como más característicos de una cultura. Acabamos de ver que el hecho de dar especial importancia al vestir revela el alto valor que concede la cultura española a las apariencias. No es el único ni el más destacado. La literatura sobre los españoles está llena de divagaciones sobre esos valores que más se aprecian. Menester será desentrañarla. ¿Son los españoles apasionados? ¿Se entusiasman por nada? ¿Se desbordan en simpatía? ¿Saben elevarse sobre la fugacidad de los aspectos materiales de la existencia? De nuevo hay que insistir en el carácter estereotipado de todas esas presuntas virtudes. Una cosa es lo que se dice que somos —o mejor, que hemos sido— y otra lo que de verdad revela la conducta observable.

Uno de los estereotipos comunes sobre los españoles es que pertenecen a una raza apasionada. Los datos no parecen avalar esa conjetura, por lo menos si los referimos a la actualidad. En el caso extremo, las cifras de homicidios y suicidios están entre las más bajas de Europa. Sin llegar a ese límite, los resultados de algunas encuestas comparadas demuestran que los españoles se distinguen de los otros europeos por manifestar una proporción más baja de satisfacción o interés a lo largo de la jornada, pero también se quejan menos de estar deprimidos, aburridos, fastidiados. Es decir, lo que destaca en el perfil psicológico de los españoles respecto al discurrir cotidiano es la relativa ausencia de estados de euforia o depresión. En menos palabras, todo lo contrario del apasionamiento.

En las conversaciones privadas de los españoles es hasta de mal gusto revelar esos estados de ánimo, sean positivos o negativos. La etiqueta social exige ocultar los excesos de felicidad o infortunio. Las conversaciones amicales o familiares suelen desarrollarse en la dirección de esa ocultación. Más que apasionado, el español medio es moderadamente apático y taciturno. Por lo menos esto es lo que impone el uso social.

Esta actitud de falta de apasionamiento explica quizá algunos desarrollos a escala macrosociológica. Por ejemplo, la falta de resistencia para aceptar cambios de significación política o ideológica, que en otros países han llevado más tiempo y desde luego muchas más polémicas. Piénsese, por ejemplo, en la rapidez con que se han aceptado en España la legalización del aborto o del divorcio, incluso por personas que se dicen católicas y públicamente lo son.

En España, la simpatía y la obsequiosidad extremadas son valores muy apreciados, pero abundan los personajes taciturnos, ensimismados, sentenciosos, poco locuaces. Los grandes toreros —simgularmente Manolete— suelen entrar en esa categoría como mitos. Un político de tan duradero influjo como Franco respondía también a esas características, que afectaron igualmente a sus contrarios, como es el caso de Enrique Tierno Galván. Incluso los humoristas pertenecen muchas veces a ese conjunto taciturno, por ejemplo, el contador de chistes Eugenio o el dibujante Chumy Chúmez, con su humor hipocondríaco. Así suelen ser también algunas de las criaturas más celebradas de Forges.

No se trata de un desarrollo reciente. Julián Marías señala que «el español, a lo largo de los siglos, tiene una quejumbre permanente y generalizadora» (Marías, 66: 16). No hay que llegar al extremo de la filosofía de la historia. En los tiempos que vuelan, la conversación cotidiana tenida por más amable se teje en España de expresiones lastimosas, de queja continua. Camilo José Cela alude muchas veces a que en su familia es de mal tono quejarse; será la rama inglesa. Los españoles castizos gustan de recibir lamentaciones de sus vecinos y parientes, siempre que no ahonden demasiado en la vida íntima. Se trata más bien de una queja retórica, un poco como en el extremo figura en la tradición estética del cante andaluz. De ahí que venga bien lo de hablar de política en las reuniones de amigos. En ellas uno puede quejarse genéricamente de unos gobernantes que tienen la culpa de todo, lo que permite no exhibir demasiadas intimidades. Qué pronto se ha aclimatado entre nosotros la institución del Defensor del Pueblo, reproducida después de tantas instancias menores. Los medios de comunicación todos reciben infinidad de quejas y reclamaciones de sus respectivos públicos.

El rasgo anímico peculiar del español no es la alegría, sino, lejos de ella, la melancolía. El artículo periodístico de premio, el libro que se lee, la película que atrae al público, son casi siempre productos transidos de pesimismo. ¿Cuántas generaciones de tertulianos de café no habrán comentado la decadencia de los toros, del teatro, de las costumbres, que se presentan renovadas de otro modo?

La melancolía no está reñida con la alegría que se exterioriza con la bullanga, con la extraversión; hablaremos más adelante de ella. El pesimismo español es una estudiada cautela contra la envidia. Si uno presume de que le van bien las cosas, se arriesga a que le pidan dinero prestado y no devoluble o, peor, se arriesga a que le tengan envidia. El pesimismo que digo se retrata bien en la contestación al saludo estereotipado de «¿Cómo te va?». La respuesta es: «No tan bien como a ti.»

El pesimismo nacional está embebido en las coplas populares. A través de ellas diríase que la depresión es el estado natural de los españoles. Por ejemplo:

Son tan grandes mis penitas
que a la silla en que siento
se le ha caído la enea
de pena y de sentimiento.

Los sentimientos pueden ser varios, pero dicho así, sin más, el sentimiento es el de tristeza. El humor de las coplas populares se asienta sobre las desgracias del contrario:

Cuando me parió mi madre
mi padre no había nacido,
bautizaron a mi abuelo
para que fuese el padrino.

Al empezar el diluvio
andaban todos alegres
diciéndose unos a otros:
¡qué buen año será éste!

Vinieron los sarracenos
y nos molieron a palos,
que Dios ayuda a los malos
cuando son más que los buenos.

Cuando el español canta
no está contento,
es que, cantando, ahoga
su sufrimiento.

El estado anímico del pesimismo es compatible con la expresión de una gran vitalidad, que se demuestra —como detallaremos más adelante— en la bulliciosa vida de los españoles hacia fuera. No se olvide el rasgo definitivo: los españoles están siempre representando la comedia de su vida. Esta circunstancia ayuda a dar una apariencia de energía, que a los extranjeros maravilla. Señala un agudo hispanista: «Los españoles de todas las clases sociales y de todas las nacionalidades se caracterizan por una gran vitalidad. Obran y reaccionan con dramatismo, se miran directamente a los ojos, les gusta gritar, tanto para manifestar amistad como en caso contrario, llevan ropas de colores vistosos, conducen velozmente y corren mucho cuando juegan al fútbol o hacen gimnasia» (Jackson, 81: 197). Reconozco a mis compatriotas en la descripción, en todo menos en lo del gusto por la ropa de colores vistosos. Esta es moda reciente que va entrando.

Hay un rasgo minúsculo de la vida cotidiana española que me llena de estupor: la generalización del aplauso. Los españoles no eran grandes aplaudidores. Las compañías de teatro tenían que contratar equipos de claque para que el público rompiera a aplaudir. El buen aficionado a los toros otorgaba sus aplausos con estudiada y contenida medida. Pero de un tiempo a esta parte se baten palmas por todo y para todos. El gesto se ve en algunos entierros de famosos o de policías asesinados. Como ya no se llora mucho en los velorios, la gente aplaude al cadáver.

La costumbre del aplauso fácil procede quizá de los programas de variedades en la tele, en los que suele haber un público adicto y curioso que está para eso, para aplaudir, y a veces hasta cobran por ello. Luego todos nos contagiamos y se nos va a cada paso el gesto de chocar ruidosamente las manos. Es ya inevitable cuando el agasajado apaga las velas de la tarta de cumpleaños. No entro ni salgo, puede que sea un rasgo simpático, pero la generalización del aplauso me parece un regreso infantiloide.

Está por dilucidar la batallona cuestión de si los españoles gozan de un excelente sentido del humor o carecen de él. Me inclino más bien por esta última interpretación. O mejor, predomina un sentido del humor muy especial, que es más bien el peculiar gracejo que se logra en una conversación chispeante. Obsérvese que el humorismo español se traduce casi siempre en un diálogo, desde las ingeniosas pláticas entre don Quijote y Sancho hasta los populares chistes de baturros. Se admite bien el gesto de humor en el humorista profesional, en el que cuenta chistes, en el que se las da de gracioso, pero no se ven con gusto las situaciones irónicas de lo que tiene que pasar por serio. Una ilustración. El mordaz crítico Martín Sagrera, en las elecciones generales de 1979, confeccionó por su cuenta unos carteles que rezaban: «Sé masoquista, vota UCD», o «Sufre, España, vota UCD». El hombre se maravilló del resultado: «Tanto los de UCD como los del PSOE creyeron que yo hacía campaña en favor de UCD» (Martín Sagrera, 89: 261). Decididamente, el sentido del humor no es lo nuestro.

Estos razonamientos chocan un tanto con un hecho que relatan los viajeros que llegan a España: la simpatía con que se ven acogidos por parte del pueblo llano. Esa relación de simpatía que observa el visitante no pasa de la epidermis. Es otro estereotipo que conviene someter a algunas pruebas de observación. En el fondo, uno de los valores dominantes en la sociedad española es lo que podríamos llamar recelo o desconfianza del prójimo. En dos encuestas nacionales, relizadas en 1981 y 1987, se hacían estas dos preguntas en forma dicotómica:

1) Si se puede confiar en la gente o si hay que ir con cuidado.
2) Si el ser humano es básicamente bueno o si en todo ser humano hay una parte buena y otra mala.

Las opciones de confianza en los demás reciben escuálidos porcentajes, que se empequeñecen en la segunda encuesta. En 1981, sólo un 32 % considera que se puede confiar en la gente, proporción que desciende al 25 %

en 1987. La noción de que el ser humano es básicamente bueno sólo merece un 26 % de las menciones en 1981 y un 2 % en 1987. Este pesimismo antropológico se destaca todavía más en las personas con pocos estudios y en las que se identifican con posiciones conservadoras o se consideran religiosas (por lo general, mujeres).

¿Cómo encajar en el mosaico español esa pieza de la desconfianza en los demás cuando nos asaltan las imágenes de los españoles galantes, hospitalarios, simpáticos? Hay que distinguir en esto las relaciones cotidianas, estables, en las que el español se conduce con mucha cautela, frente a las relaciones ocasionales con los extraños, los visitantes. Es ahí paradójicamente donde el español despliega toda su simpatía. Este es el secreto de la primera industria nacional, que sigue siendo el turismo (aunque algunos sostienen que es el narcotráfico).

Hay que tener mucho cuidado con la interpretación del valor «simpatía». Es una cualidad para los extraños, pero la relación con los próximos es más bien de recelo o incluso de desconfianza. De hecho, en la versión española del capitalismo avanzado todavía no funciona el cheque. La letra de cambio es papel mojado. No pagar las deudas o los impuestos es algo que para las costumbres españolas no es delito. Cómo pueden coexistir esos usos con una economía desarrollada y una democracia en orden es otro de los misterios que el sociólogo no acierta a explicar.

No es que se confíe poco en los otros, uno a uno. Como queda dicho, la desconfianza aparece igualmente, y aun se agranda, cuando se refiere a las instituciones más respetables, públicas y privadas, desde la Prensa a la Iglesia católica, los partidos políticos, los jueces y tantas otras. Lo más notable es que los jóvenes son particularmente desconfiados en este aspecto (cuando la juventud es condición altruista casi por naturaleza) y, según las encuestas, el grado general de recelo hacia las instituciones políticas ha ido aumentando conforme avanzaba en estos años la democracia. Extraña paradoja.

Ante una pregunta directa sobre si los españoles estarían dispuestos a entregar su vida por diversas razones, la patria (43 %) y la religión (32 %) son las menos estimulantes, al lado, por ejemplo, del 81 % que estaría dispuesto a dar su vida por otra persona en concreto (encuesta del CIS, 1987). La defensa de la nación y de la fe no despiertan demasiado altruismo. En el caso de dar la vida por otra persona no hay diferencias por edad, pero sí en el supuesto de la religión o de la patria. Cuanto menor es la edad, más bajo es el sentimiento altruista por esos grandes valores de la patria o la religión; quizá sea un efecto del fenómeno de secularización o desencantamiento. Contrasta abiertamente con otro lugar común sobre la sociedad española: que en ella domina lo espiritual sobre lo material o instrumental. Falso. Todavía en los años sesenta se pudo escribir que el español es «intensamente religioso o idealista», aunque la contradicción está en que «nunca ha solido ajustar su conducta a las normas, por las que hubiera dado, sin pestañear, su existencia» (Barco Teruel, 63: 191). Ya lo creo que hoy pestañearía y aun escaparía corriendo de la pira del sacrificio. No es que se ajuste o no la conducta a las normas, sino que las normas aceptadas son otras, como estamos viendo.

La secularización no es tanto pérdida de los valores morales (se pierden algunos, se reafirman o se ganan otros) como desconfianza de los que puedan ser identificados con la Iglesia católica. En una encuesta levantada en 1981 en los países de la Comunidad Europea, a la pregunta de si «la Iglesia católica está dando respuestas adecuadas a las necesidades espirituales del hombre», la media de los católicos contestaba afirmativamente en un 51 % de los casos. Ese porciento baja al 45 % en la encuesta para España que realiza DATA ese mismo año. Desciende más todavía —el 29 %— en la réplica de esa encuesta en 1987. ¿Estará dejando España de ser católica?

Los hispanos han vivido una larga tradición autoritaria en la que, por lo tanto, han destacado significativamente dos grupos de fuerte presencia social: la Iglesia y el Ejército. Pues bien, ambos están dejando de ser lo que tantas veces han sido, dos «poderes fácticos», como se les ha llamado. No es sólo un cambio político, la lógica consecuencia de un sistema democrático; es una transformación más profunda, verdaderamente social, que se observa de manera más llamativa en los jóvenes. El Ejército del Aire se queda sin pilotos porque muchos de ellos se van a empleos civiles. Son muchos también los jóvenes que se convierten en «objetores de conciencia» para no hacer el servicio militar. Como hemos visto, una mayoría de éstos declara actitudes escasamente identificadas con el objetivo de defender a España con las armas. Por otro lado —como también hemos dicho y más adelante analizaremos con detalle—, los jóvenes han reducido a un mínimo la práctica religiosa. La secularización es comparable a la de cualquier país de cultura protestante, donde este fenómeno se había producido hace ya mucho tiempo y donde, por lo tanto, no reviste tanta significación. En esto, como en todo, lo característico de la sociedad española no es la dirección de los cambios, ni siquiera su magnitud, sino la rapidez con que se han producido. Dado que estos cambios tienen lugar en los estratos juveniles, hay que anticipar ulteriores transformaciones para los próximos decenios.

No es sólo una cuestión de grandes tendencias que se pueden dibujar con los datos de encuesta. Se traducen en sutiles cambios en la manera de ver la vida que no admiten una fácil cuantificación. En los años sesenta no sólo eran delito el adulterio, el aborto o el uso de pastillas anticonceptivas (los tres delitos sólo para las mujeres), sino que la actitud general de la población estaba a favor de esas normas prohibitivas, por miedo, por tradición. En este momento ni siquiera la Iglesia católica se atreve a protestar en serio por las leyes permisivas del aborto, el divorcio o el uso de los medios anticonceptivos eficaces.

Es tal la magnitud de los cambios que a uno le tienta asegurar que obedecen a la ley del péndulo, tantas veces observada. Si hemos de creer en ella, ¿se podría pronosticar un movimiento en la dirección opuesta para la próxima generación? No es tanto la imagen del péndulo lo que funciona, sino la de la olla tapada. Si hierve el agua con la olla tapada, llega un momento en que el vapor desborda la vasija después de un tiempo en que, a una mirada superficial, no parecía que estaba sucediendo nada. Los cambios recientes en la vida española aparecen como la compensación de un largo período de hibernación, que se corresponde con la primera generación de dominio franquista (1940-65). Ahora concluye la segunda generación (1965-90), la de los fuertes cambios. De ahí que haya que estar atentos a lo que piensan los jóvenes. Estas páginas están cuajadas de observaciones sobre ellos. La tercera generación, a caballo entre los dos siglos, puede ser una sorpresa.

Hay un hecho sobresaliente en la vida española de los últimos años: el repentino valor social que se concede al dinero, al éxito material. Puede que sea un rasgo universal, pero en España llama la atención porque se parte de la tradición opuesta, la del culto al honor y al desapego de las apetencias materiales. Todo eso empieza a ser literatura. En la actualidad los «famosos» son los que ganan mucho dinero. Sus hazañas consisten en el modo de enriquecerse rápidamente, muchas veces por la especial habilidad que mantienen en sus relaciones con el poder. La nueva aristocracia del dinero lleva un ostentoso tren de vida. Los nuevos ricos lo son no sólo porque han sabido hacer dinero, sino porque saben gastarlo. A la ética del trabajo ha sucedido la estética de la ostentación. El nuevo rico español adquiere enseguida los símbolos de la nobleza terrateniente: un cortijo, una finca de caza, caballos...

Se podría pensar también que, junto al culto al dinero, la sociedad actual admite nuevos valores con un sentido altruista. Ahí estarían las ideologías más características de nuestra época: ecologismo, pacifismo, nacionalismo.

En todas partes el ecologismo está de moda, también en España, aunque no de una manera ferviente y extendida. No se puede esperar que surja un Partido Verde, pero sí que las ideas ecologistas se vayan extendiendo a todos los demás partidos, un poco como ha sucedido con las ideas liberales. Tampoco son ideas del todo nuevas. En la sociedad tradicional se producía un rasgo humanísimo de solidaridad intergeneracional, que era el culto a los antepasados en sus diversas formas, desde el respeto a las tradiciones y la centralidad del sentimiento del honor hasta las leyes de herencia y el mantenimiento de apellidos y linajes. En la sociedad actual se recorta bastante ese tipo de solidaridad, pero se acrecienta otro no menos humano: la preocupación por la suerte de los descendientes, incluso de los que no se van a conocer por razones de esperanza de vida. El origen de esta noción se puede trazar en el «derecho de gentes» del humanismo renacentista, pero hasta ahora mismo no ha tenido una traducción práctica. La difusa ideología del ecologismo no es más que el cumplimiento de ese principio. Esta noción va a traer muchas consecuencias. Va a forzar lo que tantas veces se ha intentado sin éxito: una política de disposición de los recursos naturales a escala planetaria. Esto fue lo que se hizo por primera vez hace unos siglos con la doctrina de la libertad de los mares. Todavía parece una utopía; no hay más que recordar el fracaso de las conferencias sobre los peligros de la capa de ozono, pero se camina en esa dirección.

Más difícil es que se logre el deseo universal de una política que asegure la libertad de movimientos entre los países, un derecho humano que incomprensiblemente no se recoge en ningún documento solemne. El ideal del Estado mundial está todavía lejos. Uno de los valores que se creían periclitados —el nacionalismo— reverdece en todas las latitudes, desde luego en la española. Los nacionalismos suelen estirarse hasta la exclusión y la violencia. Veremos en los próximos años un renacimiento de los nacionalismos, aunque esta idea parezca contradictoria con la anterior del ecologismo difuso. De hecho, los movimientos nacionalistas radicales suelen adoptar ciertos contenidos ecologistas. Por ejemplo: «Nucleares, no... en nuestra tierra.»

Junto al ecologismo o el nacionalismo hay otro conjunto de valores, a escala individual, que se reafirma cada vez más. Una de las tendencias sociales más firmes es la de reducir los problemas colectivos a la «solución personal», a veces casi a la felicidad o satisfacción corporal. De ahí el creciente atractivo del deporte, el cuidado del cuerpo, la cirugía plástica y hasta el travestismo. Por otro lado se acentúa el papel del grupo familiar en su función de dispensador de afectos, al tiempo que pierde peso en las otras funciones (económica, educativa, asistencial). El resultado es todo un renovado y peculiar individualismo que contrasta, por otro lado, con el fantástico desarrollo del Estado de bienestar. Se trata de un desusado crecimiento de los servicios públicos, pero, al tiempo, como consecuencia del primer fenómeno de la «solución personal», se potencian muchos servicios privados (mensajeros, vigilancia, esparcimiento, etc.). La combinación explica otros sucesos característicos de nuestro tiempo, como el general desinterés por la cosa pública, la desproporción entre la capacidad de informarse de los asuntos públicos y el levísimo nivel real de información. Obsérvese que los periódicos y revistas dedican cada vez más espacio a lo que se llama de distintas maneras, entre ellas, «estilo de vida», que no es más que el bienestar privado, la vida personal, la satisfacción de los objetos domésticos, el descubrimiento de la intimidad.

La idea de un cierto renacimiento del costado afectivo de la familia choca con algunas profecías que se habían hecho sobre el particular. Por ejemplo, la de Kahn y Winer en 1968, al imaginar un pronto decaimiento de la familia y del valor de la intimidad. No parece que se haya cumplido esa anticipación, a pesar del ascenso en las tasas de divorcio o precisamente por eso mismo.

Lo que maravilla de la sociedad española actual, en contraste con otras y con ella misma en el pasado, es la prodigiosa capacidad de adaptación a las exigencias de la complejidad, la norma que, desde la técnica y la economía, se extiende a otros órdenes de la vida. No se tome como una virtud juvenil. Al contrario, como señalaba Gregorio Marañón, la capacidad de adaptación era el deber característico de los viejos, así como la austeridad correspondía a la madurez, la rebeldía a la juventud y la obediencia a los niños (Marañón, 33: 52). Es, pues, la española una sociedad envejecida y no sólo en el sentido demográfico. Acaso otras épocas anteriores, más rebeldes o austeras, fueran más atractivas, pero ésta de la sagaz adaptación a los cambios es bien interesante. El lector juzgará.

Capítulo III

LA CASA POR LA VENTANA

Si hay algún papel reservado a las mujeres en nuestra sociedad es el de ser las grandes consumidoras, las que deciden la partida de gastos de los presupuestos familiares. De su decisión colectiva depende una gran parte de lo que llamamos «producto social». Saber comprar es hoy un elemento esencial de la productividad, tanto como saber producir. El único inconveniente es que esa sabiduría en la compra no se ve reconocida en los cómputos económicos, y eso que «economía», en su origen, quiere decir «administración del hogar». Aquí sí va a tenerse en cuenta. El lector ya habrá advertido que, cuando hablamos de los españoles, queremos decir también las españolas.

Hay que recordar otra etimología, la de «consumir». En latín era tanto como destruir; por eso se aplica primero a los alimentos, a los bienes fungibles, que se funden con el uso. Lo que llamamos «sociedad de consumo» es, pues, una sociedad destructiva, agresora, violenta. Lo es cuando la delicadísima función de comprar no se realiza con tasa. ¿Qué le ha pasado a esta sociedad española, antaño tan austera y hoy tan derrochadora?

Los españoles de hoy han ingresado de pronto en un mundo de generosas abluciones, variedad infinita de productos de cosmética y tocador, afeites, ungüentos y perfumes, todo ello con escasas distinciones (fuera de marcas y precios) por edad, sexo y hasta condición social. El hecho es novedoso. Hace sólo medio siglo el jabón era un artículo de lujo y no se habían inventado los detergentes. Todavía un texto escolar, que circulaba cuando yo era niño, daba consejos higiénicos de este tenor: «Tiene mucha importancia la limpieza de la cabeza: los piojos, el arador de la sarna, la tiña, resultan del descuido en este punto. El cuero cabelludo ha de jabonarse a fondo cada tres semanas; el hacerlo con demasiada frecuencia volvería el pelo quebradizo, con lo cual se adelantaría la calvicie» (Edelvives, 43: 15).

El consumo destructivo, el consumo por el consumo, se materializa en muchos hogares de la clase media. Hay un exceso de vituallas por toda la casa. El hogar, lleno de abarrotes inútiles, más parece un submarino. El armarito del cuarto de baño rebosa de medicinas caducadas. Todos los días se tiran a la basura mendrugos de pan, patatas grilladas, alimentos florecidos, bolsas y envases de plástico. No digamos lo que se desperdicia en los restaurantes y en los hogares colectivos. Sólo unos pocos minutos al día —como mucho— funcionan algunos costosos aparatos domésticos: la aspiradora, el tostador de pan, el vídeo, el ordenador. Acumulamos en los hogares un exceso de motores, de energía, de utensilios. ¿Qué hacen tantos calcetines en el armario? Y, sobre todo, ¿qué hacen tantos calcetines sin pareja? ¿Cuál fue el último calcetín que se zurció?

Es verdad que los españoles gustan de la calle, de salir, pero no es menos cierto que los hogares vuelven a ser la sede de actividades que antes se realizaban fuera. La más característica es la sesión de películas en la tele —con un número de canales que crece de año en año—, que sustituye a la excursión regular que antes se hacía al cine. El caso de la asistencia a los espectáculos deportivos o las corridas de toros puede ser paralelo. También se ven (o mejor, se visionan) ahora desde el cuarto de estar, que es ya el cuarto de la tele. Hay quien considera este retorno al hogarespectáculo como una pérdida o una desgracia. Es claro que permite una recepción de imágenes *per capita* infinitamente superior a la que se daba en la época anterior a la televisión y, sobre todo, al vídeo y a la antena parabólica. Determinados espectáculos de alcance mundial, como las olimpiadas, sólo se explican hoy porque hay televisión y satélites.

Más tiempo frente al televisor-vídeo significa menos tiempo para cocinar. Se sale cada vez más a comer a los restaurantes, pero se multiplican a la vez los establecimientos que venden comida preparada «para llevar». El negocio más reciente es el de las telepizzas. En Madrid se renueva todo un símbolo urbano: la catedral de las cafeterías que era California 47 comprime el local para sentarse a tomar algo y expande los mostradores donde se venden todo tipo de «delicadezas» para llevar a casa.

A lo largo del siglo actual, la vida en el hogar ha ido ganando en intimidad para sus miembros. No sólo disponen éstos de más metros cuadrados por persona (todavía escasos en las viviendas populares), sino que cada uno de los componentes de la familia cuenta con su espacio reservado: con su cama o su plato independientes. Tal práctica no se pudo afirmar hasta bien entrado el siglo actual. Incluso un artefacto tan simple como el tenedor era prácticamente desconocido en las clases populares de sólo hace un siglo (Barcenilla, 89: 259). Hoy sigue estando ausente en las cárceles, todo un símbolo. Conviene recordar todo esto que parece obvio, pero que no lo es. Antes bien, tendemos a creer que lo que nos rodea en la vida cotidiana siempre ha estado ahí o por lo menos desde hace mucho más tiempo del que significó su introducción en las vidas de nuestros antepasados. Para muchos hogares de clase media empieza a ser una necesidad el disfrute de una segunda vivienda de vacaciones o de fines de semana (cada vez más largos gracias a los «puentes» y al absentismo laboral).

No es sólo dinero lo que se derrocha. Ahí está esa manía colectiva que es la de correr sin tener que llegar a ninguna parte, pedalear en una bicicleta sin ruedas (es decir, una «anacicleta») y remar en una barca sin quilla. Sobran energías físicas porque poco tenemos que hacer con ellas. No es el juego o el deporte lo que reclama ese sobrante de esfuerzo, sino el puro ejercicio individual y a menudo en solitario, como un fin en sí mismo. Esta especie de onanismo gimnástico genera ulteriores consumos, no sólo el del atuendo deportivo. Cuanto más sudamos, más bebemos y vuelta a sudar. Los fotógrafos de prensa recogen las imágenes de la moda del maratón como una manifestación de redescubrimiento de lo natural. Queda sin registrar la miríada de cascos de botellas de bebidas refrescantes que arrojan al suelo los corredores en torno a los controles de avituallamiento.

La sed insaciable es una de las expresiones más claras de nuestra sociedad de consumo. El lenguaje cinematográfico nos ha acostumbrado a no poder mantener una conversación si no es con un vaso o una taza en la mano. Una ronda de cualquier líquido sólo se termina con otra; una mesa de reuniones o de conferencias se decora casi siempre con botellas. Hidrópicos en el trabajo, el asueto significa seguir bebiendo. «A ver cuándo nos tomamos unas copas», es lo más placentero que pueden decirse dos españoles que se saludan.

Cuando se habla de la actual «fiebre consumista» no se suele caer en la cuenta de que el derroche ha sido una pauta de otras épocas, bien que reservada a una capa menguadísima de la población. En algunos consumos hogareños, como el servicio doméstico, la tendencia ha sido hacia una general contención. No hay que remontarse a la época del antiguo régimen; todavía en los años veinte de este siglo, «el número de sirvientes para una familia de la aristocracia, de tamaño medio, ascendía comúnmente a unas diez personas: cocinera, cocinero, pinche, dos doncellas, mayordomo, *chauffeur*, costurera, ama de cría, *nurse* y señorita de compañía» (Folguera, 87: 84). Hoy una empresa de hostelería con diez empleados sería considerada como de un discreto tamaño, susceptible de recibir alguna generosa subvención.

Naturalmente, el antiguo dispendio y ostentación en servicio doméstico se debió a que consumía una reducidísima clase y trabajaba para ella una turbamulta de servidores que apenas solicitaban la comida y la yacija. Esos criados se comparaban con sus familias de origen, por lo general tan numerosas como depauperadas. No se puede desconocer que el pueblo español ha vivido siempre en un estado próximo a la simple subsistencia biológica. De esa necesidad ha hecho virtud y, en consecuencia, ha ido cristalizando la idea de una supuesta austeridad congénita.

La racionalización del hambre colectiva se expresa en algunos refranes como éste: «De grandes cenas están las sepulturas llenas.» La mejor justificación de la penuria de alimentos era la creencia de que los españoles se inclinaban por una estudiada sobriedad. Gregorio Marañón sostenía que «la ciencia no crece más que en los ambientes austeros» (Marañón, 33: 251), afirmación que choca frontalmente con los hechos, con la forzada austeridad de tantos españoles y la escasa contribución a la ciencia de la nación española. Acerca de la austeridad como virtud de la raza sobran testimonios de los historiadores. Cito algunos egregios: «La sobriedad es la cualidad básica del carácter español, que no depende de un determinismo geográfico castellano [sino que] es general» (Menéndez Pidal, 59: 17). En todas las épocas, según este autor, los españoles han tenido «un senequismo innato» (p. 17). Peregrina leyenda la de Séneca como un hombre humilde, cuando fue riquísimo y refinado.

Rafael Altamira llega a más, a imaginar que la pobreza de los españoles es una consecuencia buscada de una especie de instinto antieconómico. Afirma que a los españoles lo que les gusta es beber agua y que por eso no hay en España problema de alcoholismo. No se trata de una austeridad forzada, sino de la consecuencia de un segundo principio: «... el desprecio por el utilitarismo (...) y la falta de agria ambición económica» (Altamira, 56: 88). Concluye rotundo que «el lucro económico no es, para el hombre español, apetito primordial de todos los días, al que se subordinan otros centros de alta dirección espiritual como el amor, el honor, la amistad y la consideración del prójimo» (p. 143). Tan enraizado está el espíritu antieconómico de los españoles que destaca «los muchísimos matrimonios por amor en España [frente al] tipo corriente y tradicional en otros países del matrimonio de interés económico» (p. 146).

Estos eran otros tiempos, sin duda, puede que un tanto idealizados por la lejanía del exilio. No hubiera reconocido Altamira la España de la siguiente generación, adoradora del dinero y obsesa por consumir y por la ostentación del consumo. A los españoles de hoy no sólo les gusta comer bien, sino que les vean comer bien. Dos tipos de alimentos reciben un extraordinario aprecio popular, lo que lleva a un imparable encarecimiento: el jamón y el marisco. Curiosamente eran dos tipos de alimentos prohibidos, respectivamente, para los musulmanes y los judíos. ¿Habrá aquí algún recóndito impulso de tantos de nuestros antepasados que a toda costa querían pasar por «cristianos viejos», esto es, no conversos? Sea cual sea el pasado, el hecho es que los españoles han empezado a valorar por lo alto la comida, la bebida y en general todas las manifestaciones del bienestar general. Cualquier observador diría hoy que los españoles comen demasiado.

Estos hartazgos actuales son las hambres de ayer. Con la comida que hoy se tira a la basura podrían medrar muy bien nuestros antepasados no tan remotos. Ellos tenían, por ejemplo, la institución del «caldo añadido»: la olla hervía perenne en el fogón y a ella se iban añadiendo los huesos que habían quedado de anteriores condumios. En algunos lugares había incluso espacio para una estupenda división del trabajo, la que daba ocasión a un honroso oficio, el «sustanciero». Su capital aparecía constituido por codillos, ternillas, jarretes y demás codiciados huesos. El hombre los iba alquilando casa por casa para los eventuales caldos y guisos. El precio se establecía por el tiempo que el hueso permanecía en el caldero, según su calidad y frescura. La operación, tan general y tan de pobres, se identificaba con la impopularidad de las segundas nupcias. Así decía el refrán: «Mujer de otro marido, olla de caldo añadido.»

Siempre se ha dicho que la nuestra es una época en la que los progresos de la técnica avanzan tanto que desbordan las expectativas de los consumidores. No es así del todo y no siempre ha sido así. Al contrario, lo característico de esta sociedad de consumo de nuestros días es que la avidez de los consumidores va por delante de lo que puede ofrecer la técnica. Hay una lista de espera para embarcarse en viajes turísticos espaciales mucho antes de que tal medio de viaje pueda comercializarse. En la revista 7 *Fechas* del 1 de febrero de 1955 se daba por hecho que «en breve los coches madrileños tendrán teléfono. Se considera ya un servicio inmediato la instalación en Madrid de teléfonos en los coches». La innovación tardó en introducirse realmente más de treinta años y todavía hoy no es de consumo generalizado. El videófono es un invento antiguo, pero todavía no se ha difundido comercialmente, a pesar de muchos pronósticos en esa dirección. Parece que el primero se instaló en los comienzos de la transición democrática para comunicar al Rey con el Presidente del Gobierno. En seguida se averió y ésta es la fecha en que sigue sin funcionar. Todavía es un objeto de la literatura fantástica. La sociedad de consumo no es tan ávida de novedades como suele suponerse.

Estamos acostumbrados a medir el progreso de manera unidimensional, estirando, por decirlo así, una dimensión sin afectar a las otras. Por ejemplo, es evidente que el automóvil ha supuesto un avance en la capacidad de traslado de las personas, con una discrecionalidad que no tienen otros medios de transporte anteriores, incluido el ferrocarril. Ahora bien, sucede que en el Madrid de 1990 la velocidad media real de los automóviles es de 15 Km. por hora, es decir, poco más que la de las caballerías. Resulta un contrasentido que los coches ostenten las maravillas de potencia y eficiencia mecánicas que resaltan en los anuncios. Los motores han progresado, el resto de los elementos urbanos no tanto. Es una ilustración del principio de que hemos ido a más, no siempre a mejor.

España habrá sido —y lo es todavía— un país pobre

en relación con otros transpirenaicos, pero aun en las clases populares —precisamente en ellas— se observa una actitud de júbilo y entusiasmo por las novedades técnicas. Si no se difunden a buen paso es porque no hay medios para ello, pero allí donde hay dinero la demanda está asegurada. Esto aconteció con la llegada del ferrocarril o de la electricidad en su día y luego con todos los productos de la moderna sociedad de consumo, desde el vídeo al teléfono inalámbrico. Hay como una suerte de fascinación general por la técnica en sus más cotidianas manifestaciones, por lo mismo que, como contraste, en ciertos ambientes intelectuales resulta de buen tono arremeter contra los adelantos científicos y técnicos. El plástico, que en otros países es sinónimo de adocenamiento y mal gusto, en España provoca todavía entusiasmo y admiración en las capas populares. Pudo ser antes la baquelita y ahora el metacrilato, da igual la fórmula. El consumidor modesto adora esos materiales artificiales, como se resiste a las bolsas de papel y colecciona las de polivinilo.

El fervor general por la técnica presenta algunas incongruencias, que también se explican. Leo una gacetilla conmovedora *(El País,* 23 de mayo de 1989): «El alcalde y los vecinos de la localidad de Berrocalejo de Aragona (Avila), con 43 habitantes, se oponen al tendido subterráneo de un cable de fibra óptica para comunicar telefónicamente Madrid con Lisboa.» La razón es que el citado pueblo todavía no cuenta con teléfono de fibra «normal». La historia se repite de mil maneras. En algunos pueblos zamoranos se ha llegado a detener el tren para avisar así a la opinión pública de que carecen de estación. El aviso es más dramático cuando significa que hay estación, pero que los trenes no paran en ella.

La sociedad de consumo no quiere decir sólo ostentación o derroche, gastarse el sueldo antes de ganarlo. Significa que la adquisición de ciertos bienes materiales, que simbolizan el bienestar, tiende a generalizarse. No basta con que unos pocos tengan más. Sociedad de consumo es que tengan más todos de casi todo. Este ideal presenta no pocos inconvenientes.

Los críticos de la sociedad de consumo suelen subrayar el carácter irracional de muchas de las decisiones de compra, las cuales vienen a satisfacer necesidades superfluas, artificialmente creadas por la publicidad. Las cosas son más complicadas. No se puede decir que, en general, los hábitos de compra de los españoles sean irracionales; no pueden serlo porque nadie gasta mucho dinero sistemáticamente en algo que no le satisface. Pero sí podemos hablar de hábitos poco o nada racionales —siempre será una cuestión de gusto comparativo— en la medida en que esos usos se aparten de la adecuación de medios a fines que caracteriza a un consumidor circunspecto, prudente. Cualquier forma de derroche, de consumo suntuario o no previsor —en el que cuentan tanto o más los elementos extraeconómicos como los económicos—, se acerca al consumo no racional. Entrarían aquí todas las imperfecciones del mercado, todas las inadecuaciones del consumo. No significa que los elementos no económicos vayan a ser reprobables, sino que literalmente no pertenecen al ámbito de racionalidad que distingue a la conducta económica, al menos en su consideración ideal.

En las sociedades tradicionales la relación del consumidor con el objeto consumido era directa y simple: se sabía lo que se consumía, eran objetos o productos familiares. Hoy esa inmediatez se ha roto. Muchos objetos llevan jeroglíficas «instrucciones». El consumidor medio no sabe muy bien qué es lo que come, bebe o utiliza de mil modos. ¿Quién puede asegurar cómo funciona el vídeo o incluso el más modesto frigorífico? ¿Por qué cuando se va la luz sigue funcionando el teléfono? ¿Qué ingredientes entran en los alimentos más o menos preparados? ¿Y en las medicinas? La desolación que produce este desconocimiento se refuerza cuando se estropea alguno de los múltiples cachivaches electrónicos y se nos dice que «no tiene arreglo» o que «sale más barato comprar uno nuevo». En efecto, así suele ser, pero con el coste psicológico de la desconfianza y de la pérdida de valor que se introduce en la relación del sujeto con el objeto. Es así que el consumidor tiene que confiar en el intermediario más asequible para ayudarle a elegir entre la inmensa variedad de productos en el mercado: los mensajes publicitarios. Pero la sensación de desconfianza no se resuelve, sino que se complica. La miríada de mensajes publicitarios confunden más que informan.

La no racionalidad básica del proceso de compra se apoya en el siguiente principio. Todo en economía es limitado (la economía es la ciencia de la escasez), todo menos la suma de aspiraciones, necesidades, demandas, que es prácticamente infinita, nunca se satisface del todo. Por lo menos esto es así en la situación de las sociedades complejas, que son las que nos tocan. Este infinito de la ecuación obliga a introducir un componente extraeconómico, no racional. El principio no quiere decir que no se logre la saturación de algunos bienes. Por ejemplo, podemos suponer que algún día no lejano todos los españoles podrán disponer de una plaza de coche, pero ese día será ingente la demanda de los servicios complementarios que exige el tráfico intenso, desde los aparcamientos hasta los hospitales. Todas las familias con coche significa que se altera la demanda de viviendas, de transportes públicos y de esparcimiento, entre otras muchas consecuencias. Ya se vislumbra en España ese estrangulamiento. La sociedad de consumo es también la sociedad incómoda.

No es sólo que se consuma de manera poco racional, sino que el nivel de consumo —que se espera que suba cada año— constituye en las sociedades complejas el indicio más cierto de la legitimidad del sistema político. De ahí la enorme significación que adquiere el bienestar material para los programas y los partidos políticos. ¿Qué gobierno no se propone que los contribuyentes consuman más? Aunque sólo sea porque, al consumir, es cuando descarga con más fuerza el hacha de los impuestos.

No se puede pedir un máximo de prudencia y cálculo a los consumidores cuando ellos mismos, en su papel de vigilantes contribuyentes, ven cómo se derrochan los caudales públicos en gastos que tienen poco de racional. Ante este mal ejemplo de un Estado despilfarrador, los consumidores razonan que mejor será «fundir» los ingresos personales inmediatamente que esperar a que sean succionados por la voracidad fiscal o erosionados por los vientos de la inflación. El temor a unos impuestos crecientes o al desgaste inflacionario lleva a muchos consumos que, en otras condiciones, se tendrían por suntuarios: turismo de altos vuelos, droga, alcohol en demasía, celebraciones estrepitosas, regalos caros, moda efímera, juegos de casino con generosas posturas. Con esos gastos extraordinarios el consumidor se premia a sí mismo en una suerte de compensación de las muchas tribulaciones que trae la vida urbana bajo un Estado próvido.

Ciertas manifestaciones del consumo significan deleite, comunicación, alegría. Se asocian por ello a la juventud («divino tesoro») con su mezcla de plácida irresponsabilidad, de exceso de energías, de tiempo que pasa lento. Se enfrenta, como contraste, a la ética de la responsabilidad y del trabajo que caracteriza el mundo adulto. Cada vez hay menos aprecio por el trabajo y más adultos, y aun viejos, que quieren parecer jóvenes. Nada más propio que consumir como ellos. Parece como si el trabajador adulto o el jubilado, al consumir con ostentación, recobrara simbólicamente la juventud perdida. La publicidad suele abundar en modelos juveniles. Se habla de que la sociedad española actual es «de viejos». No lo parece por los carteles publicitarios.

La paradoja del consumo es que hay que trabajar antes para consumir después con los frutos del trabajo. Lo que pasa hoy es que se rompe la adecuación trabajo-consumo. Por un lado, se ve cómo disfrutan ostentosamente algunos que trabajan poco; por otro, no pocos tienen menos trabajo del que quisieran. El resultado es una cierta desmoralización. La salida es que las estructuras comerciales favorecen esa estrategia («compre sin dinero»), pero dentro de una previsión racional que tiene en cuenta incluso el porcentaje de fallidos o morosos. En los jóvenes se produce un desbordamiento de ese patrón. Se acostumbran a consumir antes de lograr la proporcional provisión de ingresos regulares, los del trabajo principalmente. Se produce así una suerte de consumidor enloquecido, que en sus manifestaciones extremas termina en las mil rampantes formas de delincuencia económica, de modo singular la delincuencia juvenil. Es opinión compartida que esa delincuencia tiene mucho que ver con la droga. El consumo de droga ejemplifica bien esa tendencia cultural a gastar ahora, antes de ganarlo, a buscar la satifacción inmediata, a consumir de modo gregario.

La aparente «alegría» de los consumidores se produce hoy porque el ahorro ha perdido una gran parte de su función de mecanismo de seguridad para la vejez, para los imprevistos, para los malos tiempos. Esa confianza en el incierto futuro la dan hoy las pólizas de seguros, las prestaciones de la Seguridad Social y otras muchas instituciones (aunque no tanto como antes la familia). El ahorro familiar es literalmente una acumulación para poder gastarlo de una vez, llegada la ocasión, en plazos que no esperan a la próxima generación.

Uno de los aspectos menos racionales del consumo familiar en España es la relativa incomodidad de las viviendas, relativa al dinero que se gasta fuera de ellas. Tenemos así casas más bien incómodas, pero un desusado gasto en vacaciones, en «segunda residencia» (que suele ser todavía más incómoda que la primera), en hostelería. Hay testimonios añosos sobre el particular: «El español no ha nacido para vivir en la casa; por eso no la mima, no la cuida, no la hace cómoda y confortable» (Bergua, 34: 323). En definitiva, la casa no termina siendo algo íntimo y familiar, como lo fue en otros tiempos la casa solariega. Sólo los vascos tienen esa noción de que la casa *(etxea)* es algo más que la parte física, el edificio. En el caserío vascongado esa denominación envuelve también a los moradores (personas y animales), los campos, los aperos e, incluso, la irreal relación con los antepasados. El apellido para los vascos es el mismo lugar de la casa.

La conocida tendencia al «consumo ostentoso», que anticipó con perspicacia el sociólogo americano Veblen, se refuerza cada día más y con elementos cada vez más simbólicos y sutiles. Lo que se aprecia no es la obtención de satisfacciones directas de los objetos de consumo, sino la satisfacción vicaria de provocar envidia en el vecino. Si no fuera por esta humanísima tendencia, la vida de todos nosotros sería mucho más austera y hasta es posible que no pudiera existir propiamente lo que denominamos desarrollo o economías complejas. El «consumo ostentoso» consiste en disponer del bien en cuestión para enseñarlo, no tanto para gozar de él.

El ideal de racionalidad es que el consumidor fuera adquiriendo los bienes y servicios al tiempo que realmente los fuera necesitando y en proporción a esa necesidad. Tal previsión pocas veces se logra. Por lo general se compran más bienes y servicios de los que realmente se utilizan o se necesitan. En algunos ambientes profesionales es práctica habitual disponer de un seguro médico y, al mismo tiempo, acudir al médico particular. A partir de un suficiente umbral de ingresos, lo que se adquiere no depende sólo de la capacidad de gasto. El acto de hacerse con una «ganga» se ha convertido en uno de los placeres más comunes. La explicación está en el carácter de juego que hay en toda operación de compra y, por lo tanto, de venta. Uno y otro, comprador y vendedor, participan de la misma creencia de que están engañando al contrario. Este engaño recíproco y subjetivo es lo que caracteriza la satisfacción del acto comercial, es la esencia del comercio.

Una conducta enteramente racional en los hábitos de compra sería la que parte del hecho de que comprar lleva tiempo y el tiempo vale dinero, aunque no de la misma manera para todo el mundo. Así, la racionalidad estaría en la reducción al máximo del tiempo dedicado a la compra. No es eso lo que sucede. El comprar puede ser un placer en sí mismo. Por eso el tiempo de compra se amplía sin cesar. Es en lo que consiste una buena parte de la actividad del turista.

El consumo de alimentos y otros artículos fungibles es cotidiano, pero la compra no tiene por qué serlo si se cuenta con frigoríficos cada vez más espaciosos y automóviles en los que se puede transportar una gran cantidad de bolsas con la compra. Sin embargo, se mantiene el hábito tradicional de la compra cotidiana. La explicación, una vez más, está en los elementos extraeconómicos de la economía doméstica. La compra se sigue realizando en altísima proporción por las amas de casa. Para muchas de ellas ese hábito no sólo es un medio de proveer unas necesidades, sino que lleva una finalidad en sí mismo. Es una parte de la relación vecinal, un entretenimiento, una función que supone una satisfacción en sí misma. De ahí la resistencia a sustituir la compra diaria por una frecuencia más espaciada. En los hipermercados se puede atisbar un doble comportamiento poco racional, pero no por eso menos entretenido o menos satisfactorio: las muchas personas que compran poco, las personas que van en pareja o incluso en grupo. Más que comprar, van a ver. La compra sigue siendo un acto social. Da la impresión de que hay familias que acuden al hipermercado a pasar la mañana del sábado o a matar la tarde.

Un desarrollo muy notable y reciente en los mecanismos de distribución lo tenemos en el auge de los nuevos «zocos», la versión española —o por lo menos madrileña— de los centros comerciales de otros países. No son equivalentes ambos términos. Los centros comerciales atienden a las necesidades primarias del hogar, y se completan con una constelación de tiendas especializadas que se arraciman en la zona de influencia. En los «zocos» el proceso es el inverso: las necesidades primarias se siguen satisfaciendo en pequeñas tiendas o en el mercado de barrio, mientras que aquéllos constituyen más bien una conjunción de tiendas especializadas, entre las que predominan las de moda o regalo. Se produce así una curiosa afluencia de público que acude a tomar algo, a ver escaparates, a verse entre sí o a entretenerse, pero mucho menos a comprar. En cierto modo, el novísimo «zoco» viene a llenar la nostalgia de la plaza porticada del pueblo de origen.

Las ilustraciones anteriores llevan a una necesaria conclusión. El proceso de compra es sólo conducta económica porque maneja dinero, pero, a medida que las sociedades se hacen más complejas, las decisiones de compra se tiñen de abundantes elementos extraeconómicos, con frecuencia no racionales y hasta con un punnto de sinrazón. Nos movemos en el plano de la vida cotidiana donde cuenta la costumbre, la emulación, el prestigio, el qué dirán y, en general, las pasiones y sentimientos. A través de esa mínima acción que es la compra de todos los días se retrata la sociedad entera.

Se diría que los españoles han atravesado por una fase cuantitativa: la de vivir más, con más medios, más facilidades y más objetos. Algunas personas sienten que han llegado a un tope y ahora se plantean angustiadas lo que es más difícil: vivir mejor. La polémica se establece a veces en el plano familiar. Los padres son los de «vivir más» y los hijos los de «vivir mejor». No hay forma de entenderse. Son dos lenguajes. La disputa es la típica de la sociedad de consumo y se resuelve en una serie de transformaciones sociales, no sólo económicas.

Sociedad de consumo quiere decir también un modo de organización y de diferenciación social en torno al estilo de gastar. Los de arriba son los que logran superar los tres grandes obstáculos económicos: la inflación, el paro y los impuestos. Los verdaderos privilegiados son los que prosperan ante esas dificultades. Suelen ser los que compran y venden cualquier cosa que no sea su trabajo, los que viven no tanto de éste como de la savia munificente de alguna organización; en definitiva, los que viven de manejar el dinero de los demás, que es como vivir simbólicamente del trabajo de los demás. Sus ingresos son variables, no saben lo que es el paro porque siempre dirigen y, al final, pagan menos impuestos porque lo suyo es invertir, desgravar, recibir subvenciones. Aunque, naturalmente, con diferentes niveles de calificación moral, el político profesional, el banquero y el terrorista podrían ser la representación más típica de esos que dominan en la opulenta sociedad de consumo. Son los verdaderos «consumidores», en el prístino sentido de los «agresores».

En el polo opuesto estarían los «consumidos», las verdaderas víctimas de este tipo de sociedad. Son las personas que reciben una única, fija y modesta cantidad de ingresos, en su extremo mendigos, parados, madres separadas sin actividad laboral extradoméstica, hijos de familia creciditos y trabajadores en puestos de rutina.

Entre medias queda el grueso de las personas que «se consumen» para poder salir adelante en esta sociedad competitiva en la que se valora por encima de todo el éxito económico y sus símbolos. Son los que gastan por encima de sus posibilidades, los que «tiran la casa por la ventana», como suele decirse con una imagen tan popular como realista. Gastan porque así se saben vivos.

Pocos países hay en el mundo con la combinación que sigue y que domina en España: nueve de cada 10 españoles ya no se dedican al campo; ni siquiera la mayoría vive en pueblos, sino en ciudades. Ahora bien, la mayor parte de los padres —y no digamos de los abuelos— de esos urbanícolas eran campesinos y moraban en modestos núcleos de población. Este hecho estadístico condiciona otros muchos rasgos de la sociedad española. El mismo aprecio por vivir en el centro de las ciudades, por el ruido, por el hacinamiento en los lugares de ocio o de trabajo, todo ello es un eco del episodio que marcó la biografía familiar: el trueque de la vida campesina por la urbana. Había que esconder, a todo trance, el origen rústico y asimilar la urbanidad. Por encima de todo había que demostrar a los parientes del puebo que a los «desertores del arado» les iba bien en la ciudad. El consumismo español no es lo que parece, no es tanto la imitación de modas californianas como la reacción visceral de ancestrales procesos autóctonos.

No es buena terminología la que centra el cambio social más reciente en torno a la industrialización: sociedad preindustrial, industrial y posindustrial. No es ésa la dimensión más estimulante. No tiene mucho sentido decir que hoy tal proporción de la población activa o empleada se dedica a la industria en relación a lo que representaba ese porcentaje años atrás. Lo significativo es que, sea cual sea el guarismo, la población dedicada hoy a la industria trabaja en otras condiciones y se dedica a otras tareas, en relación con el pasado. La dimensión auténtica se establece entre una sociedad tradicional o simple y una sociedad moderna o compleja. En las sociedades complejas —y España ya lo es en la escala mudial— hay más ocupaciones, más posibilidades de vida, más movilidad y, para ser justos, también más problemas de desarreglo social, violencia, marginación. No es sólo que se consume más; se consume más, pero sobre todo de una variedad grande de objetos de consumo, incluidos los inmateriales o simbólicos.

Una sociedad es compleja porque las biografías de sus habitantes son más completas, más largas, más intensas, abarcan más posibilidades y concentran también más conflictos. En ella, el nacimiento no determina del todo lo que va a ser después el papel del individuo en cuestión, el lugar donde va a vivir, las ocupaciones que va a tener. En definitiva, una sociedad compleja concede más opciones vitales para sus miembros. Puede suceder también que se trate de una sociedad dual, es decir, que una parte sea compleja y otra no, con abismales diferencias. En ese caso es fácil que surjan los prejuicios raciales. Se puede dar la paradoja de que una sociedad moderna, por serlo, tenga que admitir un gran contingente de inmigrantes extranjeros, lo que ocasiona el dualismo y el racismo. Este supuesto empieza a ser verosímil en España. El progreso casi nunca lo es en todas las direcciones.

Otro de los cambios en la estructura social, que ya apunta hoy, es el de la distinta significación de los conflictos sociales. Los conflictos van a ser cada vez menos laborales y más de índole fiscal, en su más amplio sentido. Las reivindicaciones no se dirigen contra el empresariado, sino contra el Estado, que fija los precios y las condiciones generales de la hipotética economía de mercado. La protesta se hace en favor de amplios grupos (los jóvenes, los jubilados, los trabajadores extranjeros), no sólo estrictamente en favor de los empleados de tal o cual empresa o rama de actividad. En definitiva, los conflictos que se avecinan, y que ya empiezan, van a girar en torno a la manera de gastar los dineros públicos.

Acabamos de ver que los españoles forman una nación de ex campesinos. Sus deseos peculiares más hondos son todavía los que se dirigen a conseguir los símbolos de la cultura urbana; por eso el abultado gasto en el vestir y el extraordinario aprecio del automóvil. En los concursos de la televisión los ganadores prefieren el automóvil a cualquier otro premio. Llegará un momento en que esto no será así, en que la sociedad será plenamente urbana y el coche un bien universal. Ya estamos a punto de alcanzar ese límite. Dentro de unos años, el gasto familiar distintivo corresponderá al viaje a un país extranjero, con preferencia fuera de Europa. Hay que hacerse la pregunta que varias veces asalta estos razonamientos: ¿por qué los españoles hasta hace poco sentían tan escasa curiosidad por otros pueblos? La explicación se encuentra también en el pasado colectivo. Los que salían fuera eran tradicionalmente los desasistidos: los misioneros, los «indianos», los emigrantes. La cartas del exterior procedían casi siempre de los solitarios, los marginados y aventureros de cada familia. Esto ya no es así. Hoy no hay misioneros y los emigrantes retornan. En los años que quedan para terminar el siglo los españoles van a hacer turismo en masa por otros países.

La nota más distintiva de estos años finiseculares es la obsesión por una vida doméstica cómoda. Esto va a representar el definitivo enterramiento del mito de la tradicional austeridad española. Durante mucho tiempo los españoles se han preocupado muy poco de invertir en la comodidad del hogar. Ya empieza a notarse el cambio, por ejemplo, en la reciente expansión de obras de arte menores para la decoración doméstica; ya empieza a crecer la circulación de las revistas que se ocupan del hogar. Ahora sí que es el momento de empezar a tirar la casa por la ventana.

CAPÍTULO IV

LA VIDA EN LA CALLE: SALIR, BEBER Y COMER

Aquí se habla mayormente de vida cotidiana, íntima, particular. En otros países eso significaría circunscribir las observaciones al territorio doméstico. No así en España. El Diablo Cojuelo iba levantando los tejados para ver cómo vivían los españoles. Hoy se asombraría de que muchos de ellos no están recogidos en casa. La intimidad se vive también en la calle.

Nunca hay progresos rectilíneos. Todo es cuestión de esperar y ver cómo, con el tiempo, la curva acaba doblándose por sí misma. Se piensa, por ejemplo, que el progreso es la actividad económica consistente en que cada vez más personas —singularmente las mujeres— acudan desde su casa a otro lugar para trabajar. Así es, en efecto, pero sólo hasta cierto punto. Ese punto de inflexión ya lo hemos atravesado en España en estos últimos años, en los que una forzada industrialización cede paso a una economía más compleja de servicios. Crecen, sin duda, las grandes organizaciones. Es la época de las fusiones de empresas y bancos, la entrada en masa de las poderosas multinacionales, la erección de gigantescos hospitales, de multitudinarias universidades. Junto a ello, su contrario. Una economía de servicios permite muchos negocios familiares (bares, peluquerías, tiendas de todo tipo), una economía sumergida propicia muchas actividades que se realizan en el propio domicilio (desde el trabajo por piezas para fábricas hasta clases particulares sobre todo lo enseñable). El resultado es que hoy se produce un retorno a lo que se creía fenecido: el hogar como lugar de trabajo, de producción. El ordenador preside ahora la liturgia ornamental del cuarto de estar.

No todo es igual, ni siquiera en la decoración. El trabajo en el domicilio permite una mayor intimidad doméstica al poder descargar muchas relaciones profesionales a través del teléfono. No quiere esto decir que vivamos encerrados, que no nos traslademos; al contrario, salimos más que nunca porque cada vez hay más posibilidades de hacer cosas fuera. Lo que sucede es que existen más opciones, más posibilidades. La vida es por eso más rica, aunque nos quejemos de los atascos del tráfico y de la congestión en las horas punta.

La distinción no es tajante. En muchos hogares se trabaja en ellos a la vez que algunos de sus miembros lo hacen fuera. No hay una trayectoria de progreso rectilíneo ni un corte claro en el tiempo. Antes los enfermos se atendían en casa y hoy sobre todo en los hospitales; pero cuando un enfermo es internado en el hospital, algún otro miembro de la familia tiene que estar medio atendiéndole también (vela nocturna, donación de sangre, organización de visitas, trámites burocráticos, información a través del personal sanitario).

La vida buena de los españoles transcurre fuera de casa. Así ha sido tradicionalmente, por lo general con una casi musulmana separación de sexos. Los varones iban al casino, a los toros, al café; las mujeres se sentaban en sillas bajas en la calle, en un portal, si hacía buen tiempo o, si no, iban a la iglesia. Esas son formas de vida pretérita, pero todavía vigentes en su fondo. La tradición mediterránea del ágora subsiste. La vida más apetecible sigue siendo la de la calle, o por lo menos, negativamente, la que se hace fuera del hogar.

Se dirá que esto no puede ser así en la época de la ubicua televisión. Si computamos la estadística de las horas que permanecen en su casa los españoles, veríamos que se trata de un mínimo en relación a lo que ocurre en otros países transpirenaicos. Ese dato debe servirnos para interpretar otro que parece contradictorio: los españoles están más horas ante el televisor que otros europeos occidentales. El resultado es, pues, que en España se está poco tiempo en el domicilio haciendo otra cosa que no sea ver la televisión. No es extraño que, al parar poco en casa, las familias españolas manifiesten una escasa relación entre sus miembros, una falta de acuerdo por lo que respecta a sus modos de pensar. Ello trae como consecuencia una cierta volatilidad de los comportamientos religiosos o políticos, poco sedimentados en la rala atmósfera familiar (Linz, 70: 659).

Cierto es que la televisión reúne a los familiares en torno a la mágica ventana, pero se buscan nuevos expedientes para salir de casa. En Madrid, por ejemplo (y también en otras ciudades), hay en verano una verdadera eclosión de las terrazas nocturnas. La costumbre es salir después de cenar a sentarse a tomar algo, a veces hasta altas horas de la madrugada, buscando la fresca, como suele decirse. Lo propicia el clima, pero se lleva en la tradición cultural, que persiste y aun se acentúa en los tiempos que corren. Y se acentúa a pesar del ambiente de «inseguridad ciudadana» (temor a los ladrones, a los drogadictos, a la violencia callejera). Puede más el aprecio por el ágora. Recuérdese que en la cultura española es posible que dos personas conversen durante horas interminables sin que realmente se conozcan, sin que sepan sus nombres respectivos. En las terrazas públicas se reúnen grupos de amigos, aunque también se platica con conocidos ocasionales. Quizá lo nuevo de esta costumbre es que se suele beber sin comer mucho. Volveremos sobre ello.

Los españoles, por ser ahora una nación de ex campesinos (la gran mayoría de nuestros abuelos lo eran), aman hasta el delirio lo urbano. Les gusta, por ejemplo, vivir en el centro de las ciudades. Por un efecto de imitación de los estilos vitales de otros países, que ven en la televisión, han decidido ahora irse a vivir a lo que antes se llamaba extrarradio, por lo menos una clase social de matrimonios jóvenes con regulares ingresos. La moda actual para esa clase acomodada es el chalé adosado, un poco la reproducción de los barrios ingleses de casitas todas iguales, pegadas unas a otras, con un minúsculo jardín individual y un pequeño parque común. Sin embargo, sigue pesando la atracción del centro urbano. Así se ve en los flujos del tráfico automóvil. Hacia las ocho de la tarde de un día corriente hay mucha gente que sale del centro de Madrid para dirigirse a las zonas residenciales, pero otra tanta entra en el casco urbano siguiendo la dirección inversa. Son los «suburbanícolas», que desean gozar de la noche en el centro. Se dedican a la actividad más apetecida por los españoles: salir.

«Salir» significa realmente que los españoles se relacionan menos con la familia y más, cada uno de los miembros del hogar, con sus pares, las personas de parecida edad y con mucha frecuencia del mismo sexo. Esta constancia se extiende a los jóvenes e incluso a los adolescentes, quienes reciben mucha influencia de ese grupo de pares y relativamente escasa de los padres y no digamos de los demás parientes. Este hecho se traduce en otro de mayor hondura: muchas familias se mantienen artificialmente unidas, pero no cohesionadas, por razones económicas o de tradición. No sólo los jóvenes no abandonan el hogar paterno, a pesar de que puedan llevarse mal con los padres, sino que los cónyuges pueden no llevarse bien entre sí y no recurren al divorcio. La ley de divorcio en España es sumamente liberal, pero la tasa de divorcios es bajísima. En definitiva, el hogar se ve más como una unidad de organización económica que de administración de los afectos, siempre en valores relativos respecto a lo que ocurre en los países europeos con los que gustamos compararnos. Todavía hay que añadir una tercera forma de fisura familiar: es la que se refiere a la de los otros parientes, más o menos lejanos, que pueden vivir en el hogar a pesar de no entenderse bien con los miembros originarios. Se comprende ahora que, en esas circunstancias, el grupo de pares consiga una extraordinaria presencia en la vida cotidiana de los españoles. A ese grupo de parecida edad y condición social se pertenece «saliendo».

En los últimos tiempos se ha producido una sutil variación en el mercado de las ideas, de la comunicación. Nunca se ha pagado bien la colaboración escrita en periódicos o revistas, que ha sido algo así como la calderilla de los escritores. Incluso se podría demostrar que ese estipendio, en valores constantes, lleva muchos años congelado. En cambio, los honorarios que se pagan por hablar en público no hacen más que subir. Quiere esto significar que, así como no se acrecienta mucho la demanda de escritura, se amplía sin cesar la necesidad de escuchar lo que dicen esos que, por lo general, son los mismos que escriben. El escritor es cada vez más un orador. No es, pues, que los españoles se desentiendan de la cultura, sino que aprecian cada vez más la cultura oral. Son muchas las organizaciones públicas o privadas que pagan por una conferencia (ponencia o cualquier otra forma de intervención hablada) cantidades que se acercan a las regalías que pueda dejar un libro o un par de docenas de artículos en los periódicos.

El elevado aprecio por la cultura oral es parte del gusto por lo gregario, por verse unos a otros, por estar juntos con el grupo de iguales, normalmente, además, en las horas vespertinas, que parecen más propicias a la convivencia familiar. La mayor parte de las conferencias y otros actos similares se dan en España a las horas en que los europeos septentrionales ya han cenado en sus respectivos hogares, claro. Este gusto por la comunicación oral lleva al hecho de que los libros se venden si los respectivos autores son conocidos visualmente a través de la televisión y también en esos encuentros cara a cara. Por eso mismo, para reforzar el recuerdo visual, a los autores más destacados se les somete a esa simpática ordalía que es la firma de ejemplares de sus libros en los grandes almacenes o ferias del libro. La cuestión es, se mire como se mire, salir de casa.

Tan fuerte es la tendencia a proyectar la vida fuera del hogar que se llega a producir una curiosa conducta —a la que ya hemos aludido— que se expresa en una desmesurada simpatía con los extraños, con los que se conocen poco, incluso con los extranjeros (siempre que no sean los inmigrantes que vienen a ocuparse de los menesteres más serviles). En cambio, se mantiene una desproporcionada dureza en las relaciones con los próximos. De ahí que el viajero o el turista se sienta agradecido por esa simpatía, sin percatarse de que está ante algo artificioso.

Hay una especial tensión en la vida cotidiana de los españoles que se asocia al horario retrasado y a la costumbre de pasar mucho tiempo fuera de casa: duermen pocas horas. Al poco dormir no se le considera como una enfermedad (por cierto, la de don Quijote), ni siquiera como una preocupación, sino, al contrario, un motivo de orgullo, de envanecimiento. Se presume de dormir poco. Luego está el estereotipo de la siesta, pero la cabezadita posmeridiana no es más que una compensación para aliviar las escasas horas de sueño nocturno de muchos españoles, incluyendo los niños.

Uno de los símbolos del cambio de ritmo de la vida española es la decadencia del paseo, el acto de caminar una o varias personas sin ningún propósito especial más que el del goce de ese moderado ejercicio. Por la calle urbana no se puede pasear porque ese espacio es para el coche y para el rápido ir y venir de las personas a sus compras o quehaceres. En los parques públicos, según a qué horas, puede no ser seguro el paseo, y así se ven por lo regular vacíos. Tampoco es que falten lugares; lo que escasea es el público. El paseo se ha visto sustituido por lo que en España se llama *jogging,* creyendo que en Estados Unidos se denomina así también (se dice más bien *running*). Puede ser igualmente saludable, pero hace más difícil lo que es la esencia y el placer del paseo en pareja o en pequeños grupos: la conversación. Se han desdoblado las dos funciones del paseo tradicional: cuando hay que moverse, se trota, y cuando hay que platicar, se telefonea.

Para seguir con los vocablos de ascendencia inglesa, los españoles no tienen una palabra que traduzca la de *privacy,* a pesar del parentesco latino de ese terminacho. Se le acerca «intimidad», pero ésta se refiere a la persona, no al grupo familiar, y tampoco se emplea mucho. «Intimo» puede incluso resultar un adjetivo sospechoso, algo así como ilegítimo; o también puede no querer decir nada. Un «amigo íntimo» puede ser cualquier compañero o conocido ocasional. Unamuno explica la falta de «memorias íntimas» entre los hombres públicos españoles a que a éstos suele faltarles intimidad. En contra del tópico, no somos —dice el vasco de Salamanca— un pueblo comunicativo. Las relaciones aparentemente amistosas suelen ser muy superficiales (Unamuno, 50, III: 533; publicado originariamente en 1904). Pero decíamos que no hay palabra equivalente a *privacy*. Si no hay palabra, no hay realidad. Un familiar, un vecino o un amigo pueden presentarse en la casa de un español sin llamar previamente, sin ningún motivo sustancial y sin que se espere más que simpatía por su cándida sorpresa. No es impensable que, ante esa inesperada visita, salgan todos al bar más cercano a tomar algo, a matar el rato.

No se crea que esa continuada relación con los amigos lleva fácilmente a relaciones profundas. El español es un difícil paciente psicoanalítico. Si se ha mentido tradicionalmente al confesor, no se ve mal que se siga mintiendo al psicoanalista o al médico. El hecho de reconocer ante los demás que uno tiene problemas, dolencias, preocupaciones, se hace muy cuesta arriba. No es fácil que un español cuente a sus familiares o amigos sus problemas; es más, el español típico se siente orgulloso de no tenerlos. Es de mal gusto preguntar al amigo por sus dificultades. Sería violar el uso social de la simpatía o acaso la vieja norma del honor.

Hay un minúsculo rasgo cultural que pone nerviosos a los extranjeros que vienen a trabajar a España en puestos directivos: la informalidad (palabra que en español significa descortesía más que espontaneidad, como ahora se entiende por influencia anglicana) en la agenda. Las obligaciones de negocios o profesionales, las reuniones sociales o de amigos, se fijan muchas veces dentro de la misma semana en que tienen lugar, y en ocasiones en el mismo día.

Esto significa hacer y deshacer muchas veces la agenda, cancelar citas y posponer obligaciones. Se comprenderá que una consecuencia de este uso social sea la inmensa tolerancia para la impuntualidad. Hay veces en que las citas se determinan a una hora tan vaga como «a media mañana» o «a media tarde». Esta indefinición no parece preocupar mucho a los españoles y hasta les divierte.

Muchas de estas observaciones sobre las costumbres cotidianas se marcan con el estereotipo de lo latino frente a lo europeo. El contraste se refleja, por ejemplo, en el contacto corporal. Los españoles se abrazan con gran efusión. Los varones no se besan, pero sus abrazos son más briosos. En las regiones meridionales se tolera que dos varones, que sean parientes o amigos, vayan paseando agarrados del brazo. En Madrid y más al norte esa compostura es rara. En general, los cuerpos se acercan mucho cuando mantienen una conversación, como si los interlocutores fueran un poco duros de oído. El directivo de una empresa o de una oficina pública se pone nervioso si tiene que tratar con las visitas sentadas al otro lado de la mesa; el gesto usual es invitarlos a que se sienten junto al que los recibe en un tresillo o sofá.

Sea cual sea la distancia física en las conversaciones o visitas, lo que llama la atención es el tono desproporcionadamente alto de las voces, otra vez como si se hablara entre sordos. Este dato es todavía más significativo cuando son más de dos los interlocutores. En ese caso el grupo puede tolerar varias conversaciones a la vez, lo que lleva a alzar aún más el tono de las voces. Este es otro motivo de desesperación para los visitantes extranjeros, a lo que hay que añadir la costumbre española de hablar muy deprisa, comiéndose las sílabas y las terminaciones de las palabras.

El concepto de territorialidad del yo se aplica de diverso modo en la vida cotidiana de los españoles y de sus vecinos septentrionales. El español es bastante insensible al asalto del espacio por el ruido del vecino, por las voces del prójimo. Hay, pues, una gran tolerancia acústica. Contrasta con la gran sensibilidad para el acceso de los otros por la vista. La casa típica española se cierra sobre sí misma en un patio o corral que dificulta la vista desde el exterior. En las nuevas urbanizaciones, lo primero que se procura el nuevo vecino de una casa aislada es un seto frondoso que tape la vista, recreando así simbólicamente la noción de patio. Lo que importa es que los vecinos no le vean, aunque hará todo lo posible por hacerse oír y no le importará demasiado el ruido procedente de los que viven al lado.

Uno de los estereotipos que los españoles mantienen sobre sí mismos es que ellos no son racistas. Siempre se aduce la razón del fácil mestizaje en la conquista americana. Pero no es tan claro ese rasgo cultural. Es un hecho de todos los días la discriminación contra los gitanos, los «moros» (vagamente los norteafricanos) e incluso las personas provenientes de otras regiones y con una posición humilde. Definitivamente, el español sí es racista. Lo que no se tolera bien es que se le tache de racista porque presume de no serlo. Una vez más, asoma la dimensión retórica.

La sociedad española puede verse desde algún ángulo como tradicional, en el sentido de su próximo origen rural, de resistente al cambio. No son dimensiones intercambiables. Si bien es cierto el próximo origen rural, no lo es la resistencia al cambio. Lo fue en otros tiempos cuando la palabra «novedad» equivalía a «malas noticias». Todavía es así el sentido que se le da en el lenguaje militar: «sin novedad» quiere decir en los cuarteles que todo va bien. Hoy, al contrario, lo nuevo, por serlo, se valora positivamente. A veces los libros se anuncian, sin más, porque son «novedades». Un partido político puede proponer «el cambio» sin precisar hacia dónde, y no digamos a qué precio lo va a hacer. Determinadas ampliaciones del campo de la libertad personal o, mejor, del sentido de la elección —como el divorcio, el aborto o la eutanasia— llegan tarde a España, es cierto, pero con mínimas resistencias sociales. Se considera que todo esto es parte de «lo nuevo» y, por lo tanto, debe de ser bueno. No se levantan las polémicas que han surgido en otros países. Esta aparente calma da al ambiente español una sensación de tolerancia o de progresismo que no siempre es coherente con otras maneras de ver la vida. Puede que esto sea también parte de la idea de lo cotidiano como una representación escénica. O también que es una manifestación de la general hipocresía.

Nos hemos referido ya a la noción de «consumo ostentoso». La ostentación en el gasto se traduce en otra expresión muy peculiar: «vivir al día». Conlleva una actitud fatalista, la de ignorar lo que pueda traer el futuro. Los españoles son reacios a anticipar racionalmente el porvenir. Incluso en el gremio intelectual, los escritos que pretenden mirar al futuro acaban polemizando sobre el pasado, a veces remoto. Esta relación fatalista con el futuro lleva a los españoles a confiar apasionadamente en los juegos de azar, muchas veces auspiciados por el Estado. La esperanza de ganar un gran premio en alguno de esos juegos se traduce en el deseo de dejar de trabajar. Lo que interesa es que los vecinos, los amigos y las personas con las que se sale le envidien a uno.

Los amigos representan un gran papel en la vida cotidiana de los españoles. Se hacen muchos alardes para quedar bien con ellos. Se les invita y regala, aunque luego se pasen estrecheces domésticas. Hay familias que piden un oneroso préstamo al banco (el interés triplica el índice de inflación) para pagar una primera comunión como Dios manda, aunque es dudoso que Dios mande tales exhibiciones. Uno de los seguros más populares en España es el que facilita los eventuales gastos funerarios. El acentuado sentido del ridículo del español sufre si piensa que al final de su vida «no va a tener donde caerse muerto».

Hemos hablado de «salir», de alternar con los amigos. Hay que completar el cuadro porque los españoles, cuando salen a la calle con un propósito de entretenimiento, las más de las veces es para comer y beber. Es lógico, si cavilamos que pasan muchas horas fuera de casa y apenas desayunan en ella.

Nada como la comida y la bebida para determinar los rasgos peculiares de la vida común. Los españoles gustan de comer, beber y conversar al tiempo. No les apetece mucho beber agua en las comidas, acaso porque en muchos casos la no embotellada suele ser escasamente potable. El hecho es que necesitan regar la comida con vino o cerveza. La cerveza se toma fría siempre que se pueda. Las clases modestas mezclan inexplicablemente el vino de la comida con gaseosa, que no es más que agua carbónica con sacarina. No hay un tabú especial para que los adolescentes beban también un poco de vino o cerveza en las comidas. Hay ocasiones en que se estimula a los niños a que participen simbólicamente de esa moderada libación alcohólica «para que se vayan acostumbrando».

Quizá el rasgo más característico de esos hábitos sea la «tapa» que se consume en los bares antes de comer, como acompañamiento y justificación de alguna bebida alcohólica suave. Forma parte del consumo ostentoso, ruidoso, gregario, espléndido. Por lo general, las «tapas» se toman en grupo y una persona paga por las demás. Luego otra repite la invitación en otro bar hasta completar la ronda.

Las «tapas» eran antes una institución característica de las ciudades, y más aún de la zona norteña, con el centro en el País Vasco, Navarra y La Rioja. La costumbre se ha ido extendiendo y es hoy común a todo el territorio nacional.

En los grupos juveniles, en especial entre los varones, el hecho de ir al bar se produce con mayor frecuencia que la lectura de la prensa diaria. Ir al bar significa, por lo general, comer y beber algo, jugar a las máquinas recreativas, alternar con los amigos (invitarles, conversar, jugar a las cartas), comentar el espectáculo deportivo que sale por la televisión. Es el ámbito de socialización más común para los jóvenes.

Apunta una cierta evolución en la medida en que los jóvenes acostumbran a beber en grupo, pero sin consumir «tapas». Lo típico de las pandillas juveniles es la reunión a la puerta de un bar o dentro del mismo (pero sin sentarse la mayoría de las veces) y pedir una botella de cerveza de litro (una «litrona»), que circula de boca en boca.

Sucede que, teóricamente, no se venden bebidas en los bares a los menores de dieciséis años; lo que hacen entonces es comprar una «litrona» o en una tienda o bodega donde no existe esa restricción y luego se la beben en grupo. Es corriente que un adolescente o incluso un niño vaya a comprar el vino o la cerveza para el consumo del hogar, y tampoco es raro que se adquieran en el bar.

La «litrona» es algo más que una bebida. Se convierte en un símbolo de comunicación del grupo: pasa de boca en boca como el «porro». Es también, en ocasiones, un arma arrojadiza o contundente que se emplea contra los malos cantantes, en las peleas callejeras o contra la policía.

Al ver el sobrecargado espectáculo de las «tapas» en los bares se puede uno preguntar cómo es posible que los españoles coman tanto. Desde luego les gusta comer en cantidad (más que en calidad), pero hay que tener en cuenta que apenas desayunan en casa, todo lo más una taza de café con leche. Luego, la comida del mediodía se retrasa hasta las tres de la tarde y la cena hasta las diez de la noche y a veces más tarde. Con este horario por delante, se comprenderá que anden por el día hambrientos. El recurso de las «tapas» ayuda a matar el hambre. Hay otra expresión popular digna de mención, «matar el gusanillo». Sirve para justificar la ingesta de una copa de aguardiente en lugar del desayuno o como primera colación mañanera, en especial cuando se madruga. También es popular la costumbre del «carajillo» (café mezclado con coñac), normalmente para después de la comida. Aunque parezca increíble, el «carajillo» se toma mucho en los bares de carretera porque hay quien entiende que ayuda a despejar la mente de los conductores. Es altísima la proporción de automovilistas que consideran normal tomar una bebida alcohólica en las paradas de la carretera.

El consumo de bebidas alcohólicas es otro de los factores que todavía aparecen fuertemente condicionados por el sexo. Así se demuestra, por ejemplo, en una encuesta levantada por el CIS en 1988. Un 78 % de los varones y un 53 % de las mujeres beben habitualmente vino o cerveza.

De esos bebedores regulares, el 50 % de los varones y el 20 % de las mujeres beben vino o cerveza todos los días.

La asociación con la edad es también muy clara: los jóvenes beben más que los adultos y que las personas mayores. Otra relación sorprendente es la que existe entre el hábito de la bebida y la clase social. En la clase trabajadora es menos frecuente la proporción de bebedores regulares, pero de esos que beben es más alto el porcentaje de los que lo hacen todos los días. En las clases acomodadas es más raro el abstemio, pero también es menos frecuente el bebedor de todos los días.

Las bebidas que se toman establecen una escala típica: primero, el vino (lo toma regularmente el 35 % de la población adulta en los días laborables); segundo, la cerveza (22 %); a mucha distancia las otras bebidas alcohólicas. En los días festivos sube el consumo de casi todas las bebidas, especialmente el vermú, los combinados (tónica con ginebra, cubalibre) y los otros licores; apenas sube el vino y no mucho la cerveza.

La elección entre el vino y la cerveza se establece en gran medida según la edad. Cuanto más jóvenes son los bebedores, toman menos vino y más cerveza.

De acuerdo con la estadística de ventas, parecería que la mayor parte del consumo de bebidas alcohólicas tuviera lugar en los bares u otros establecimientos de hostelería. Esta pauta es, desde luego, muy peculiar de la vida española, pero las encuestas revelan que se consume una gran cantidad de bebidas alcohólicas en casa, por lo general con las comidas, y cada vez más para acompañar al hábito de ver la televisión. La explicación de esa paradoja es que —como decíamos— muchas familias compran en los bares. En éstos es relativamente raro que beba una persona sola; gusta más hacerlo en grupo, en compañía.

El uso social en España es el de tomar bebidas alcohólicas de forma continua y generosa, pero sin llegar a emborracharse. No está mal visto beber; lo que está mal visto es no saber beber. Sólo un 1 % de los consultados en la encuesta citada dice que se emborracha una vez por semana y un 2 % una vez al mes. Como es lógico, esos porcentajes han de interpretarse como un mínimo, pues algunos se resistirán a reconocer que se emborrachan, que no saben beber. La costumbre de emborracharse, ocasional como es, se da sobre todo en los varones, los jóvenes y los habitantes de las pequeñas poblaciones.

Así como la mayoría de la gente considera que, en casos extremos, el alcohol es una droga y que incluso debería prohibirse su publicidad, lo cierto es que también son mayoría los que opinan que la bebida con moderación es buena para la salud. Sobre todo para la salud social, habría que matizar.

En una encuesta realizada por DATA en 1981 se preguntaba, de una lista de personas marginadas o conflictivas, cuál de ellas «no le gustaría tener como vecino». El porcentaje más alto (38 %) se da precisamente en la «gente dada a la bebida», superior, por ejemplo, a las personas con antecedentes penales (35 %) y «gente de otra raza» (9 %). Es decir, la resistencia a relacionarse con alcohólicos es mucho mayor que la que se ejerce para discriminar a otras formas de marginación. Hay que tener en cuenta el sesgo cultural de que los españoles no gustan de manifestar claramente sus sentimientos de rechazo o desagrado.

En una encuesta realizada por el CIS en 1987 se replica la pregunta anterior con pequeñas variantes. Baja un poco la proporción de personas a las que les «molesta mucho o bastante tener como vecino» a las distintas situaciones de marginación. La más alta corresponde ahora a las personas con sida (35 %); le siguen las personas alcohólicas (31 %) y la gente que ha estado en la cárcel (23 %).

Por lo que respecta a la alimentación, hay que señalar que los españoles proceden de una cultura del hambre que de repente encuentra la oportunidad para saciarse. La dieta tradicional descansaba en el pan, las legumbres, las patatas y el cerdo. En época más reciente se incorporan el pollo, el pescado, las frutas y las verduras. Se hace más equilibrada y se acercan las pautas campesina y urbana. El cambio más reciente es hacia la dieta de Europa central en sus aspectos menos saludables: bollería, embutidos, quesos, carnes. El resultado es un general aumento de peso y de colesterol en la sangre. Se pregona incluso que los niños españoles dan unos niveles de colesterol cercanos a la zona de peligro en cuanto al riesgo de enfermedades del corazón.

Estos últimos desarrollos contrastan con una larga tradición de una forzada frugalidad. La miseria secular se cifra en aquel cálculo que hace Cervantes de lo poco que comía don Quijote y que venía a representar «las tres cuartas partes de su hacienda», una proporción desmesurada que ha debido de ser así durante siglos. En el nuestro pocas veces ha bajado de la mitad del presupuesto familiar lo que los españoles dedican al comer. Aun hoy, después de una completa mudanza, apenas supera la cuarta parte. Mucho es todavía.

Una razón por la que la parte que corresponde a la alimentación es tan alta en las cuentas familiares se debe a la exigencia cultural por los alimentos caros, muchas veces consumidos fuera de casa, con la consiguiente sobrecarga del servicio. En pocos países se dispone de una red tan completa de panaderías que funcionan todos los días del año (menos en dos o tres ocasiones festivas). El español exige pan tierno todos los días, y en las ciudades esta exigencia se amplía al pescado fresco. También lo hay congelado en abundancia, pues el español es un pueblo cada vez más ictiófago.

Por todo lo que sabemos, la dieta tradicional española, la de las capas populares, ha sido durante siglos —hasta la segunda mitad de este mismo— muy pobre y monótona. Incluso en el País Vasco, que lo asociamos al buen comer, el aporte energético de las clases populares a finales del siglo pasado no llegaba a las 2.000 calorías, con una notable deficiencia de proteínas y vitaminas (Barcenilla, 89: 258). ¿Cómo ha podido sobrevivir un pueblo en esas condiciones y sometido, además, a un esfuerzo físico descomunal? Sólo hay una manera: con altas tasas de mortalidad. No es sólo que hace un siglo murieran muchas personas relativamente jóvenes, sino que se trataba de una sociedad en la que abundaban los enfermos. El hambre era la principal enfermedad.

La imaginación hambrienta de los españoles ha creado una larga lista de manjares que para otras culturas son incomibles: tripas, criadillas, pezuñas, bellotas, altramuces, boniatos, almortas, alcaparras. Algunas fórmulas, que son delicias para el paladar español, presentan problemas de digestión a nuestros visitantes foráneos, tales como los callos, los churros o la morcilla.

El menú ideal de una España hambrienta se revela en esta coplilla (Vasco, 29):

Si quieres que yo te quiera
dame huevos con tocino,
buenas tortas de manteca
y buenos tragos de vino.

Hay que suponer que novio tan poco exigente en lo gastronómico se habría de contentar con casi nada en el afecto. Son abundantes las coplas populares que se refieren a la obsesión de comer, la de Sancho Panza y la de tantos españoles de todos los tiempos:

Cuándo querrá Dios del cielo
que el pan se ponga barato
para que los jornaleros
no pasen tan malos ratos.

No me tires chinitas
a la ventana;
tírame panecillos,
que tengo gana.

Un estudiante tunante
se puso a pintar la luna,
y del hambre que tenía
pintó un plato de aceitunas.

A las tres de la tarde
merienda Mena,
y le sirve de almuerzo,
comida y cena.

Un usía en Granada
murió de ahíto,
que se cenó en tres noches
un huevo frito.

Como está cara la carne,
algunos en el cocido,
en vez de carne de vaca
echan carne de membrillo.

Los visitantes extranjeros no siempre han entendido nuestras peculiares costumbres alimentarias. Véase, por ejemplo, esta estrambótica descripción de un viajero en los años cincuenta: «Los españoles son gente frugal, austera, incluso en el Sur más alegre. El hecho de que una mujer tomara un vaso de vino les chocaría tanto como una orgía. Respecto a la comida que se puede probar en las tascas españolas, se reduce al mínimo esencial para subsistir y se puede considerar entre un desinfectante y un anestésico» (Tracy, 58: 44). Eso sí que no. Las «tapas» de los bares podrán ser exuberantes, grasosas y hasta antihigiénicas, pero no se entiende bien que oscilen entre los desinfectantes y los anestésicos. Es cierto que las mujeres beben menos alcohol que los varones, pero no se justifica la observación de que las españolas no toman vino. Respecto a la pretendida frugalidad, no hay que confundirla con la falta de recursos que, en estos años, era en verdad lacerante. A igualdad de disponibilidades económicas, lo que a los españoles les gusta es que les vean comer, que es aproximadamente lo contrario de la frugalidad.

La organización de la economía española (incluido el proteccionismo) ha sufrido una crónica elevación del precio de los alimentos. Esta ha sido una de las causas fundamentales del desasosiego social durante los dos últimos siglos y la explicación del sentido mítico que tiene la comida para los españoles. Los precios elevados de la cesta alimentaria se explican por la contumacia de las autoridades fiscales en apoyarse en los impuestos indirectos y en la política de protección a los productos nacionales (el trigo sobre todo). Aparte está el factor inicial: un terreno más bien pobre en contraste con la falsa creencia de que España es un vergel. El hecho es que la comida pasa a ser una verdadera obsesión nacional. Los hartazgos de un día compensan las hambres anteriores, como experimenta Sancho Panza en las bodas de Camacho.

Capítulo V

LA POBLACION ESPAÑOLA: ENTRE LA VIDA Y LA MUERTE

El conjunto de los españoles es, antes que otra cosa, una población, un sujeto colectivo al que le afectan los sucesos biológicos fundamentales de nacer, trasladarse, reproducirse y morir. Vamos a ver algunos datos de los sucesos cardinales, los que tienen que ver con la natalidad y la mortalidad de los españoles.

Existe la creencia de que, después del intenso desarrollo de los años sesenta y de la posterior crisis, se ha llegado a una cierta estabilización de la población española. Es posible que eso sea así si consideramos el hecho elemental de los nacidos menos los fallecidos. Ese crecimiento vegetativo tiende a cero, pero todos los demás aspectos concomitantes de la población española se sujetan a cambios intensísimos que demuestran una renovada vitalidad.

Una de las transformaciones más notables en la vida española de los últimos tiempos ha sido la inversión de tendencia en los movimientos migratorios. Desde mediados de este siglo, esas corrientes se dirigían de las zonas agrarias a algunos países europeos de economía más compleja. En los años ochenta se invierten esos flujos. Retornan muchos emigrantes de los países que habían sido de recepción y lo hacen también no pocos de los que se habían aposentado en las zonas industrializadas del país. Así tenemos que provincias que antaño eran canteras de emigrantes, como Almería o las Canarias, se constituyen hoy en foco de atracción inmigratoria; al revés, provincias como Guipúzcoa, tradicionalmente ávidas de mano de obra inmigrada, expulsan población. Sucede al tiempo que el territorio español en su conjunto recibe un generoso contingente de inmigrantes iberoamericanos, portugueses y africanos, además de otros orígenes. Lo más curioso es que este portentoso cambio ha tenido lugar en unos años en que la economía española ha pasado por una severa crisis, sobre todo de empleos. Una vez más hay que repetir que el hecho de reducirse a un mínimo las tasas de crecimiento económico y vegetativo no quiere decir que se congelen los otros indicadores de cambio social. Es más, los años de esa crisis económica han coincidido en España, por extraño azar, con el período de la transición democrática. Como estamos viendo en la narración de estas páginas, ha sido también un tiempo de intensas transformaciones sociales de todo orden. Tanto es así que todo este trasiego nos ha hecho olvidar un poco que estábamos atravesando una aguda crisis económica.

La alteración del sentido de los flujos migratorios trasciende la pura dimensión demográfica. Durante mucho tiempo los españoles nos habíamos acostumbrado a que algunos miembros de nuestras respectivas familias fuesen emigrantes en otras tierras. Hoy mengua esa sensación y se produce otra muy diferente: al lado nuestro hay inmigrantes de otros países. El nuevo acontecimiento nos ha hecho caer en la cuenta de algo que no estaba previsto: los españoles también somos racistas.

Los años de la crisis económica, a partir de 1975, han supuesto un reajuste de la población y de los recursos sobre el territorio. Se ha acentuado el esquema de la doble capitalidad. Madrid y Barcelona han recibido una cuantiosa inyección de capitales extranjeros, lo que ha posibilitado una ingente concentración, en ambas zonas metropolitanas, de nuevas actividades muy productivas (electrónica, servicios a las empresas). Lo peregrino del caso es que el desarrollo de las dos manchas metropolitanas no se corresponde con una dotación proporcional de servicios públicos. Por ejemplo, todavía en 1990 Madrid y Barcelona carecen de una lógica comunicación por autopista. En cambio, Barcelona sí se comunica de esa forma con Bilbao o Valencia. A pesar de este retraso en la trama viaria, la centralidad económica de Madrid es cada vez mayor. La reforzará, sin duda, el actual sistema de autovías, que recupera otra vez la concepción radial, ausente en su día del plan de autopistas. La paradoja es que las autopistas se concibieron en un régimen político centralista y el sistema de autovías se ha trazado en el Estado de las Autonomías.

Junto a la expansión de Madrid y Barcelona hay que anotar la detención del desarrollo en algunas zonas de antigua industrialización, singularmente la cornisa cantábrica. La actividad económica se ha trasladado cada vez más a las provincias insulares y a las costeras del Mediterráneo, gracias a la liberación del caudal de energías que significó la ágil red de empresas exportadoras, industriales y agrarias.

Si el intenso desarrollo de los años sesenta se logró gracias a la liberación del caudal de energías que significó la emigración masiva de campesinos, estos reajustes de los años ochenta se han debido a la expansión educativa y a la entrada masiva de capitales extranjeros. De ahí otra vez la paradoja de que los años de la última crisis han sido de extraordinaria bonanza para algunos financieros, empresarios y profesionales. No es menos paradójico que esa combinación se haya producido en un período democrático, la mitad del cual ha sido presidido por un gobierno socialista.

Algunos españoles, más preocupados por la salvación de sus compatriotas, se empeñaron en que su nación era algo así como «la reserva moral de Occidente». Oficialmente así lo fue durante la era de Franco —a quien gustaba mucho esa frase—, pero la realidad no iba pareja a los sueños de los ideólogos. Los españoles, o más bien en este caso las españolas, se propusieron, después de la Guerra Civil, la limitación de los nacimientos, a pesar de la política natalista del franquismo y muy a pesar de las prédicas católicas sobre el particular.

En un primer momento, la mengua de la natalidad se debió, más que nada, al retraso en los matrimonios y hasta a una cierta soltería más o menos forzada por las circunstancias. A ello se añadió pronto el uso de los sistemas de continencia dentro del matrimonio, no muy eficaces y con un coste psicológico brutal. Era una manifestación más de la tradicional crueldad de la vida española, aun en sus aspectos más íntimos.

En los últimos lustros del franquismo apunta ya un tipo de conducta más desprendida de la moral tradicional. La natalidad desciende —y ahora más que nunca— a pesar de que las mujeres se casan más y se casan antes. Quiere esto decir que empiezan a utilizar métodos anticonceptivos más eficaces y más reñidos con la doctrina católica. No sólo se contiene la descendencia después de haber tenido una numerosa prole, sino que algunas parejas empiezan a decidir el número de hijos a partir del primero. Es una generación que por una vez se da cuenta del coste económico que estos hijos suponen. Ello es así porque se ha avanzado en una economía compleja, se ha generalizado la seguridad social y los hijos no se ven como un activo económico, sino como un pasivo cada vez más lleno de exigencias. Estos cambios en la conducta natal propician otros muchos en la sociedad. La última generación de españoles, que nace después de los años setenta, no sólo es más reducida; aparece constituida, en una desusada proporción, por primogénitos o en todo caso chicos con uno o dos hermanos como mucho. Las familias numerosas son una rareza y seguramente esto hace que los padres (en realidad las madres) dediquen más atención a los hijos. Estos pertenecen a una generación «mimada», circunstancia de la psicología colectiva que va a traer muchas consecuencias, deseadas o no, desde la cultura hedonista y la educación más cuidada hasta la delincuencia juvenil y el consumo de alcohol y estupefacientes por los jóvenes.

Todos estos cambios proceden de la extraordinaria decisión colectiva de reducir el número de hijos. Conviene que la examinemos. Hace un siglo, el ápice de la fecundidad se encontraba en las provincias norteñas, muy influidas por la religión. El centro de esa «reserva moral» lo constituía el bloque de las actuales regiones de Cantabria, País Vasco, Navarra, La Rioja y Castilla y León. Un siglo después es en algunas provincias de esas regiones donde se dan los mínimos valores de la fecundidad, mínimos en la historia española y también hoy entre los más bajos del mundo. Este cambio oceánico es un notabilísimo ejemplo de lo que podríamos llamar secularización o, si se quiere, «descristianización», sobre el que habrá que volver. Téngase en cuenta que el descenso de la fecundidad —que viene desde hace un siglo, pero que se acentúa en los últimos decenios— se produce sobre todo en las regiones con (merecida) fama de católicas. Así lo atestiguan todos los indicadores, desde la implantación de los colegios religiosos hasta el origen de las vocaciones eclesiásticas o el apoyo de los partidos de derechas.

La evolución de las familias numerosas puede verse en estos datos sintéticos. La proporción de mujeres no solteras, de 35 a 44 años, que han tenido 5 o más hijos, es en 1920 del 52 %; 50 años más tarde se ha reducido al 15 %, y en 1985 al 8 %. Es decir, antes de la Guerra Civil el listón es alto y no se nota una mengua sustancial. El descenso se precipita después de la guerra y sigue declinando hasta nuestros días. Lo que era antes una conducta esperada y corriente se convierte en un comportamiento excepcional.

Las Encuestas Nacionales de Fecundidad de 1977 y 1985 nos permiten comparar la fecundidad de las mujeres no solteras según los años de edad. La diferencia entre una y otra fecha está precisamente en las mujeres jóvenes, lo que indica que hoy el control de los nacimientos empieza en muchos casos con el retraso de la venida del primer hijo.

En una encuesta nacional de personas de 16 a 65 años, realizada por el Centro de Investigaciones Sociológicas (CIS) en 1985, se hacía la pregunta de si era conveniente tener el primer hijo nada más iniciar la vida de pareja o dejar que pasara algún tiempo después de ese momento. Un 33 % se inclinó por la primera opción y un 62 % por la segunda; es decir, son muchas más las personas que consideran positivo un «respiro» después de la boda. Como es natural, los jóvenes son mucho más proclives a ese «descanso» y un poco más las mujeres que los varones.

Si vamos contando, año por año, el número de nacidos y los relacionamos con las mujeres en edad fértil, podemos observar un auge natalista en los años sesenta. ¿Quiere esto decir que por aquellos años las españolas decidieron regresar al patrón de natalidad tradicional? Nada de eso. En efecto, durante los primeros años de esta década subió el número de nacimientos, pero es que acababan de casarse muchas mujeres. Muchos de los que nacieron eran primogénitos o segundogénitos de familias que iban a vigilar más que nunca hasta entonces el tamaño de su descendencia. Lo hemos podido averiguar después con las Encuestas de Fecundidad, levantadas —como hemos dicho— en los años 1977 y 1985, en las que se preguntaba a las mujeres por los hijos que habían tenido y por la fecha en que se habían casado por primera vez. Aparece así de manera muy clara que en los años sesenta creció el número de nacimientos, pero las mujeres que entonces se casaron iban a tener familias más reducidas que las anteriores. La bonanza económica de esos años alentó los matrimonios, pero no alteró la decidida actitud de limitar el tamaño de la descendencia.

Cada vez se acerca más la media de hijos que tiene una mujer al final de su ciclo con el número ideal de hijos: entre dos y tres. Esta es la familia tipo o la familia modal, precisamente la que se puede introducir sin apretones en un coche de los llamados antes utilitarios o sin sensación de agobio en una vivienda modesta.

Aunque hablemos de un proceso de secularización, no se puede concluir que no haya diferencias entre el grado de práctica católica de las mujeres y el tamaño de la prole. Las hay y más significativas aún en los matrimonios recientes. Dado que el proceso de secularización es general, las personas que mantienen sus creencias son más consecuentes con ellas. En cambio, por lo que afecta a la fecundidad, en una sociedad tradicional podía haber muchas mujeres que se resistiesen a limitar la descendencia por ignorancia, por fatalismo. Hoy en día la información es más general y, por lo tanto, la decisión de no limitar la descendencia es más consciente, alcanza a pocas mujeres, pero quizá más que nunca a las que se consideran católicas practicantes. Esto se matiza con finura en los datos de la Encuesta Nacional de Fecundidad de 1985. Sucede que, en esa fecha, cuando las mujeres llevan poco tiempo casadas, las más católicas son también las que tienen más hijos, pero esa relación no se detecta en las que llevan casadas más de veinte años. También puede haber sucedido que, para algunas mujeres, el hecho de haber tenido muchos hijos haya contribuido a que perdieran la fe. Es sólo una suposición que no se puede avalar con los datos de la encuesta. Sea como fuere, en la actualidad las regiones tradicionalmente más religiosas no son las que se distinguen por la mayor fecundidad, pero sí caracteriza esa fecundidad más alta a las mujeres más religiosas (hay que suponer que de todas las regiones).

En poco menos de un decenio, el uso de medios anticonceptivos eficaces pasa de ser una relativa rareza a algo estadísticamente normal. Estamos ante un ejemplo de lo que en páginas anteriores hemos denominado —siguiendo a Jiménez Blanco— «constelación de rupturas». En este caso se adivina una ruptura religiosa y familiar. Madres e hijas hablan dos lenguajes. La distribución por edades es muy distinta en 1977 y en 1985. En 1977, el uso de anticonceptivos es algo que se destaca en las mujeres jóvenes y disminuye en escalera según se avanza en edad. Era la pauta de una innovación que se iniciaba por el escalón juvenil. En 1985, las mujeres más jóvenes son las que menos uso hacen de los medios anticonceptivos eficaces (y de ahí, entre paréntesis, que haya aumentado en los últimos años la fecundidad de las madres solteras en el estrato de las menores de 20 años) y éste se generaliza entre los 25 y los 34 años para luego descender otra vez un poco.

Todavía en los primeros años ochenta el hecho de decidirse por algún método anticonceptivo (aunque no sea muy eficaz) es algo que se practica después de haber tenido el primer hijo. Después, en los sucesivos, ya no influye el número para que una mujer se disponga a utilizar esos métodos. La decisión dependerá entonces de la disposición previa de la mujer de acuerdo con sus creencias y su sensibilidad. De todas formas, a lo largo de esta década se nota un decidido cambio. Incluso cabe suponer que avanza la minoría de mujeres que utilizan medios anticonceptivos eficaces antes del primer hijo. Esta es la típica situación en la que los dos miembros de la pareja trabajan fuera del domicilio.

El juego de la población consiste en el incesante balance entre la vida y la muerte. Si notorios son los cambios en la natalidad, antes y más intensos son los que afectan a la mortalidad.

La lucha contra la muerte es una de las más ardorosas. Aunque nadie se ha propuesto llegar a la inmortalidad de la especie humana ni nada parecido, lo cierto es que se han conseguido espectaculares avances en la dirección de los deseos. Fundamentalmente estos tres, referidos a la población española del último siglo:

1) Práctica eliminación de la mortandad extraordinaria (guerras, epidemias, hambrunas).
2) Atenuación de la mortalidad de las enfermedades infecciosas.
3) La consecución de que los decesos sean cada vez más por el factor edad, es decir, se retrasen todo lo posible.

Seguramente no hay propósito colectivo en el que todo el mundo esté más de acuerdo y en el que los éxitos hayan sido tan evidentes. Con todo, hemos de analizar los resultados punto por punto. La noción de «muerte evitable» se expande y, por tanto, parece que es mucho más lo que queda todavía por lograr. Estamos ante un concepto móvil. En cada momento del tiempo y en cada fase del desarrollo se considera distinta la exigencia para calibrar una muerte como «evitable».

La evolución de las tasas de mortalidad no puede predicarse del conjunto de la población, precisamente porque el factor edad es el decisivo. Hay que hablar, pues, de tasas de mortalidad por grupos de edad y también de sexo, por cuanto es un hecho que, a cualquier edad, la mortalidad de los varones es más alta que la de las mujeres.

Desde 1900 hasta la fecha —y salvo pequeñas excepciones y altibajos que veremos—, la mortalidad se halla en continua regresión. La constancia de este largo proceso no debe ocultar dos señaladas alteraciones del ritmo, que resultan ser dos formidables paradojas:

> 1) El período de máxima disminución relativa es el que va de 1930 a 1960, es decir, un lapso atravesado fatídicamente por las últimas mortandades catastróficas (Guerra Civil, epidemias y hambrunas consiguientes). Parece como si la respuesta adaptativa a esa quiebra de la línea de mortalidad fuera una renovada capacidad de sobrevivencia.
>
> 2) En todas las épocas y en casi todos los grupos de edad, la declinación de la mortalidad incide más sobre las mujeres que sobre los varones. Este efecto es cada vez más notorio. En los primeros decenios del siglo sólo apuntaba, y de modo más bien tenue, a partir de los veinticinco años de edad. En los últimos decenios es mucho más acusado y se aprecia a partir del primer año de vida.

Visto desde el otro lado, se trata del espectacular aumento de la esperanza de vida. No es sólo que se vivan más años, sino que esos años son más saludables. Un autor podía escribir a principios de siglo: «Las mujeres, en general, en cuanto vislumbran los cuarenta ya están por las fronteras de la vejez» (De Castro, 16: 44). Hoy, a esa edad, tienen media vida por delante y puede que la parte más atractiva.

Hay algo común a todas las épocas: el decrecimiento relativo de la mortalidad se percibe más en las edades tempranas. Es decir, el éxito secular —por lo menos en un primer momento— no ha consistido tanto en alargar la longevidad como en retrasar los fallecimientos en los primeros años de vida. En otras palabras, y para simplificar, el cambio ha consistido en hacer que un número creciente de españoles alcancen una edad madura, no tanto que los de esa edad prolonguen su vida hasta una edad avanzada. Esto ha sido así a lo largo de casi un siglo. Es posible que ahora mismo se esté alterando la situación y podamos empezar a hablar realmente de un incremento significativo de la longevidad.

La desigualdad de varones y mujeres ante la muerte crece de modo espectacular en el grupo de 25 a 34 años, la edad en la que se toma estado civil y se decide la ocupación y la posición que va a caracterizar el resto de la vida. En 1900 no era muy diferente la sobrevivencia de varones y mujeres en esa edad; es más, la mortalidad de las mujeres era algo mayor, debido quizá a la alta mortalidad en torno al parto. En 1930 aparecen invertidos los términos: las mujeres mueren un poco menos que los varones. En 1960 las distancias prosiguen y se acentúan aún más en los años ochenta. De tal suerte que, según el censo de 1981, la mortalidad de un varón de 21 años era comparable a la que caracterizaba a una mujer de 44 años. Es decir, la crueldad que significaba a principios de siglo la extraordinaria mortalidad de las mujeres jóvenes (por sobreparto en gran medida, como queda dicho) se produce hoy en los varones jóvenes (más que nada por violencia). Ahora que hemos desterrado la guerra —que antaño acumulaba las víctimas en las promociones masculinas de jóvenes— la hemos sustituido por el «equivalente moral» de la muerte violenta cotidiana: suicidios, homicidios, accidentes. Todo en términos relativos, desde luego.

En la opinión pública española aletea una creencia errónea: la de que los óbitos son más frecuentes en las mujeres que en los varones. En un reportaje periodístico (*ABC*, 6 de abril de 1988) se asegura que actualmente se está produciendo «un incremento en el número de enfermedades que padecen [las mujeres] y que hasta ahora afectaban con mayor incidencia al hombre», todo lo cual «asegura, sin duda, un futuro menos longevo para las mujeres». Esa pretendida mayor mortalidad femenina se debe, según la autora del reportaje, a que la mujer comparte cada vez más el tipo de vida que antes caracterizaba a los varones. Y concluye: «La mujer parece haber logrado independencia y reconocimiento social, pero vivirá menos.» El argumento resulta atractivo y verosímil, pero los hechos van en otra dirección. Los datos revelan lo contrario: una vez más, que las mujeres son más longevas que los varones.

La diferencia entre los dos sexos se sustancia en que la probabilidad de fallecimientos diverge cada vez más en la edad juvenil, es decir, en los años en que presumiblemente se igualan los dos sexos en el «reconocimiento social».

El reciente avance de la longevidad de los españoles es algo que ha sorprendido a los mismos expertos, quienes suponían que se había llegado a un tope en la capacidad de sobrevivir a ciertas edades tardías y que incluso nos aproximábamos a la inversión de la tendencia. Así, un informe que maneja datos de los años sesenta concluye que «en edades avanzadas es probable que la tasa de mortalidad se mantenga a los niveles actuales e incluso aumente ligeramente» (GAUR, 75: 53). Nada de eso ha sucedido. Antes bien, en los últimos años la mortalidad ha ido decreciendo con más decisión que nunca en las edades avanzadas. En definitiva, el negro vaticinio de que en España «el próximo futuro no ofrece apenas oportunidades de un fuerte incremento en la vida media de las personas» (p. 69) no se ha cumplido.

Es más, antes hemos visto que el avance de este siglo se ha notado sobre todo en la reducción de la mortalidad en la primera parte de la vida, hasta la edad juvenil, y no tanto en el alargamiento de la existencia a edades avanzadas. En realidad, ese proceso del mayor progreso en las edades tempranas se satura, por así decirlo, hacia 1975. Desde esa fecha lo que se logra es el efecto complementario: un alargamiento mayor de la vida (en términos relativos a lo que sucedía en los decenios anteriores) en la edad adulta y anciana. Es decir, la fecha simbólica de 1975 no es sólo porque en ese año fallece Franco, sino porque a partir de ese momento se invierte una larga trayectoria histórica: se retrasan los decesos de los ancianos y no se contienen tanto los de los jóvenes. Más aún, desde 1975 tiene lugar un hecho sorprendente: crece la mortalidad en el grupo de los jóvenes.

¿Quiere decir todo lo anterior que no hay límites a la ampliación de la longevidad? Sería absurdo aceptar tal supuesto. Es inimaginable no ya una humanidad inmortal, sino la próxima realización del mito de Matusalén. Se trata, por cierto, de un mito recurrente, avalado en nuestro tiempo por las fantasías de los científicos. El distinguido demógrafo francés J. Bourgeois-Pichat afirma impávido que «la esperanza de vida humana alcanzará en un futuro no muy lejano los 150 años». Incluso se atreve a anunciar «la eventualidad de aislar la hormona de la muerte» (*Liberation,* 10 de enero de 1985). Fantasías. No hay ningún indicio serio de que haya habido en el pasado un número significativo de personas que hayan vivido ciento cincuenta años ni de que vaya a haberlas en el futuro. Parece que ahora sí toca a su fin la rama de la pendiente que lleva afirmando tanto tiempo el descenso de la mortalidad. Todo es cíclico en cuestiones de población, aunque el período de la oscilación en la curva de las tasas de mortalidad se alargue desusadamente. En otras palabras, que veremos alzarse otra vez esa curva y no por razones de mortandad catastrófica (sería espeluznante), sino porque pacíficamente cambia el signo de la evolución.

El juicio sobre la evitabilidad de los fallecimientos sólo puede hacerse de una manera comparativa: qué es lo que sucede en España y en otros países para las mismas fechas y edades. Podemos establecer la comparación con los países más avanzados (donde hay que presumir que se sitúa el límite posible y realista en estos progresos de la esperanza de vida) o con los que están próximos por razones de geografía y cultura.

Hay que deshacer dos leyendas opuestas, pero que se exhiben ambas en la literatura que trata de divulgar estos asuntos: el triunfalismo (que se manifiesta en la creencia en un éxito desmedido en la lucha contra la muerte) y la leyenda negra (nunca mejor dicho, la que afirma en este caso el signo fatal de la población española). Se pueden encontrar ejemplos de las dos aberraciones, cuando la realidad es más bien gris.

Aunque algunos reputados sociólogos hayan podido escribir que «la mortalidad española se sitúa, ya en los años cincuenta, entre las más bajas del mundo» (Del Campo, 87: 40), lo cierto es que hacia 1950 la mortalidad española era una de las más altas de Europa occidental. Faltaba un gran trecho para acercarnos a la situación de los países avanzados. Ellos ya tenían una sanidad moderna, seguridad social y suficiente alimentación, a pesar de haber sufrido casi todos el revés de la última guerra mundial. En 1950, en España estábamos todavía en las condiciones próximas a la Guerra Civil. Lo significativo es que desde esta fecha la capacidad de sobrevivencia de los españoles ha avanzado mucho más que en el grueso de los países europeos occidentales. Tanto es así que en los años ochenta se puede decir que, ahora sí, la mortalidad en España es una de las más bajas de Europa y, por lo tanto, del mundo.

El desarrollo económico no significa, sin más, una delantera automática en este proceso que aquí se reseña. Un país mediterráneo como España mantiene un equilibrio óptimo en las condiciones de vida que permite asegurar un mínimo de mortalidad. Ha conseguido un grado de desarrollo suficiente como para asegurar la contención de las enfermedades infecciosas y todavía no ha llegado al extremo de ver avanzar las enfermedades de la civilización (cáncer y corazón). El resultado es, por ejemplo, que a igualdad de edad y de sexo, la mortalidad española es comparable, cuando no inferior, a la de Suecia.

Caben dos interpretaciones para explicar los sorprendentes datos anteriores. Puede ser que en el «modo de vida mediterráneo» exista algún tipo de elixir que, a igualdad de otras circunstancias, permita alargar la vida: ¿el aceite de oliva?, ¿el menor estrés de la vida cotidiana?, ¿la siesta?, ¿la integración social de los viejos?, ¿la vida más equilibrada de la generalidad de las mujeres? La otra interpretación, menos romántica, es que los datos del número de habitantes se encuentran abultados, es decir, que muchas personas se censan dos veces. Si es así, las tasas de mortalidad habría que corregirlas un poco al alza.

Lo que no permite ninguna duda es el dato de que las mujeres aumentan su esperanza de vida de modo cada vez más sobresaliente en relación a los varones. Esa tendencia se ha observado en otros países y, por lo tanto, no es posible que se deba a errores estadísticos. La sobremortalidad masculina se hace máxima en torno a los 20 años de edad, con otro «pico» algo menos destacado en torno a los 60 años de edad. Por lo que sea, las dos crisis vitales —la de la incorporación a la vida adulta y la de la jubilación— parecen afectar mucho menos a las mujeres, acaso porque trabajan menos fuera de casa y con menos estrés.

Un dato asociado al sexo es la diferente intensidad con que se producen, edad por edad, los cambios en el estado civil. ¿Se puede decir que el matrimonio previene de la muerte o, por mejor decirlo, contribuye a alargar la vida? En efecto, así es. Al menos esto empieza a verse en los datos del censo de 1981. En todos los grupos de edad, y tanto en varones como en mujeres, las personas casadas presentan tasas de mortalidad más bajas que las solteras y que las viudas. Esta sobremortalidad de las personas solteras se destaca por lo general en los grupos menores de 50 años. A partir de esa edad el estado civil no previene tanto de la muerte, en parte porque los solteros o viudos más inadaptados ya han ido falleciendo. Una señalada excepción es la de los varones solteros de 65 a 69 años, un grupo en el que se eleva extraordinariamente la mortalidad, acaso como respuesta al desajuste de la reciente jubilación (que afecta mucho menos a los casados).

Lo más destacado es que la sobremortalidad de los varones solteros y viudos se hace máxima en el grupo de los 35 a 39 años, es decir, en esa edad crítica en la que el soltero empieza a ser «solterón» y el viudo resulta un viudo prematuro. Sea como sea, es la edad en la que el beneficio del matrimonio se hace más de notar, hasta el punto de que en los años ochenta un soltero o un viudo de 35 a 39 años presenta una franja de mortalidad comparable a la de un casado de unos 50 años.

Lo anterior es para los varones. Hay que decir que, en contra del común sentir, el matrimonio previene mucho más de la muerte a los varones que a las mujeres. O, lo que es lo mismo, las diferencias en la mortalidad que establece el estado civil no son tan nítidas en las mujeres. Es como si las mujeres no casadas se «defendieran» mejor que los varones en esa condición.

Si juntamos las dos tendencias —la del sexo y la del estado civil—, podemos determinar, por ejemplo, que en 1981 la mortalidad de un joven viudo de unos 37 años superaba la de una mujer casada de unos 57 años: 20 años de diferencia, se dice pronto, a favor del mal llamado «sexo débil».

Una creencia muy general en la sociedad española es la de que las clases directoras (profesionales, empresarios) están sometidas a una vida más estresante. La consecuencia es que las personas de esos ambientes son más propensas a una muerte prematura. Así, un informe sociológico concluye que «comienza a entreverse el momento en que el poder económico elevado no supondrá ventaja alguna desde el punto de vista de la longevidad» (GAUR, 75: 82). Es decir, se insinúa que la ventaja de la sobrevivencia de las posiciones acomodadas será pronto cosa del pasado. El mismo texto se apoya en esta observación de algunos demógrafos franceses: «En edades más o menos avanzadas (...)

la mortalidad aparece con más intensidad y fuerza entre los miembros de las profesiones liberales, por ejemplo, y de los medios acomodados en general, que entre los trabajadores manuales no especializados y las capas sociales más bajas» (p. 82). Pues bien, en la situación española reciente ese proceso no se ha producido; más bien al contrario, si exceptuamos el caso menos claro de las Fuerzas Armadas (donde se juntan posiciones sociales tan distintas), en todos los grupos de edad son los estratos más acomodados o más alejados del trabajo manual los más longevos, por lo menos en el sentido de que en esas capas directivas la mortalidad es la mínima. El estrés mortal de los que trabajan con la cabeza es una impía leyenda. El trabajo verdaderamente arriesgado sigue siendo el de las Fuerzas Armadas (aunque no haya guerra oficial), los trabajadores manuales, administrativos y campesinos. La guadaña de la muerte también discrimina socialmente a sus víctimas. Hay desigualdad de oportunidades para morir.

Se comprueba igualmente una desigualdad basada en las distintas oportunidades que tiene un recién nacido de sobrevivir según sea la región donde haya nacido. Lo sobresaliente es, desde luego, el secular trazo descendente en la tasa de mortalidad infantil para todas las regiones sin excepción. Ahora bien, se aprecia un segundo fenómeno no menos interesante. A principios de siglo eran llamativas las diferencias entre unas y otras provincias. En esas fechas la mortalidad infantil más elevada se daba en algunas provincias rurales que iban a ser de fuerte emigración: Cáceres, Almería, Jaén, Zaragoza, Avila, Soria. En Madrid la mortalidad infantil era más alta que la media debido a la alta concentración de hospicianos que se daba en los establecimientos madrileños de beneficencia. En ese tiempo la mínima mortalidad infantil correspondía a Baleares, Tarragona, Lugo y Alicante, es decir, a zonas de agricultura bien repartida y de clima benigno.

Con el paso del tiempo se van atenuando las diferencias provinciales hasta hacerse insignificantes. Quiere esto decir que, ante el terrible embate de la muerte infantil, se han igualado mucho las oportunidades de región a región. A pesar de todas las críticas que recibe, hay un sistema de seguridad social que equipara a los habitantes de unas y otras regiones en cuanto a los medios elementales para sobrevivir. Este es un dato que condiciona otros muchos de la vida española.

Los progresos en la reducción de la mortalidad quizá no han llegado al general conocimiento de la población porque la muerte en la cultura española no se esconde como en otras partes. Los visitantes extranjeros se maravillan de uno de los rasgos que advierten en el temperamento español: su desprecio por el peligro (Hooper, 87: 131). Algún «hispanólogo» se refería ya hace tiempo al «desprecio a la vida, la consideración neta, exacta de que la existencia es algo baladí, accidental, muchas veces considerada como inútil» (Bergua, 34: 285). Son manifestaciones de un elemento más firme del modo que tienen los españoles de presentarse ante los demás: su familiaridad con la muerte.

No hay más que ver los cementerios. Se habrá producido una general secularización de la vida, pero la muerte es un «estado» que no se intenta ocultar, por lo menos no tanto como en otros países avanzados. Los cementerios están cada vez más cuajados de flores, aunque las más de ellas sean artificiales, pero otra cosa sería dejar de ir con los tiempos. Muchos periódicos siguen publicando esquelas mortuorias, algunas ternísimas. Leo, por ejemplo, en el *ABC* una esquela de una señora cuyo título es el de «ama de casa». En otra veo que se la dedica al finado (murió a los ochenta y tres años de edad) «su amigo A. L. G., que le llora todos los amaneceres». Celebrado fue el caso de la cantante Isabel Pantoja, enamorada de su marido, un famoso torero que murió prematuramente, como corresponde a la profesión. La mujer levanta un soberbio mausoleo y pide al arquitecto que le diseñe «un nicho de matrimonio». Se podrían multiplicar las ilustraciones de familiaridad con la muerte.

La última guerra civil es toda ella un monumento a la singular relación de los españoles con la muerte. El que hubiera «un millón de muertos» —que no los hubo— no constituyó una vergüenza, algo que había que ocultar, sino algo de lo que se jactaban los dos bandos y sobre todo el ganador. Ya a comienzos de 1937, el cardenal primado se refería al millón de muertos que estaba costando la que luego se llamó «Cruzada» por el bando nacional. La exageración del «millón de muertos» fue aceptada rápidamente por los hispanistas. Gerald Brenan habla de «uno o dos millones de muertos» en la Guerra Civil (Brenan, 50: xvi). Luego se vio que los muertos como consecuencia de las acciones bélicas y de la subsiguiente represión no llegaron a medio millón. Terrible cifra, empero, aunque inferior a la de las bajas de otras muchas empresas bélicas del siglo.

Después de muchos años nos enteramos de que uno de los libros que «inflaban» la casuística de los caídos —*Los mártires de la Cruzada,* firmado por fray Justo Pérez de Urbel— fue escrito en realidad por el prestigioso periodista Carlos Luis Alvarez, Cándido. Su candidez se revela no sólo al confesar (veinticinco años después) que él fue el «negro» de ese libro, sino al revelar que los casos de «martirio» que allí se describen se los había inventado de su caletre. No se sabe qué conducta es más estrafalaria y más macabra, si la del fraile o la del periodista, aunque lo más grave es que ninguno de los dos haya sido condenado por la opinión pública. Una voz clamante en el desierto puede ser la de esa especie de guerrillero de la sociología que es Martín Sagrera. Conviene advertir, para interpretar bien lo que sigue, que Sagrera escribe desde una personal fe socialista y cristiana. Emplea un método de comunicación de lo más original: el envío sistemático de cartas al director de todos los periódicos que puede. En una de ellas, publicada por *El País* en 1984, califica a Cándido de «animal de paz, más repugnante aún que los criminales de guerra», y añade: «Es difícil pensar que se puede caer tan bajo, que pueda haber un Cándido más engañoso y sucio (...). Ese mercader de odios no puede quedar impune» (Sagrera, 89: 153). La verdad es que Cándido pasa por ser un ennoblecido «periodista de cámara». Su testimonio es relevante para ejemplificar ese rasgo cultural de la familiaridad con la muerte.

Los muertos como consecuencia de la Guerra Civil no es que fueran pocos o muchos, es que revelan historias particularmente crueles en los dos bandos. No es ocasión de rememorarlas. Constituyen una de las páginas más tristes de nuestra historia. También hay que decir que ese mismo pueblo, que se enfrentó tan sañudamente, ha derivado, andando el tiempo, en una sociedad pacífica. Las muertes por suicidio, homicidio o accidente en la España actual no representan más que una minúscula fracción del total de fallecidos y no muestran una tendencia ascendente, en contra de lo que tantas veces se afirma. Sólo en el caso de los jóvenes esos tipos de muertes constituyen una señal de alarma.

La sociedad actual parece que es insensible a las múltiples formas de violencia, que se materializan, por ejemplo, en las imágenes que penetran por los telediarios. Ahora bien, como contraste, esa misma sociedad se muestra hipersensibilizada al dolor. La paradoja se explica porque identificamos la violencia con lo que les ocurre a las otras personas, precisamente las que salen en los telediarios. En cambio, el dolor es el nuestro y el de las personas más queridas. Según una encuesta del CIS (1988), un 67 % de los españoles adultos favorece el que los médicos administren drogas a un enfermo incurable con el fin de aliviarle el dolor, aunque el tratamiento acorte su vida. En la práctica, esa mayoría cualificada de dos tercios está a favor de un cierto tipo de violencia mitigada —la eutanasia— debido a la intolerancia que produce el dolor extremo y la tortura terapéutica.

Si algo consumen casi todos los españoles con pertinacia son los analgésicos. Hay un sinnúmero de fármacos con efectos tranquilizantes que se hallan socialmente aceptados como un hábito de personas sanas. La gente se va resignando a muchas inclemencias de la vida urbana —por ejemplo, la violencia que supone el rosario de accidentes de circulación—, pero no hay defensas ni consuelo para el dolor. Por eso mismo se busca obsesivamente el placer.

CAPÍTULO VI

EL SEXO, EL SEXTO Y EL SESO

Las tablas de Moisés dedican al sexo nada menos que dos de los diez Mandamientos: el sexto («No fornicarás», en la traducción clásica) y el noveno («No desearás a la mujer de tu prójimo», una obligación específica para los varones). La reiteración significa que en nuestra tradición religiosa y cultural el sexo merece una reduplicada atención.

En materia de sexo todo es especialmente polémico, enigmático. Después de una generación, que podríamos llamar experimental, en la que se ha probado la máxima apertura en la difusión de los medios de control genésico, sucede que aumenta la fecundidad de las mujeres solteras y adolescentes. El resultado no tiene muchas explicaciones. Se dirá que ello es consecuencia de una mayor espontaneidad y libertad en las relaciones entre los sexos. Si fuera así, no menudearían tanto la prostitución ni la pornografía, que éstas sí son formas de sexo contenido. El misterio continúa. El sexo no acaba de desprenderse de la procreación; ésa es la razón última de la reiteración de las tablas de Moisés. La liberación en este punto no ha sido lo que se esperaba. Puede que no sepamos bien lo que está pasando.

Los trabajos sociológicos sobre el sexo recuerdan la obsesiva pregunta de los confesores (hay que suponer que los de antes): «¿cuántas veces?» Parece como si el fin de la investigación sobre el sexo concluyera en la certeza de la frecuencia de éste o del otro comportamiento placentero. Esa curiosidad no permite mayores arrobos estadísticos. La cadencia de coitos y masturbaciones tiende a agruparse en una distribución normal y no dice más que eso. Lo que se necesita es que los sociólogos —o quienes fuere— expliquen la conducta sexual, como tienen que explicar las otras conductas. Ahí es donde la ciencia sociológica se ve que anda bastante descarriada, la pobre. Ni siquiera nos atrevemos a decir en qué difieren las prácticas sexuales de los actuales españoles respecto a las de sus mayores o las de sus vecinos. Hay que sospechar que las variaciones no iban a ser grandes si las pudiéramos detectar bien. En todo caso sobresaldrían las prácticas que significan imitación de lo que ven en las revistas o en las películas. Es lástima, porque si algo tiene que ser espontáneo y personal, eso es el sexo. Lo que pasa es que es también el dominio de lo íntimo y reservado. De ahí la natural timidez con que se trata esta materia.

Los sociólogos se maravillan de que, en las innumerables encuestas sobre sexo, natalidad, pareja y materias conexas, los entrevistados se nieguen a responder en una proporción desusadamente alta. Es más, sospechan los analistas, con buen tino, que muchas contestaciones no son sinceras. ¿Por qué habrían de serlo? ¿Por qué la gente va a contar su vida íntima al primer encuestador que le aborde? El sexo es el objeto menos encuestable por su misma definición, porque se refiere a la vida más personal. No es para pregonar esa parte de la vida. Un error de los sociólogos, sexólogos y demás ralea inquisitiva es la creencia de que todo lo relacionado con el sexo debe ser abierto, transparente. No lo será nunca del todo; si se aproxima demasiado a ese ideal, perderá parte de su encanto. Bien está que se eliminen tabúes, hipocresías y rigurosos pudores, pero el polo opuesto de considerar la relación sexual como la comida o como cualquier otro acto fisiológico resulta por lo menos ingenuo y por lo más estúpido. No; el sexo es algo más que sus atributos orgánicos.

No es malo que los médicos investiguen sobre estas cuestiones del sexo; después de todo, del cuerpo se trata primordialmente. Pero sí lo es que la información que poseemos sobre la conducta sexual de los españoles (o de otros nacionales, para el caso es lo mismo) no corresponda a muestras representativas de los mismos, sino de las personas que hablan más con los médicos, es decir, los enfermos. Se trata, además, de una enfermedad del espíritu tanto como del cuerpo, y ahí es donde los médicos llegan al borde de la ciencia experimental. El sexo es también seso, es decir, inteligencia, sensibilidad.

«El español siempre ha prestado poco culto al cuerpo», señala un eminente psiquiatra en su intento de una especie de psicopatología del alma española (López-Ibor, 60: 169). Según y cómo. En las artes, la escultura y la pintura se han desarrollado mucho más en España que la música, esto es, se han cultivado las formas artísticas que más se deleitan con el cuerpo humano. Es cierto que los deportes han sido siempre algo foráneo en España, pero el toreo eleva hasta el arrobo el culto al cuerpo, el del torero y el del toro.

Podrá argüirse lo que se quiera con datos del pasado, pero en la actualidad el culto al cuerpo es una verdadera obsesión nacional, como en todas partes. Si había aquí alguna esencia del ser español, los vientos de la moda han acabado con ella. El mismo autor que antes negaba el culto al cuerpo en la tradición española reconoce pocos años después que, en la sociedad actual, «una de las angustias neuróticas fundamentales es la que se arremolina en torno al cuerpo humano», al que «se le adora como a un dios»; e interpreta que «en esta adoración va implícito el temor a la muerte» (López-Ibor, 68: 18). Temor a la muerte siempre ha existido por más familiaridad que produzca el destino extraterreno. Lo característico de esta sociedad de neuróticos no es el miedo de lo que pueda ocurrir en el más allá, sino el lamento de tener que dejar el más acá. De ahí que la respuesta a esa angustia no sea disciplinar el cuerpo, sino mimarlo, que no sufra, que bastantes asperezas lleva consigo la vida. Muchas normas religiosas se han ido relajando; ninguna tanto como la del ayuno y la abstinencia. La abstinencia es también sexual, la de la carne corporal, antaño uno de los enemigos del alma. No lo parece en las vallas publicitarias, verdadero retablo efímero levantado en honor del dios-cuerpo.

Es evidente el contraste con una tradición que descubre tarde la higiene corporal —olvidados que fueron los antecedentes históricos más lejanos— y no digamos los perfumes y afeites. Esto se observa a principios de siglo: «En los países medio civilizados como el nuestro —donde el baño no es una necesidad diaria, como el comer o el dormir, sino una vanidad o un sibaritismo de contadas casas y de contadísimas personas— el perfume pierde su condición de intimidad y refinamiento individual y pasa a ser una necesidad aséptica, algo no usado para deleite propio, sino para evitar el perfume ajeno (...) [En esos países se utilizan] perfumes penetrantes, perfumes que perfuman no sólo a las personas, sino a las cosas, perfumes empleados no para oler, sino para no oler» (De Castro, 16: 58). Qué sexo más pobre será el que se derive de esa costumbre de perfumarse para no oler.

El primitivismo en las cuestiones relacionadas con el regalo del cuerpo llevaba también a un ideal de belleza que no se alejaba mucho de aquellas Venus grasientas de la prehistoria. «Para que una mujer sea hermosa es necesario que el perfil acuse opulencias carnales de sensualismo. Es muy raro que el tipo enjuto, esbelto y fino desbarate los corros de la calle de Sevilla (...). Las mujeres metidas en carnes representan el primer grado sensual (...). Casi todo el mundo se rinde al atractivo sensual de las mujeres gruesas» (De Castro, 16: 146). No era ése precisamente el tipo que empezaba a aparecer por entonces en la revista *Blanco y Negro* («las mujeres de Penagos») y que se impone definitivamente en nuestros días a través de la publicidad omnipresente.

Se podría pensar que antes se proponía un ideal estético para alejar las tentaciones del sexo. Demasiado sexo era incompatible con el trabajo. Resulta chocante que en la sabiduría popular los meses de verano se asociaran con abstinencia sexual, acaso porque en el campo era el tiempo de máximo esfuerzo en las labores de la recolección. Son muchos los refranes que se han conservado para describir ese tabú, que ahora tan contra natura nos parece: «Cuando mucho arde el sol, ni mujer, ni col ni caracol», «En julio juliado echa la mora del lado», «Junio, julio y agosto, señora, no os conozco», «En julio y agosto, ni hembra ni mosto».

En la sociedad agraria tradicional las bodas se posponían hasta la recogida de la cosecha. Al contrario, en tiempos más recientes y en los ambientes urbanos, muchas se celebran a comienzos del verano para aprovechar las vacaciones.

Resulta por demás llamativo el peso que en la tradición española ha tenido el ideal amoroso (toda la historia de la literatura no es más que eso) y, al tiempo, el escaso aprecio que ha merecido la efusión erótica en la relación conyugal. La copla popular expresa bien esa idea, que ha sido eterno manantial de situaciones cómicas:

Lo primero es la borrica,
lo segundo es el tabaco,
la bebida lo tercero
y la parienta lo cuarto.

El placer se alejaba de las sanas relaciones conyugales porque, en la buena tradición, era por sí mismo algo pecaminoso, reservado a la caricatura del amor, que es la prostitución. La defensa de esa escala de valores no era sólo entronizar la moral, sino la «moralidad». El abstracto, sin más, aludía al sexo, no a los otros contenidos éticos. Hay un libro sobre esta cuestión que es una joya. Se titula *La moralidad pública y su evolución,* y se edita en 1944 por el Patronato de Protección a la Mujer, que mejor se podría haber llamado de Represión de la Prostitución. Lleva en la cubierta una nota —con toda seguridad sugerida por la censura— que es una invitación a su lectura: «Edición reservada, destinada exclusivamente a las autoridades.» Resulta instructiva su lectura para saber de dónde venimos en este caliginoso asunto de las relaciones entre los sexos y la parte que compete en ellas al interés público. La impresión del lector tiene que ser del todo pesimista. Si en un momento cuasi experimental, en el que el Estado se propuso moralizar las costumbres, con todo el monopolio de la censura más férrea, no consiguió muchos resultados, la conclusión es más bien escéptica. Las costumbres sexuales poseen su propia inercia con cierta prescindencia de lo que deseen las autoridades o las clases bienpensantes.

Veamos algunas muestras del «desenfreno de las costumbres» en 1944, según el citado informe, que se redacta provincia por provincia. Por ejemplo, de Barcelona se dice que es «una de las primeras capitales del mundo» en inmoralidad, como atestiguan estos datos: «En los salones de espectáculos (...) se representan revistas francamente indecentes. [La inmoralidad] se asoma a las fachadas con anuncios tan monumentales como deshonestos (...). Hay establecimientos —algunos de categoría— que, bajo la inocente denominación de *salón de té,* son centros de fomento de la obscenidad (...). [En las playas] la nota destacada ha sido la enorme mescolanza de hombres y mujeres (...). En algunos sitios los bañistas y las bañistas paseaban durante todo el día en traje de playa (...). Es impresionante el incremento de la literatura pornográfica. Los libros sicalípticos no se exhiben en escaparates y kioscos, pero hay de ellos un enorme mercado clandestino» (p. 10). Cualquier español que haya vivido esos años de puritana posguerra se hará cruces ante tan fantasiosa versión. Prueba lo relativo que es el concepto de moralidad, al menos en este campo del sexo.

Sigamos con el informe sobre la moralidad pública. Por lo que parece, Barcelona y Madrid estaban perdidas, cual nuevas Sodoma y Gomorra, pero la virtud renacía en las ciudades del interior. Así, en Almendralejo (Badajoz), «para moralizar salas de cine» se procede a la siguiente estratagema: «Al observar alguna actitud indecorosa, se proyecta en la pantalla una llamada al orden "a los ocupantes de la fila tal", sin indicar el número de la butaca, pero con la amenaza de señalarla a continuación si no rectifican» (p. 43). En Huelva se implantó otra medida, que fue «expulsar del local [de cine] a la pareja que se hallaba con poco recato, deteniendo la proyección para así hacerlo saber en la pantalla a los asistentes e imponiéndoles además el gobernador una sanción» (p. 53).

El informe contiene un apartado sobre las playas que es una delicia. Se queja sistemáticamente de que el público es remiso en el uso del albornoz, que se prescribía para tomar el sol, por increíble que pueda parecer. En la playa de San Sebastián se asegura que se ha llegado al «desnudismo integral» (p. 27), una imagen que resulta inverosímil en mis recuerdos infantiles. Y se remacha: «No se da importancia al desnudo, a fuerza de la costumbre de verlo» (p. 52).

No me resisto a dejar de transcribir algunas notas que revelan el tono apocalíptico del informe señalado: «El impudor cunde y aumenta. La mujer, colocada casi en plano de igualdad con el hombre, tanto en oficinas y cargos públicos como en comercios o negocios, ha eliminado el pudor» (Badajoz, p. 80). «Un sin fin (*sic*) de jóvenes y aun de señoras, con sus ademanes, sus modos, sus maneras de pintarse, el cigarrillo rubio y la copa de cotel (*sic*), adoptan, tal vez sin darse cuenta, el atuendo exterior y las formas desenvueltas de las mujeres de vida irregular» (Guipúzcoa, p. 94). El informe guipuzcoano, ante el estímulo del naciente turismo, propone esta medida: «Podría implantarse para toda persona casada un carnet matrimonial, con la fotografía conjunta de ambos cónyuges, cuyo carnet sería exigido al alquilar cualquier habitación» (p. 94). No le faltaba razón. Todavía en los años sesenta, con el turismo ya en marcha, a los españoles casados se les podía exigir el libro de familia para pernoctar legítimamente en un hotel. Era una norma como la del albornoz en las playas: rápidamente cayó en desuso. Suele ser una buena salida para los despropósitos de los legisladores, que siguen en esto la larga tradición del arbitrismo español.

Se suele convenir en que la nuestra es una época de generosa licencia por lo que toca a los modos de exhibir el cuerpo, sin el recato de otros tiempos. Ahora bien, si se repasa la literatura moralizante de esas épocas pasadas, tenidas por modosas, es fácil concluir que en todos los tiempos se ha denunciado el mismo mal. Citaré como ilustración un texto apocalíptico de 1949. Hay que recordar la fecha y las imágenes de cómo entonces se vestía: «La mujer vuelve a vestirse pareciendo no tener otra finalidad que la provocación del atractivo sexual en el otro sexo (...). Lo que importa en la moda es la presentación atractiva y seductora de su cuerpo. En playas y piscinas hoy se pueden contemplar a las llamadas mujeres honestas como antes se iban a ver a las coristas más descocadas. La promiscuidad en traje de baño es ordinaria» (Vaca, 49: 11). Promiscuidad quiere decir en ese texto la costumbre de que las parejas o las familias no se separaban por sexos a la hora de frecuentar playas y piscinas.

La preocupación por el sexo sobreviene a una generación —la de los españoles de los años sesenta— que, en relación a las anteriores, puede alimentarse sin demasiados esfuerzos. Acaso durante siglos el contenido de los sueños españoles debió de ser la comida. Esa obsesión desplazaba al sexo y a todas las demás. Doblada la mitad del siglo XX, la población adulta comienza a sentirse ahíta. Esa disposición fisiológica es la más propicia para que el sexo empiece a rellenar el contenido de los sueños nocturnos y diurnos.

La antropóloga Nina Epton realiza un viaje por la España de los años cincuenta y relata, con la mayor seriedad, que los novios no acostumbran a besarse en la boca (Epton, 71: 181). El lector ingenuo de hoy se preguntará que, si no se besaban en la boca los novios, en qué parte del cuerpo lo harían. Ya más en serio, lo que ocurría es que, en un esquema tradicional, el sexo legítimo se tenía que disimular todo lo posible. Los varones podían desahogarse con las prostitutas y a las mujeres les quedaba la sublimación de los rezos y de los hijos.

Lo que llamamos cultura proporciona muchos ejemplos de la insistencia en hacer que los dos sexos se distingan más de lo que la naturaleza los diferencia, que no es mucho si bien se mira. Hay rituales tan curiosos como ése del País Vasco, que dura hasta los años treinta de este siglo, por el que el número de campanadas que se daban en la iglesia del lugar, cada vez que nacía o moría una persona, difería según el sexo; naturalmente, los varones recibían más campanadas (Barcenilla, 89: 27). A nadie extrañaban esas distinciones que ni por pienso se hubieran atrevido a motejar de «machistas». Esto vendrá luego. En una reciente esquela de *ABC* (4 de julio de 1990), con motivo de la condolencia por la muerte en accidente de un matrimonio, el nombre del marido venía en primer lugar con letras destacadas y, debajo, el de la mujer con letras de menor tamaño. Estos detalles todavía parecen naturales.

«Machismo» es una palabra que se utiliza así en otros idiomas para significar que procede de España, que es algo resueltamente español o iberoamericano. Pues bien, se trata de un neologismo, tanto en esos otros países como en la misma España (Gooch, 87). Es más, el modelo verdaderamente «machista» llega a las costas españolas y a otras más del mundo embarcado en algunas películas norteamericanas que exaltan a la vez el sexo y la violencia. En todo caso el estereotipo «machista» puede ser mexicano, por ejemplo, pero no es más español que el que pueda atribuirse a otros países europeos. El machismo es definitivamente una importación cultural en España, por cierto, igual que lo es el feminismo, su caricatura especular en el otro sexo. Lo injusto es que machismo mantiene una connotación despectiva y feminismo la contraria.

Tradicionalmente, el capítulo del sexo era lo reservado, lo que no se hacía público. También esto está cambiando. Los periódicos y revistas rebosan de noticias en las que se relatan los pormenores de los conflictos sexuales de personas innominadas que, gracias a este excelente escaparate, consiguen un instante de celebridad. Una ilustración entre mil. En el *ABC* del 20 de abril de 1990 se puede leer este titular: «Niño de ocho años acusado de acoso sexual por una compañera.» La compañera de clase tiene siete años y nos podemos imaginar en qué ha consistido el «acoso» (término taurino a todas luces desproporcionado en este contexto). Ya a nadie extraña que un niño de ocho años pueda ser «acusado». ¿Lo serán sus padres por negligencia? ¿No serán ellos quienes habrán precipitado la noticia para conseguir ese instante de ansiada celebridad?

El acoso sexual lo tenemos también en el otro extremo de la pirámide de edades y de modo más aparatoso. Una mujer de ochenta y siete años, vecina de un pueblo aragonés, denuncia a un vecino de intento de abusos deshonestos (se cita su nombre). Le acusa de «un intento de penetración anal, que no pudo llevarla a cabo» (*Diario 16,* 17 de mayo de 1989). No queda claro si la denuncia fue por el intento o por el intento fallido.

Estas historias mueven a risa, pero hay en ellas un fondo de tristeza. En algunos de esos reclamos sobre los problemas sexuales de las personas en cuestión aparece una razón, por sórdida que parezca. Las acusaciones de los delitos sexuales, aparte de la efímera y vicaria notoriedad, pueden generar sustanciosas compensaciones económicas. Siempre se ha dicho que la prostitución es el comercio con el propio cuerpo. Es cierto, pero, si es así, habría que extender la prostitución a toda una gama de conductas que logran sacar algún dinero con la exhibición del propio cuerpo y de sus miserias en los medios de comunicación. Todavía si es el cuerpo de uno mismo, puede pasar, pero el artificio mueve a la repugnancia cuando se trata del cuerpo de los hijos.

Las noticias sobre el sexo son cada vez más frecuentes y detalladas. Constituyen una suerte de pornografía sustitutoria. Suelen contener una dosis de alarma que las hace doblemente morbosas. Cito un par de titulares de los periódicos que cayeron en mis manos al tiempo de redactar estas páginas: «Hasta el 40 % de los varones de más de 50 años padece impotencia» (*Ya,* 17 de abril de 1989). «Ocho de cada diez españoles ha tenido alguna enfermedad venérea» (*Diario 16*, 23 de marzo de 1990). Este último caso es una ilustración de la «regla del 80 %» que en otro lugar queda expuesta (De Miguel, 88: 19).

La jurisprudencia ha oscilado grandemente en la apreciación de las conductas relacionadas con el sexo, desde una extrema mojigatería a una salacidad que nunca se había oído en el lenguaje de los magistrados. Parece una historia inventada, pero la cuentan los periódicos con nombres y apellidos. En un juicio por una riña a navajazos entre dos hombres con una mujer por medio, la sentencia de la Audiencia de Barcelona razona que la agresión es una «defensa legitimable» por cuanto «toda mujer, por muy prostituta o débil mental que sea, tiene el total derecho a que sólo le toque el culo quien ella consienta» (*El País,* 6 de abril de 1989).

El repertorio de conocimientos sobre «la conducta sexual de los españoles» se puede registrar en un libro de Carlos Malo de Molina y colaboradores, publicado en 1988, con ese título. Recoge datos de distintas encuestas, todas ellas con la técnica del cuestionario autoadministrado a unas muestras que no vienen a ser del todo aleatorias. Esos arbitrios —por convenientes que sean— disminuyen un tanto la representatividad de las respuestas descritas en un asunto en el que hay que esperar no pocas reservas y disimulos, como es natural. Con todo, dicho libro mejora mucho las habituales encuestas periodísticas sobre el particular, que no pasan de ser, otra vez, una especie de sustituto de la pornografía.

La investigación de Malo de Molina permite trazar un apunte del alcance de la prostitución y de la promiscuidad mediante un artificio estadístico (tabla 143). Tomando las personas de 30 a 49 años que dicen tener relaciones sexuales completas, el 26 % de los varones confiesa que actualmente mantiene relaciones completas con varias personas, porcentaje que desciende al 10 % de las mujeres. Es decir, aproximadamente un 6 % de los varones no célibes serían clientes de prostitutas y un 20 % precticaría una cierta promiscuidad.

Lo que interesa es la determinación de cuántos españoles se encuentran fuera de las normas tradicionales sobre este punto, que —según la moral catequística— podríamos considerar en pecado mortal. El cálculo sigue siendo muy aproximado, apoyado como está en las declaraciones de los sujetos que contestan a la encuesta. Por ejemplo, se puede derivar de una pregunta que indaga la frecuencia de la «autosatisfacción sexual» —hay que entender masturbación o, quizá para algunos, complacencia en lo que se llama «malos pensamientos». Tomemos el grupo de los jóvenes de 14 a 29 años. El 68 % de los varones se «autosatisfacen sexualmente» varias veces al mes; en las mujeres el porcentaje baja al 55 %. Habría que añadir una pequeña proporción que lo hace con menor frecuencia. El «casi nunca» (la encuesta no recoge la posibilidad del «nunca») afecta sólo al 9 % de los varones y al 15 % de las mujeres en la edad considerada (tabla 16). De los estudiantes universitarios varones, el 90 % confiesa que se ha masturbado alguna vez (tabla 77). Un cínico añadiría que el otro 10 % miente. Se puede convenir, por lo tanto, que lo estadísticamente normal, en lo que se refiere al sexo, es la conculcación de la norma admitida por la moral tradicional, en la que se han educado la mayoría de los españoles que hoy son adultos. Habrá que pensar si no es ese visible incumplimiento de un deber moral lo que lleva después a los españoles a despreocuparse del cumplimiento de otras normas jurídicas y éticas. Se acepta, en consecuencia, el equivalente de una moral hipócrita que es la negación de la moral.

Otra superación de las normas por la realidad es el hábito de las relaciones sexuales prematrimoniales. Cada vez se hacen más frecuentes. En la encuesta que comento, el 50 % de los varones y el 40 % de las mujeres de 14 a 29 años dicen haber iniciado esa relación antes de los 19 años (tabla 26). Nótese que muchos de los entrevistados están todavía en esa edad en que se inicia la mayoría, muy anterior, desde luego, a lo que se estila que es la edad acostumbrada para matrimoniar. En ésta, como en las demás preguntas sobre el sexo, hay que sospechar además que todo lo que sea infringir la norma legítima aparecerá infraestimado. En conclusión, la tendencia de la sociedad es hacia el general incumplimiento de la moral establecida.

Es más difícil que en una encuesta reconozca el sujeto que tiene tendencias homosexuales. Aquí sí que hay que interpretar los porcentajes como mínimos. En la encuesta a universitarios del libro que manejo, un 50 % de los varones reconoce que «ha recibido propuestas más o menos veladas de tipo homosexual», y un 19 % confiesa que las aceptó. El resto se distribuye entre un 34 % que francamente no las aceptó y un 47 % que se resiste a contestar (tabla 146). Estos datos contradicen la literatura oficial que señala la homosexualidad como una especie de aberración moral y estadística. Es posible que muchos sigan condenándola, pero tendrán que admitir que su incidencia en la biografía de los jóvenes es bastante corriente. Luego, la sociedad adulta se escandaliza del hecho, pero ésa es otra reacción hipócrita que trata de ocultar seguramente viejas experiencias infantiles o juveniles. En efecto, se sabe que en la edad temprana los estímulos homosexuales son muy frecuentes en personas que luego, como prescribe la norma, van a ser heterosexuales. De hecho, la misma encuesta a universitarios que comento registra sólo un 19 % de varones y un 40 % de mujeres que rechazan la homosexualidad (tabla 161).

Lo sorprendente es que no sea mucho mayor el rechazo de las relaciones sexuales extramatrimoniales para una persona casada: un 24 % de los varones y un 23 % de las mujeres (tabla 181). En este tipo de condenas morales hay que aceptar que la actitud tolerante no es así del todo, sino que oculta un cierto grado de justificación de la propia conducta que se ha desviado de la norma.

El cambio más notable en este capítulo del sexo ha sido el de la erosión de la norma bíblica que establecía la necesaria relación del acto sexual con la procreación. En la encuesta más general del libro de Malo de Molina y colaboradores, sólo un 8 % de los varones y un 9 % de las mujeres se sienten acordes con este precepto, tan caro a la Iglesia católica y a otras religiones (tabla 211). No es sólo una cuestión de creencias porque, como hemos visto, las cifras más recientes de la natalidad en España apuntan a un verdadero mínimo mundial, incompatible de todo punto con la observancia del precepto indicado. Por todas partes apunta la contradicción entre el deber ser oficialmente admitido y la conducta real. Para seguir con la terminología religiosa, habría que hablar de fariseísmo en su más popular sentido.

Se está rompiendo la dualidad entre el sexo por obligación —destinado a multiplicar la especie—, que era el que se practicaba entre los esposos, frente al sexo por placer, que era el que se ofrecía a los varones en el mercado de la prostitución. Lo dice una prostituta en una encuesta realizada en 1985: «Hoy [las esposas] se están volviendo muy modernas porque compran revistas y les hacen cosas a sus maridos, y todo para que no se vayan con nadie» (Santamaría, 88: 50). No es total la sustitución de un esquema por otro, pero lo cierto es que se ha ampliado la libertad y la espontaneidad en las relaciones sexuales, si bien ello no ha supuesto ninguna mengua en la actividad de la prostitución.

Lo nuevo de la prostitución es que se ha convertido en el polo de atracción de otros varios fenómenos de marginación. En la encuesta citada sobre las prostitutas se perfila que el 47 % de las entrevistadas son adictas al alcohol, un 30 % a las drogas «blandas» (hachís, anfetaminas, etc.) y un 23 % a las drogas «duras» (heroína o cocaína) (Santamaría, 88: 164). Se ignora hasta qué punto la prostitución ha contribuido a la propagación del sida, el acoso bíblico de este fin de siglo. Tampoco se sabe en qué medida ese temor —y no consideraciones morales— puede contribuir a la reducción de la prostitución y de las prácticas homosexuales promiscuas.

La nuda realidad que se revela en diversas encuestas es ésta: «La mayor parte de los adolescentes españoles mantienen relaciones sexuales más o menos completas y cerca de la mitad se abstienen de utilizar medios anticonceptivos eficaces» (*Diario 16,* 14 de febrero de 1990). El dato es coherente con el aumento de los nacimientos de madres solteras. Hasta los autores más permisivos en este tipo de conductas tendrían que preocuparse de un resultado como éste. Ya no se puede sostener que el rechazo de los medios anticonceptivos eficaces se debe a una falta de información. Es algo más grave: se debe a falta de responsabilidad.

La mayor parte de los jóvenes actuales (63 %) aprueba el hecho de que una mujer pretenda tener un hijo como madre soltera, sin intención de mantener una unión estable con el progenitor. Lo curioso es que, si bien esa disposición se refuerza en los jóvenes que se alejan de la práctica religiosa (un 80 % en los ateos), ronda la mayoría en los que se declaran católicos practicantes (44 %). De nuevo estamos ante la general conculcación de las normas (Toharia, 89: 232).

El cambio más interesante en este apartado del sexo de los españoles consiste en la desenvoltura con que los adolescentes plantean la posibilidad de las relaciones prematrimoniales. No es tampoco una revolución ni nada nuevo en la historia, pero sí acusa un evidente contraste con la falta de legitimidad que tenían esas relaciones en la generación de los padres, cuando ellos eran jóvenes. Este cambio es correlativo de otro: el mayor tiempo de maduración social que significa hoy la adolescencia. Las dos pautas parecen contradictorias, pero se complementan. Una adolescencia que se alarga en el tiempo, manifiestamente irresponsable durante varios años, necesita ese «ensayo general con todo» que son las relaciones prematrimoniales (que no son más que el antiguo contrato de esponsales del derecho romano) para que la experiencia matrimonial pueda salir más airosa. Se comprende que los padres sean comprensivos con sus retoños en esta cuestión. Después de todo, los fracasos genésicos o matrimoniales de los hijos los tienen que soportar sus respectivos padres.

Tanto están cambiando los usos en este dominio que lo que era antes una exigencia para un matrimonio decente —la virginidad de la mujer— se convierte en un inconveniente para ese mismo fin. Más que una virginidad técnica, se trata de un aprendizaje de las técnicas de la relación sexual que tienen lugar con distintos «novios» antes de acceder a una unión estable. A su vez, esta última antecede al matrimonio como una prueba definitiva.

Se piensa muchas veces que la norma de la monogamia está relacionada necesariamente con esa otra tradicional que legitima el sexo con la función reproductora. No veo yo un parentesco demasiado lógico entre los dos mandamientos, aunque ambos se deriven —como tantos otros preceptos— de la *Biblia.* La asociación exclusiva entre fornicio y natalicio procede de una situación milenaria, la obsesión que ha tenido hasta ayer mismo la especie humana de que podría perecer frente a las otras especies. Es una norma desproporcionada a las condiciones actuales de vida. Si se mantienen por inercia es porque el hombre es una criatura inercial en sus costumbres.

La monogamia pertenece a otro plano. En rigor, para cumplir con seguridad el mandato de la perpetuación de la especie, la regla de la poligamia (en su vulgar sentido de un marido con varias mujeres) es mucho más segura. Este es el uso del Antiguo Testamento. La monogamia es asunto del Nuevo Testamento y en general una conquista de la civilización, un progreso en la finura de las relaciones humanas. Una sociedad compleja es incompatible con la legitimación de la promiscuidad donjuanesca (tan española, por otra parte) y no digamos con la poligamia. Otra cosa es lo que podríamos llamar «monogamia sucesiva», esto es, las parejas —una tras otra en el tiempo— que se van formando en la larga vida adulta de muchas personas. Para todas ellas, en un corte del tiempo, se impone el ideal civil de la monogamia. Cualquier otra norma complica el juego de los papeles sociales en que consiste la relación cotidiana. Es la misma razón por la que se vitupera el incesto. Si uno abomina de la monogamia (no para sí, para todos), tiene que estar dispuesto a admitir el incesto. Hasta tanto no se llega.

En lo anterior se habla de normas, de usos ideales, que pueden cumplirse o no. No quiero decir que en España no existan situaciones reales para todos los gustos. El incesto es más usual de lo que parece en las infraviviendas hacinadas. La promiscuidad y hasta la poligamia se practican con soltura en las capas dirigentes. Lo que ocurre es que esas prácticas aberrantes son incompatibles con una buena salud colectiva de una sociedad que es ya compleja. Ilustran ese principio más general de que en España las relaciones interpersonales chirrían. Ya es triste que, en el pasado, la única disuasión eficaz contra la promiscuidad haya sido la enfermedad venérea y en la actualidad el sida.

Es una cantinela de sexólogos y sociólogos arremeter contra la doble moral que existe en este campo del sexo: más permisiva para los varones, más represiva para las mujeres (Sanz Agüero, 75). No basta con rechazar tal injusticia, que acumula una sobrecarga de sufrimiento sobre las mujeres; hay que explicarla. Una razón destaca por su evidencia: el hecho de que sean las mujeres quienes tengan los hijos. No me refiero sólo al hecho biológico de parirlos, sino que la sociedad encarga a las mujeres que cuiden y aguanten a las criaturas, desde luego mucho más de lo que en esto se exige a los varones. Esta desigualdad inicial no lleva muchas trazas de remisión, aunque sólo sea por el hecho biológico de que las mujeres van a seguir siendo las que engendren a los hijos. Obsérvese, además, que casi todos los procedimientos de control de los nacimientos suponen más molestias e inconvenientes para las mujeres que para los varones. Si todo ello es así, ¿no será razonable que los padres pongan más cuidado en el uso del sexo que puedan hacer sus hijas respecto a la parecida conducta que puedan desarrollar sus hijos varones? La doble moral en este territorio no es sólo una cuestión de hipocresía o de machismo innoble; tiene su fundamento. Un magnífico avance en la abolición de la doble moral para varones y mujeres es la medida que se ha propuesto recientemente en California:

en caso de embarazo en una adolescente, la responsabilidad de mantener a la criatura recae sobre los padres del novio de la misma. No aceptarían fácilmente los progresistas españoles una norma tan radical.

Lo malo es que la doble moral para varones y mujeres se lleva a extremos injustificables. Uno de los misterios no desvelados de la vida cotidiana es la distribución de las tareas domésticas. No vale la explicación sencilla de que las mujeres cumplen las obligaciones más desagradables porque «sacar la basura» suele ser una tarea encomendada a muchos maridos. Tampoco sirve el razonamiento de que las mujeres se ocupan de las funciones más complicadas, como cocinar. Es cierto que la cocina es tarea compleja, pero en ella participan no pocos maridos (sobre todo jóvenes y en los fines de semana); en cambio, planchar es dedicación sencillísima que en muy raras ocasiones practican los varones de la casa. No se sabe por qué regar el césped es masculino y regar las macetas es femenino; por qué lavar la ropa es más femenino que tenderla y mucho más que ocuparse del arreglo de la casa. Al final, la distinción se apoya en la dudosa categoría de que en la casa a las mujeres corresponde lo habitual y a los varones lo esporádico, lo que luce de puertas para afuera, lo que exige más técnica (INNER, 88: 30).

Una de las grandes hipocresías de la vida española (y en esto la de muchos países, si no todos) es que se presume que la familia es la gran restauradora de los afectos. De hecho no lo es en algún capítulo fundamental, como es éste del sexo. Son muy pocos los jóvenes que todavía hoy reciben de sus padres la necesaria información sobre el sexo. Puede ser también que los padres no sean muy entendidos en la materia. La familia no será una auténtica institución afectiva hasta tanto no se produzca esa comunicación. Este es uno de los contenidos de la educación en los que la escuela no puede realizar una labor tan completa como la familia. El sexo no debería ser nunca una asignatura; todo lo más tendrían que serlo los asuntos genésicos. El afecto no reside en el aparato reproductor ni tampoco completamente en sus proximidades. De nuevo hay que advertir que el sexo es seso, inteligencia, finura de sensaciones.

Existe un cierto acuerdo entre los observadores sobre la pobreza de las relaciones sexuales en España. En seguida se suele buscar a los culpables, camino seguro para no enterarse de lo que pasa. Lo que sucede es que unas relaciones sexuales menesterosas son sólo una expresión más de unas relaciones interpersonales misérrimas. No pueden enriquecerse mucho cuando a tantos españoles les es ajena la idea y la necesidad de intimidad. Siempre me ha parecido que esos espléndidos personajes que son Santa Teresa o San Juan de la Cruz —tan intimistas— no forman parte acorde del paisaje cultural español. Lógicamente, tendrían que haber sido quemados en la hoguera. Benditos sean los errores de la lógica histórica. Ya en nuestro tiempo, qué poco íntimas son las memorias que se dicen «íntimas» de tantos famosos, eso cuando se dignan dictarlas, que es muy pocas veces. Algunas parecen más bien una exposición de méritos o, mejor, un ajuste de cuentas con los contrincantes. Qué pocas cartas verdaderamente personales ha dado el conjunto de la república literaria española. Así que no es de extrañar la penuria sentimental, la indigencia sexual de esos mismos españoles, egregios como pueden haber sido en sus respectivos campos profesionales.

Hubo un tiempo en que se creyó que, en esta cuestión del sexo, bastaba desatar todas las prohibiciones y ocultamientos para que se solucionaran los problemas. Era una ilusión ilustrada. No ha sido tan simple la cosa. En España hemos pasado en este terreno de la represión más estúpida al «liberacionismo» más descarado. No hay más que recordar que la televisión pública ha llegado a emitir alguna película pornográfica en las horas de máxima audiencia. Esa relajación de los viejos tabúes no ha supuesto la correspondiente liberación de las conciencias ni muchos menos ha dado lugar a un aumento de la felicidad. Es más, en esta sociedad presuntamente liberada respecto al sexo se producen más violaciones que antaño y, como queda advertido, no ha menguado la prostitución. Hay que colegir que, con estos dos indicadores en alza, la satisfacción sexual de los españoles no debe de ser modélica. El asunto es endiablado. Se comprende incluso que haya una recuperación de algunas actitudes conservadoras en cuanto a la publicidad del sexo.

En la práctica, lo que se entiende comúnmente por libertad sexual tiene mucho más que ver con el mal gusto que con las otras libertades. Cuando se habla de «educación sexual», las más de las veces el contenido se refiere a la procreación. Lo que se anuncia comercialmente como «sexo» suele ser el aburrido repertorio de las perversiones sexuales, esto es, el sexo sin comunicación, afecto, ternura, amor. Esos valores parecen asunto del pasado o algo infantil. La referencia seria a los problemas sexuales suele dejarse a los médicos, aunque por lo general no se trate de problemas patológicos.

En este punto del sexo no aparece por ninguna parte la revolución de las costumbres que estaba en boga hace una generación. Hay, sí, más información y sobre todo más exhibición, han mejorado las técnicas y las propagandas, pero el sexo, en cuanto que relajación afectiva intensa, fundamentalmente entre un varón y una mujer adultos, ha cambiado poco. La misma desazón y parecida insatisfacción se encuentra en las parejas de hoy que en las de ayer. Es una consecuencia de uno de los rasgos más constantes de la vida española, que se nos muestra en tantas ocasiones: la dificultad de unas buenas relaciones interpersonales. La causa procede de esa concepción teatral de la vida, que tantas veces se apunta en este texto. Si en algún momento la relación humana exige prescindir de la representación escénica para enfrentarse a la persona enteriza, ese momento de la verdad es el de la entrega amorosa. En el teatro los amores son siempre de mentirijillas, singularmente los del Tenorio. Recordemos una vez más la obra más representativa de la cultura española, *El Quijote*. Qué amores tan incompletos y vicarios los que se atribuyen a don Alonso Quijano.

La conclusión de un ensayo médico-literario sobre los usos amorosos en España no puede ser más brutal: «La forma más generalizada de amor sexual en nuestro país ha sido —y aún sigue siendo— el coito interrumpido» (Mancebo, 76: 136). Desde luego, las encuestas señalan que el coito interrumpido (se entiende, interrumpido para la mujer) es el procedimiento usual de control genésico. No dice mucho en favor de la sensibilidad y el afecto —no digamos amor— que se debe suponer en las parejas. La misma grosera expresión de «apearse en marcha», con que se traduce el latinajo, define muy bien el sentido de desprecio y violencia que hay en tal procedimiento.

Lo que llamamos sexo no es muchas veces más que una manifestación de violencia. Lo es no sólo la violación, sino muchas otras manifestaciones del «sexo comercial». Lo expresa muy bien una prostituta en una encuesta realizada en 1985: «Luego encuentras toda clase de vejaciones en los hombres, de lo más humillantes. El hombre busca, lo disfraza de morbo, lo disfraza de veinte mil cosas, el sexo y lo que va buscando es un desahogo brutal y físico que tiene el hombre dentro.» (Santamaría, 88: 31). Lo que calificamos coloquialmente como «porno» suele emparentarse más con la violencia que con el sexo, si es que éste es comunicación íntima y placentera, goce altruista.

El costado más abyecto de la sociedad de consumo es que el sexo se ha convertido en un objeto de comercio, de competencia, de exhibición, de violencia. No es sólo la prostitución, sino la pornografía, y en general el culto exaltado del cuerpo como estímulo para vender cualquier objeto.

No se vea sólo sordidez en las relaciones entre los sexos en España, pero tampoco se perciba por encima de todo esa fogosidad que está en las leyendas. En esto, como en todo, si algo hay de peculiar español es la contención de los afectos, las relaciones no muy satisfactorias. Se observa, por ejemplo, que «la mayoría de los padres españoles no se besan ante sus hijos. En los pueblos, sobre todo, los hijos no ven jamás que sus padres se den un beso ni se hagan una caricia amorosa» (Latorre, 71: 35). Ahora el progreso no les ha hecho cambiar mucho. En todo caso, esos padres, como un signo de liberación, alquilan una película pornográfica para la sesión familiar de los sábados. Para ocultar su lascivia culposa, manifiestan que la peliculita es simplemente erótica. El erotismo suele reducirse a la vulgar pornografía con pretensiones intelectuales, estéticas y hasta pedagógicas.

CAPÍTULO VII

LOS JOVENES DE ESTE FIN DE SIGLO: LA ULTIMA INVASION DE LOS BARBAROS

Se escribe mucho sobre los jóvenes, pero en casi todos los casos el escrito suele referirse sólo a los jóvenes. Cierto es que, para averiguar las tendencias que prefiguran el futuro de una sociedad, hay que precisar sobre todo las que caracterizan a los menores de edad, pero, a su vez, los jóvenes se alimentan del depósito de valores que distingue a la sociedad toda.

Uno de los rasgos más notables de la vida social española de los últimos decenios es la rapidez con que se van borrando las diferencias que marca el sexo respecto de las actitudes, ideologías, formas de pensar y actuar. Esto es consecuencia del mayor ritmo de cambio que ha experimentado el subconjunto de mujeres. El hecho lo registran las encuestas y constituye una relativa sorpresa para una sociedad en la que el sexo determinaba dos mundos apartados. En cambio —lo dicen igualmente las encuestas—, sigue apreciándose una gran diferencia por el factor edad. Los españoles conceden un gran predicamento al grupo de amigos o compañeros con una edad parecida. En su virtud, los conflictos en España tienden a orientarse muchas veces como conflictos generacionales. La importancia del grupo de parecida edad, más bien espontáneo, contrasta con la bajísima participación en asociaciones voluntarias y, en general, con la escasa eficacia de todo tipo de organizaciones. En la política, en los negocios, el éxito y el cambio se detectan por el impulso que dan los grupos de amigos de la «misma quinta», por emplear un término de la jerga militar que, como tal, ha perdido significación.

La enjundia del factor etáneo se revela en el hecho de que la edad es casi el único criterio que se tiene en cuenta en el lenguaje para elegir entre el tratamiento de usted y el tuteo. Dos personas de parecida edad, aunque no se hayan conocido previamente, se hablarán espontáneamente de tú. La forma del usted se emplea cada vez menos y se reserva casi únicamente cuando entre los dos interlocutores hay una considerable diferencia de años.

Conviene advertir que en el idioma español no hay apenas diferencias en el acento según la clase social; sólo se mantienen por el origen regional. Estos rasgos del habla apuntan a un cierto igualitarismo externo y superficial, que contrasta con las desigualdades de fondo que todavía existen en la vida española. Tampoco la forma de vestir determina la condición social, por lo menos no tanto como en el pasado. La corriente de la moda en el vestir atraviesa muy rápidamente los distintos estratos sociales. Ni que decir tiene que la moda entra por los jóvenes y que el atuendo deportivo es el más solicitado en estos últimos tiempos. Todos quieren parecer jóvenes por la indumentaria. El tuteo también se generaliza entre personas que visten de parecida manera.

El aparente igualitarismo es compatible con un alto sentido dramatúrgico de la relación social cotidiana, un rasgo fundamental de la vida española que aparece repetidas veces en estas páginas. Los extranjeros tienen la sensación de que los españoles estamos representando una obra de teatro, tan exagerados son nuestros gestos de afecto o de desagrado. Un ejemplo mínimo puede ser la despedida después de un encuentro entre amigos o conocidos. Se trata de una despedida que en ocasiones se hace interminable. Nadie quiere ser el último en decir adiós. Por cierto, los jóvenes ya no dicen «adiós», sino «hasta luego», aunque no haya ni la más remota esperanza de que los dos interlocutores vuelvan a verse en mucho tiempo. La resistencia a despedirse es paralela a la de concluir una visita, una reunión, incluso de negocios. La cortesía aconseja no tomar en serio las primeras advertencias de que uno va a despedirse. Son parte del largo ritual. Luego veremos que este alargamiento del ritmo de la relación efímera condiciona otros muchos aspectos del vivir cotidiano. En esto, como en todo, el cambio que se detecta primero en los jóvenes es aceptado con prontitud por los demás grupos. Ya todo el mundo emplea el «hasta luego», que, además, se contrae hasta hacerse ininteligible. Los ateos doctrinarios de antaño suspirarían hoy de envidia al ver con qué facilidad se ha suprimido el «adiós».

Una característica peculiar de los jóvenes de hoy es que son adolescentes más tiempo, en muchos casos hasta pasados los veinticinco años de edad. Adolescencia en el sentido negativo de no contar con ingresos propios suficientes y, por tanto, depender económicamente de los padres. Si además sucede que el factor edad es el que explica más diferencias en las opiniones, se comprenderá que esta situación de dependencia familiar de los jóvenes genere múltiples conflictos. Conviene anotar que, aunque muchos jóvenes mayores de edad dependan presupuestariamente de los padres, su situación en la familia es de una extraordinaria permisividad (por ejemplo, horarios), si bien todavía es bastante mayor para los varones que para las mujeres. Este es uno de los puntos en que todavía se conservan las diferencias por sexo.

Algunos sociólogos más ingenuos han pensado que la evolución de la familia iba desde la forma «extensa» (conviventes de varias generaciones y con distinto grado de parentesco en el mismo hogar) a la «nuclear» (los cónyuges solos o con hijos pequeños). No es así en la realidad. La sociedad española actual admite muchas manifestaciones de la familia extensa. Singularmente se vuelve a una anacrónica dependencia económica u hogareña de los hijos ya mayores de edad con los padres. Circula el comentario jocoso de que el ideal sería vivir de los padres hasta que se pudiera empezar a vivir de los hijos. No se trata sólo de un fenómeno que afecta a los jóvenes de las grandes ciudades, sino de un hecho ya general. Así, en un reciente estudio sobre los jóvenes de Castilla y León se comprueba que en el grupo de 25 a 29 años sólo un 27 % forman un hogar por sí mismos, es decir, se encuentran realmente emancipados. El resto vive todavía con sus padres y, de estar casados o de vivir solteros por su cuenta (una minoría reducidísima), dependen todavía en parte del presupuesto de los padres (Arribas, 87: 62).

No se crea que la situación de retrasada dependencia familiar es producto de la reciente crisis económica, que ha sido sobre todo una crisis de empleo. En todo caso ésa es una razón más, que refuerza lo que en realidad es un rasgo cultural duradero. En efecto, desde hace un siglo por lo menos se observa en España una sobreprotección de los niños por los padres. No existe la idea anglosajona del desarrollo individualista de la persona, por lo menos no existe de una manera destacada. En España la posición del individuo es la de su familia, que se esfuerza todo lo posible —y a veces más de lo posible— para que los hijos salgan adelante. Ese esfuerzo comporta una dependencia de la familia de origen más allá de la adolescencia biológica y, por parte de los padres, una actitud más bien condescendiente y muy benévola con los hijos.

En ciertos ambientes de la clase media española se reproduce a la perfección esa idea de la solidaridad entre las generaciones: la de que los padres se sacrifican por los hijos. Estamos ante uno de los grandes misterios de la vida humana. ¿Por qué una generación se sacrifica por la siguiente? ¿Por qué se emplea tanta energía humana en nutrir a los que vienen detrás? No aduciré mi propio caso, por pudor, pero se pueden certificar muchos otros que podrían ser equivalentes y generalizables. Así lo confiesa Antonio Gala: «[Mi padre] era un hombre que había hecho dejación de su propia vida. Había corrido ese riesgo y había incurrido en él: en el de delegar su propia vida ya en la de sus hijos, en abdicar de ella por la de sus hijos. Hizo un gran esfuerzo para que nosotros pudiéramos hacer lo que verdaderamente nos apetecía hacer» (Márquez Reviriego, 82: 135). Un joven escritor, Daniel Múgica, lo ha visto desde el otro lado, con toda sinceridad, al afirmar que «un padre está para dejar que te equivoques y echarte una mano después» .

La noción de sacrificio extremo por parte de los padres se corresponde con la idea de sobreprotección de los hijos. Es posible que ambas ideas se estén alterando, como tantas otras. De todas formas, los siguientes datos (encuesta de DATA para 1981 y del CIS para 1987) prueban que la noción de sacrificio familiar es en España superior a la de otros países europeos. El dato representa la proporción que contesta que «el deber de los padres es hacer todo lo posible por los hijos, sacrificando incluso su propio bienestar». Para el conjunto de Europa occidental, en 1981, la proporción es el 64 % y para España, en esa misma fecha, el 76 %. En otra encuesta para España, en 1987, la proporción es el 71 %. Las diferencias son visibles.

La dependencia de la familia de origen es más instrumental que afectiva, vista desde el lado de los jóvenes. Los chicos siguen en la casa paterna porque les conviene, por razones de comodidad, pero ello no significa necesariamente una gran comunicación con los padres. La verdadera comunicación es la que establecen con los otros miembros de su grupo de edad.

La idea generalizada de que los jóvenes se encuentran despolitizados es bien cierta. Tiene que ver con la representación de la política como algo que interesa más a los padres y, por lo tanto, algo que no resulta muy atractivo a los jóvenes. Es más, el mundo de la política es el propio del padre. Los jóvenes se relacionan y conversan poco con los progenitores, pero todavía menos con el padre que con la madre.

La relación estudios-trabajo ha experimentado un vuelco en estos últimos lustros de crisis económica. En los años del «desarrollismo», los jóvenes estudiaban para encontrar un empleo consonante con el tiempo invertido en su formación. En la actualidad, muchos jóvenes estudian porque no encuentran un empleo, hasta tanto lo consiguen. Se produce así una paradójica acumulación de años de escolaridad sin que se vea en ello una traducción inmediata en el resultado profesional. Esto, por un lado, produce un tipo de estudiante más aficionado al estudio, como un fin valioso en sí mismo. En otros términos, se acrecienta la función de la enseñanza como consumo. El lado menos positivo es la sensación de apatía o desinterés que domina en los cuarteles educativos, sobre todo cuando tantos estudiantes universitarios tienen que seguir una carrera que no han elegido. Todavía más negativo es el cambio de valores que supone depreciar la educación (y, por lo tanto, despreciarla) como mecanismo de ascenso social. Hoy, más que nunca, para situarse en un buen puesto se apela a las conexiones familiares, amicales o de color político. Con esta creencia en la mente de los estudiantes, la tarea del profesor que ha de educarles se hace difícil. Tampoco es fácil la relación dentro de la familia.

El creciente conflicto generacional entre padres e hijos se ha detectado en muchas encuestas. En una de ellas, realizada por el CIS en 1987, no llegan a la mitad los jóvenes que dicen estar acordes con la manera de pensar de los padres en cuestiones ideológicas. No andan lejos de la cuarta parte los que expresan ese acuerdo en cuestión de sexo. Lo curioso es que ese desacuerdo básico se produce en un momento en el que los jóvenes comparten más que nunca el domicilio (ya que no estrictamente el hogar) con los padres. Se colige, pues, que el conflicto tenga que ser bastante pesado.

Ahora bien, a lo largo de los años ochenta se empieza a advertir que se va cerrando un poco el foso generacional por lo que respecta a la disonancia entre los modos de pensar de padres e hijos. Así, en dos encuestas de 1984 y

1989, se percibe que el acuerdo entre padres e hijos no es muy destacado, pero va en aumento. En 1984 sólo un 36 % de los jóvenes de 15 a 24 años dicen «compartir básicamente con sus padres las normas morales», proporción que sube hasta un 44 % un lustro después. En las opiniones políticas o en las actitudes sobre el sexo, el acuerdo es mucho menor y no experimenta alteraciones (Toharia, 89: 216).

Los jóvenes tendrán toda la vida por delante, como suele decirse, pero lo cierto es que lo suyo es la cultura de la inmediatez, el gozar ahora, el no posponer las satisfacciones de la vida. La expresión más clara de esa cultura de lo inmediato es la droga, la que crea adicción. El método de encuesta sólo permite una aproximación al nivel real de consumo, una aproximación por defecto. Con todo, nos indica cómo va ampliándose la exposición de los jóvenes a la droga, por lo menos en sus manifestaciones más veniales. Así, en los jóvenes madrileños de 15 a 24 años (según una encuesta del Instituto EDIS) la proporción de los que consumen «porros» de modo regular oscila entre un 19 % en 1982 y un 24 % en 1985.

El indicador más válido es el que indaga la conducta de los amigos. Si la muestra es representativa, la percepción de la conducta de los amigos de los que responden se puede extrapolar a la población en su conjunto. En una encuesta realizada por el CIS en 1985, en el grupo de jóvenes (21 a 25 años), un 51 % de los amigos fuman marihuana o hachís, un 19 % toman anfetaminas, un 15 % inhalantes y un 12 % barbitúricos. Sólo un 4 % señalan la cocaína, pero hay que hacer notar que con esta droga se traspasa realmente el umbral de la legitimidad y, por lo tanto, no es lógico que se nos revele con exactitud el alcance de ese hábito.

Hay que sospechar que las drogas están dejando de ser una costumbre privativa de los grupos marginales. En éste y en otros supuestos, lo que en un tiempo llamábamos marginalidad va avanzando hacia el centro, hacia lo que se considera estadísticamente normal. En una encuesta dirigida a los jóvenes de 15 a 24 años en 1989, se verifica que el 71 % conoce a alguna chica menor de edad que ha tenido un hijo, un 62 % tienen algún amigo que resulta bebedor habitual y un 45 % cuenta con algún amigo o conocido que se encuentra enganchado a la droga (González Blasco, 89: 56). Hay que presumir que esos porcentajes revelan un mínimo de la presencia real de esas situaciones por cuanto afectan a conductas todavía no bien vistas. Mucho menos lo eran antes, cuando se alojaban en los márgenes de la sociedad. Hoy ya no, por lo menos en los ambientes que pudiéramos calificar como populares, en los que pesa menos el control de la religión o de la familia.

Se ha dicho que cada nueva promoción de niños forma una suerte de pacífica invasión de los bárbaros, a los que hay que integrar, adoctrinar y colocar para que la sociedad siga funcionando. La invasión de los bárbaros es más bien la de los adolescentes que tienen que recorrer una larga marcha hasta convertirse en adultos productivos. Hay momentos en que esa pacífica invasión se hace más llamativa, por ejemplo en los años sesenta, asunto de sobra conocido, con la eclosión del «liberacionismo» y del radicalismo estudiantil. Viene después una época sosegada, amortiguada por la crisis económica y por el hecho de que los antiguos líderes estudiantiles se aburguesan y se instalan en el liderazgo social y político. Detrás de ellos viene una nueva ola juvenil, que adquiere unos tonos peculiares.

Para empezar, un hecho demográfico. Los jóvenes de los años ochenta (sobre los que versan la mayor cantidad de los datos que aquí se aportan) constituyen unas promociones muy nutridas. Son el resultado del exceso de nacimientos de los años sesenta, según queda expuesto. Ese mayor número incide sobre otro problema particular: el acusado desempleo que mantiene la fórmula económica española. La economía dependiente y de servicios que caracteriza a la economía española da poco trabajo. A ello hay que añadir esa constante de la cultura española que es el exceso de urbanización para el grado de desarrollo que nos caracteriza. El resultado es propicio a una verdadera «invasión de los bárbaros», ahora en su sentido más literal de las «tribus urbanas» juveniles de todas las clases sociales, desde los «macarras» a los «pijos» y, entre medias, algunas docenas más de clanes más bien efímeros. Los elementos comunes de estos nuevos «bárbaros» son la violencia (aunque sea sólo simbólica, como agresión estética o por el ruido, por ejemplo), la marginación (que puede llegar a bordear la delincuencia), la despolitización, el hedonismo, la orientación por el consumo y que éste sea de marca, y el retraso con que se incorporan a la fase de asunción de responsabilidades. Las drogas de adicción no son más que la expresión extrema y simbólica de todas esas varias notas diferenciales.

Las pandillas de jóvenes urbanos constituyen la parte más mítica de la estructura social. Son como una fotocopia de las imágenes de esas mismas pandillas que se pueden ver en Londres o en otras grandes ciudades europeas. Se ven, mejor, retratadas en los *clips* musicales. Los gustos, la indumentaria, el tocado, las costumbres, todo es mímesis, como se comprueba, por ejemplo, en las pintadas del metro madrileño. Este hecho acentúa todavía más algo que no resulta demasiado disonante de los usos españoles: la idea de que estos jóvenes son actores en la gran representación de la vida cotidiana. Hay algo de falso y fugaz en la escenografía de las bandas juveniles.

Hablando de los jóvenes madrileños de los años sesenta, se ha dicho que «la gran mayoría (en torno al 70 %) de los jóvenes viven, piensan, desean y actúan en términos de integración social, de no conflicto, de satisfacción, de acomodación al modo y modelo de vivir, pensar, actuar y desear del conjunto de la sociedad actual» (Alonso Torrens, 74). Es decir, los nuevos bárbaros —según esa interpretación— se han incorporado al imperio. No me parece a mí tan clara esa suposición. La prueba —como queda demostrado— es que, en las encuestas realizadas a la población general, la variable edad se ha convertido en la que mejor explica las diferencias en los modos de ver la vida. Es decir, los jóvenes piensan en casi todo de forma distinta a la de sus mayores. Se podría razonar que siempre ha sido así. Puede ser, pero se trata de una cuestión de grado y el de ahora es muy sobresaliente.

El gradiente en las formas de pensar y de comportarse experimenta un fuerte desnivel al llegar a la edad en que podemos empezar a hablar de jóvenes. Por cierto que ese límite etáneo se amplía sin cesar. En algunas sociedades tradicionales la adolescencia duraba literalmente un día, el del rito de paso del que era niño y pasaba a representar los papeles de adulto, por ejemplo, trabajar, guerrear o ser candidato para el cortejo amoroso. Ese día ceremonial es ahora una larguísima adolescencia que se introduce poco a poco en una difusa juventud sólo a medias adulta. A los 18 años los jóvenes pueden votar, pero todavía cerca de los 30 es posible que dependan de la familia de origen y carezcan de empleo y afectos fijos. ¿Es esto integración, acomodación, ausencia de conflictos? Me temo que no. No se trata sólo de una cuestión de porcentajes. En el texto antes citado sobre los jóvenes madrileños se reconoce que alrededor de una cuarta parte de los mismos se pueden considerar como un núcleo «claramente roto, desintegrado, pesimista, ansioso e inseguro, que incluso intenta huir de una realidad que le es hostil y adversa». Ya es bastante. La proporción exacta habría que establecerla de acuerdo con cada indicador. Si es por la avidez del consumo, los jóvenes son fácilmente asimilables a una cultura que premia más que nunca el éxito económico; si es por su actitud religiosa ante las costumbres sexuales o por sus reflejos patrióticos, habría que concluir que los jóvenes españoles no es que sean una subsociedad, sino que forman más que nunca una sociedad aparte.

En ese mismo texto que comento se cita el resultado de una encuesta realizada a los jóvenes de Madrid capital. Hay tres instituciones que una amplia mayoría de los jóvenes consultados consideran innecesarias: Iglesia (66 %), Ejército (63 %) y matrimonio (58 %) (p. 24). Se hace difícil pensar en la hipótesis de la integración a la vista de esos resultados. Incluso un 44 % que considera innecesarios los partidos políticos es un dato que arroja muchas dudas sobre el futuro de la democracia. Claro está, en todos esos porcentajes hay que comprender una buena capa de radicalismo verbal y ocasional. Otra cosa es lo que piensan íntimamente y, sobre todo, lo que pensarán a medida que pasen los años. Con todo, no se verifica la hipótesis integracionista. Los jóvenes de una gran ciudad como Madrid (y hay que suponer que en esto se van a aproximar en seguida los jóvenes de las demás ciudades) no son radicales, pero tampoco están integrados. Los «bárbaros» siguen acampados extramuros.

La juventud urbana de este final de siglo vive una época dorada, porque los ayuntamientos propician todo tipo de fiestas y festivales que se dirigen más que nada a sus gustos y aficiones. Es una salida lógica a la idea de romper con la tradición anterior, a la urgencia de demostrar que los nuevos ediles van a hacer algo «popular» y a la falta de medios económicos (la crisis fiscal de las grandes ciudades) para promover costosas obras públicas. El dinero municipal luce más en la «movida», en los conciertos «roqueros». Es paradójico, pero a medida que la sociedad en su conjunto va envejeciendo, más se cultiva la apariencia de lo juvenil como el centro y el ideal de la vida.

Un estudio inédito de Miguel S. Valles sobre los jóvenes de dos barrios madrileños nos lleva a perfilar mejor algunos rasgos de la «cultura juvenil» metropolitana. Dependen de la familia de origen, pero a la vez se plantean muchas formas de ganarse la vida en el variopinto mundo de la «economía sumergida». La gran ciudad permite multitud de ocasiones de ingresos extra para los jóvenes, a pesar de su carácter precario, ocasional y a veces ilegítimo. El conjunto explica la paradoja de cómo, con altísimas tasas de desempleo, los jóvenes constituyen una formidable potencia consumidora.

El paso de la condición adolescente al mercado laboral no se realiza en un día, sino que es un largo proceso. Digamos que la primera parte del trabajo de los jóvenes es una ocupación sin estricta responsabilidad. Esas ocupaciones ocasionales no generan una correspondiente ética de trabajo, aunque permitan una discreta colaboración con la familia de origen, con sus cargas económicas. Este hecho matiza mucho la pretendida dependencia familiar de los jóvenes. La biografía que empiezan a trazar los mocitos no se corresponde del todo con el proyecto vital que para ellos han trazado los padres. He aquí una nueva fuente de conflicto, pero también de maduración personal.

Tener un empleo, una colocación, es algo más que un medio de vida, es casi un fin de la vida, al menos de parte de ella, muy en especial para los jóvenes. La entrada en el mundo adulto significa la asunción de responsabilidades. Las dos responsabilidades más generales son el matrimonio y el empleo. La esencia del empleo es saber cuidar de uno mismo. La médula del matrimonio es saber cuidar de alguien más. Es notable cómo se retrasan esos dos momentos en los jóvenes de este final de siglo, no por su culpa, empero, al menos no en la mayoría de los casos. Pero el hecho es que, al posponer el momento de asunción de responsabilidades, los jóvenes no dejan de serlo, no abandonan ese estadio que tendría que ser de transición y que llamamos adolescencia. Se alarga la adolescencia y ese alargamiento produce una suerte de extemporánea dependencia de los padres. El conflicto generacional está servido, incluida la apatía general, el desinterés hacia todo lo que sea símbolo del mundo adulto, por ejemplo, la política o la religión. No es el problema más grave. La salida de esa angustiosa espera puede ser más radical: la violencia, el alcohol, la homosexualidad, la droga y la síntesis maldita de todas esas desviaciones, el sida. Sin llegar a ese extremo, en los pasos intermedios y parciales se acumula una cantidad desusada de sufrimiento colectivo. No es casualidad que en la España actual esas respuestas que generan sufrimiento se prodiguen especialmente en el País Vasco, la región española que concentra más paro urbano y que alarga más la soltería de los jóvenes. Volveremos una y otra vez sobre ese caso extremo.

Para muchos jóvenes, no ya la relación de pareja, sino la amistad es algo que les agobia (verbo muy característico de los grupos mozos), porque significa responsabilidad, sentirse fieles e incondicionales, entregarse al otro. Esas virtudes resultan incomprensibles para los jóvenes y también para no pocos talluditos. En su lugar se alza el ideal rebañego, el «salir» con gente indeterminada, incluso innominada.

Resignados los jóvenes a no tener que tomar responsabilidades, no es extraño que los varones tampoco deseen hacer el servicio militar, después de todo otro símbolo de la asunción de compromisos adultos, otro rito de paso entre la adolescencia y la adultez, un rito más que se nos desvanece.

En una encuesta levantada recientemente a los jóvenes de Castilla y León, se observa que, de una lista de posibles normas morales en disputa, la que más se tolera es la de «negarse a hacer la mili» (un 38 % la consideran tolerable), por encima de «abortar», «acostarse con una persona que acabas de conocer» o «tener relaciones homosexuales» (Arribas, 87: 309).

En otra encuesta que en 1986 aplica el CIS a los varones de 16 a 24 años se les pregunta si participarían de una manera voluntaria en la defensa armada de España en el caso de que fuera atacada militarmente. Sólo una cuarta parte de los jóvenes declaran con seguridad que participarían, algo que confirma por otro lado el fracaso de los sistemas de adoctrinamiento patriótico, al menos en su tradicional versión. Después de todo, es la que está vigente en la Constitución española.

Se suele decir que las guerras las han hecho casi siempre los pobres y, si fuera sólo por los datos de la encuesta citada, la próxima también sería así. En efecto, los más decididos a defender voluntariamente la patria son los jóvenes con menos años de estudios, los que se sienten más de derechas y los católicos practicantes, es decir —como más adelante veremos—, la combinación más opuesta a apoyar al Gobierno o al sistema democrático.

En la encuesta que comento, de las varias opciones para organizar el Ejército, la que recibe más apoyo es la de «un ejército totalmente profesional, tanto el personal de mando como el de tropa» (un 48 %, seguido de un sistema mixto con el 24 % y sólo un 15 % por el sistema actual). Lo más llamativo es que este apoyo a un Ejército profesional lo expresan sobre todo los jóvenes de izquierdas, es decir, los que por otro lado más pueden defender un gobierno socialista.

Si las anteriores actitudes de los jóvenes persisten —hay que suponer incluso que irán a más— y si la estructura del Ejército no cambia mucho, nos podemos encontrar en pocos años con que una gran parte de los soldados podrían llegar a ser «desertores potenciales». El resultado es congruente con la «deserción moral» que se da para los jóvenes en otros campos de la vida.

Ya que hablamos de diferencias entre los sexos, hay que precisar que el paro o la soltería pueden afectar también objetivamente a las jóvenes, pero psicológicamente sus costes son menores. Se ve mejor en el otro extremo de la escala de edades con la «enfermedad de la jubilación». Consiste en la elevación de las tasas de mortalidad en los años inmediatamente anteriores a la edad reglamentaria de jubilación. Se trata de un episodio que puede desencadenar enfermedades latentes. Ahora bien, esa enfermedad (la «ergopausia», podríamos decir, o cesación del trabajo) afecta mucho más a los varones que a las mujeres. Ellas no centran tanto sus compromisos en el trabajo fuera de casa; asumen con mayor naturalidad las responsabilidades familiares, el cuidado de los hijos o de los padres. Por lo mismo, en el caso de la edad juvenil, el hecho de retrasar el matrimonio o de no encontrar un empleo supone menos traumas para las mujeres, precisamente porque suelen hacerse en seguida con las otras responsabilidades domésticas. La mujer puede encontrar una colocación fuera del hogar, pero, a menos que padezca otros problemas personales, no suele dar el tipo «trabajólico» que caracteriza a muchos varones. Se entiende que para los «trabajólicos» en potencia el hecho de tardar en acceder al primer empleo provoque una especial angustia. No encontrar trabajo es casi siempre un drama para los jóvenes. Y no encontrarlo, cuando el trabajo es lo que confiere sentido fundamental a la vida, puede derivar en tragedia.

Uno de los fenómenos sociales más notables de los últimos tiempos en España ha sido el paso acelerado con que las mujeres han ascendido por los peldaños de la pirámide educativa. No se trata de algo privativo de las grandes ciudades, en las que menudean las oportunidades educativas. En el estudio, repetidamente citado, sobre los jóvenes de Castilla y León, se verifica que las mujeres estudian más que los varones y más todavía en el medio rural (Arribas, 87: 114). La explicación se encuentra paradójicamente en la mayor propensión de las mujeres a emigrar, para lo que les viene bien al menos un título medio. Esta necesidad no cuenta tanto, en cambio, para los varones, mejor dispuestos a continuar la labranza o el negocio familiar. Sea como fuere, el hecho es que empieza a notarse una inversión de la tendencia secular que reservaba más plazas escolares para los varones. No es sólo una cuestión de matrícula escolar. Es muy posible que se esté invirtiendo también la tendencia secular a que las mujeres se acerquen menos a la información, la lectura, la exposición a los medios de comunicación o el gusto por los bienes de la cultura. Sería una venganza de la inveterada costumbre de reservar para los varones la tarea de la responsabilidad laboral; reserva que crea una discriminación contra la mujer en las tareas directivas, pero asegura una mayor facilidad para las mujeres en las demás tareas, incluida la adquisición de información o de cultura.

Me he referido antes a la metáfora de la enfermedad porque se necesita para entender la especial cualidad que posee el trabajo. Para muchas personas, la carencia de un empleo adecuado es como estar enfermas. En realidad, imaginar una situación de pleno empleo es una utopía tan irrealizable como la de una sociedad en la que todos estuvieran sanos, en la que no hubiera enfermos. Siempre habrá enfermos y siempre habrá personas sin un trabajo adecuado. Lo que hay que conseguir es que esas situaciones indeseables no golpeen siempre a los mismos individuos o grupos y, sobre todo, que no supongan un extra de sufrimiento porque no se les atienda bien. Los enfermos y los parados deben estar bien atendidos, no hay que suponer que son ellos quienes tienen la culpa de su situación (aunque en ocasiones puedan haber contribuido a crearla).

Enfermedad y desempleo se deben «curar» fuera del recinto familiar, pero hay que «cuidar» a los sujetos en la familia; de lo contrario los problemas resultan demasiado onerosos. No estaría mal que se pensara en una desgravación fiscal especial para los hogares en los que se dan algunas de esas dos situaciones de modo crónico, pertinaz.

Otra metáfora. El trabajo es como el dinero. Los dos son bienes universalmente aceptados y por eso mismo siempre escasos. No se pueden «crear» todos los puestos de trabajo que se deseen, como no se puede fabricar dinero alegremente, «dándole a la maquinita de hacer billetes». Bien, se puede hacer, pero con el natural riesgo de contribuir a la inflación, esto es, depreciando el dinero que ya había en circulación. Algo parecido pasa con el trabajo; se puede forzar la creación de empleos engrosando la nómina de funcionarios, subvencionando a las empresas que den trabajo a los jóvenes, «inventando» nuevos puestos de servicios públicos (por ejemplo, ese tan inútil que consiste en que una persona anote en un libro los números del carné de identidad de las visitas que acceden a un edificio público). Pero todo eso tiene un límite, rebasado el cual se empieza a producir un especie de «inflación laboral». Los empleos así creados, de manera forzada, lo que hacen es que se devalúe ese misterioso bien que es el trabajo. En lugar de nuevos trabajadores, hemos propiciado la leva de un ejército de parásitos. No se tome el calificativo como despectivo, sino como una descripción de lo que sucede en la España actual y que repercute de modo muy particular sobre los jóvenes.

En realidad, los puestos de trabajo no se crean por la voluntad de los políticos, ni siquiera de los empresarios. El número de los mismos es una cantidad variable, pero bastante automática, que oscila con la acumulación de esfuerzo y de inteligencia de que dispone una sociedad en un momento dado. Los puestos de trabajo los crea la misma sociedad en su evolución. Es más, el papel de los empresarios, como conjunto, consiste en conseguir la máxima productividad general, es decir, su misión es que se cree el menor número posible de plazas laborales. De lo contrario, si se convencen de que su objetivo es dar la mayor cantidad de trabajo posible, se producirá un efecto parecido al que resultaría de un gobierno que intentara poner en circulación la mayor cantidad de dinero posible. Se aceleraría la inflación.

No es sólo una analogía lo que une el trabajo con el dinero. Obsérvese que el trabajo es la fuente regular de dinero para la mayor parte de las personas. Una economía con una alta tasa de inflación es la que cuenta con una gran cantidad de empleos parasitarios. Cuanto más voluminoso sea el número de puestos de trabajo escasamente productivos, más alta será la inflación. Es una ley que se cumple de manera bien visible. Puestos de trabajo poco productivos son aquellos que añaden escaso valor a los bienes o servicios que producen. Se añade más valor al diseñar un coche que al fabricarlo, más al fabricarlo que al repararlo, más al repararlo que al recogerlo para chatarra. Hay países enteros que no han pasado de la fase de reparar coches; son también —no es casualidad— los que suelen acumular mayores tasas de inflación y, si se midiera bien, de paro. La mínimas marcas de inflación y de paro corresponden a los países que diseñan coches para los demás.

En la sociedad española actual hay una excesiva e insufrible escasez de trabajo, sobre todo para los jóvenes. La razón es que confluyen varios factores del esquema indicado. Para el nivel de producto que nos corresponde hay poco diseño, limitada investigación, enteca ciencia. Hemos pasado de arreglar coches a fabricarlos, pero todavía no los diseñamos. El ejemplo se puede extender a la economía toda. Se ofrecen mínimos empleos que supongan un gran valor añadido. De poco sirve que un ingeniero se forme para diseñar coches si todos los modelos que aquí se fabrican se ven obligados a importar los diseños.

Hay otro factor más difícil de medir, pero no desdeñable: es la escasa ilusión que produce el trabajo en los trabajadores españoles, singularmente en los jóvenes. El funcionario, el empleado o el operario con gusto por la obra bien terminada, por el servicio bien cumplido, son especies cada vez más raras en la fronda nacional. En las oficinas públicas y privadas sólo las personas de cierta edad parecen gozar con la excelencia de su labor. Para la generalidad de los trabajadores, y no digamos para los jóvenes, el trabajo es el «curro», una fuente de dinero y ninguna satisfacción más; dedicarse a él está mal visto. He aquí la ley del péndulo, una vez más: de los «trabajólicos» —los borrachos del trabajo— hemos pasado a los «currantes», los que consideran el trabajo como un mal menor, como un estorbo que conviene despachar de la manera más expeditiva posible.

Si se junta una economía que acumula escasa técnica original con una moral de trabajo que genera pocos entusiasmos, la combinación supone una abundancia desmesurada de empleos precarios. La precariedad principal no es que los empresarios ofrezcan puestos laborales interinos o eventuales. Este hecho es una consecuencia, no la causa, de esas dos circunstancias estructurales que menciono. Por eso tienen una salida tan difícil.

Se habla mucho del «milagro económico» español comparándolo con el japonés. En cierto modo son realidades opuestas. En el Japón se da la economía con la máxima acumulación posible de ciencia y, por lo tanto, con el menor número posible de empleos parasitarios. Al tiempo, los japoneses cuentan con la fuerza laboral más motivada por el espíritu de emulación en el puesto de trabajo. Exactamente lo contrario de lo que ocurre en España, aunque, de momento, a escala mundial nuestra economía parezca gozar de buena salud. La buena salud económica se obtiene fundamentalmente de vender una considerable parte de nuestro capital acumulado a las empresas extranjeras. No parece una solución estable. Hay que imaginarse lo inmensamente rico que sería el Estado español si lograra vender todos los tesoros artísticos y monumentales que hay en España. Sería un disparate mayúsculo que provocaría un bienestar momentáneo y luego una depresión colectiva. Algo así, en menor escala, sucede con el planteamiento de una economía que se organiza para vender nuestro capital y, a su vez, para convertirse en distribuidora de lo que de fuera se diseña. Es lógico pensar que los empleos que así se ofrezcan en España sean de un carácter más bien precario, con escaso valor añadido. Los que más sufren son los jóvenes, que a veces se preparan con un exceso de títulos educativos, pero que no encuentran acomodo laboral proporcional a ese esfuerzo. No tienen la culpa —insisto—, tampoco mucha los empresarios y un poco más los políticos que han consentido una política tan desastrosa. No obstante, la irresponsabilidad política es algo que todavía permanece en una categoría difusa.

Al incorporar escasa ciencia e inventiva a los bienes que se producen, resulta que muchos de los que se importan son mejores y más baratos. Menos mal que en los últimos tiempos se ha dado en vender un complejo producto para el que hasta ahora no ha habido mucha competencia en el mundo: el turismo. Si no hubiera sido por el turismo, la economía española no se habría desarrollado tanto. El turismo ha significado durante años ingentes cantidades de moneda extranjera con la que los españoles han podido importar sin límites. El coste es que se han ido creando muy pocos puestos de trabajo de alta calificación. El inconveniente de una economía apoyada en el turismo es que no necesita muchas personas con muchos años de estudio. En España —como dijimos— sobran muchas personas instruidas que no encuentran un trabajo proporcionado a su formación, muy en especial jóvenes. Al tiempo, se reciben trabajadores extranjeros para el desempeño de funciones serviles o rudas que no quieren ejecutar los españoles: minería, servicio doméstico, ciertas labores agrarias, los trabajos más pesados o incómodos. La economía es cada vez más una economía de servicios, pero sobre todo de servicios personales o públicos escasamente productivos. Este tipo de servicios consiste en que el problema de uno —el cliente— se convierte en la rutina del otro —del que le atiende, del trabajador—. Hay algo de simbiótico en esa relación y en ocasiones de parasitario. ¿O no es parasitario que el Estado se gaste tanto dinero en convencernos de que los españoles tienen que pagar los impuestos?

En la evolución de los organismos vivos hay un instante en que el organismo inferior empieza a dedicar menos energías a alimentarse y a protegerse. Un gusano, un insecto, es una formidable máquina de comer y de defenderse, pero poco más. En cambio, los mamíferos superiores —y no digamos el hombre— dedican muchas más energías a otras funciones más creadoras, como relacionarse, adaptarse a nuevos hábitos o territorios. Parece que gozan más de la vida, son coautores de esa vida. Pues bien, esta imagen biológica puede aplicarse también al Estado, sólo que para concluir que no hay siempre una línea evolutiva ascendente. Lo que preocupa de los Estados actuales —desde luego el español— es un cierto retroceso en la evolución; emplean crecientes energías en recaudar impuestos, en administrarlos, en protegerse de las amenazas, es decir, en alimentarse y en defenderse. Estamos ante una cabal imagen del Estado-insecto, del Estado-gusano, al que se le van las energías en mantenerse vivo. Ese esfuerzo desplaza a otros posibles, como por ejemplo el de hacer avanzar el conocimiento. Por eso hay inflación y por eso hay paro.

La resolución de muchos problemas que afectan a los jóvenes pasa por la cuestión de lo que hay que hacer para aumentar el número de empleos y de empleos más atractivos. La mejor política de empleo es la que pasa por la consecución de un Estado menos parasitario, de una economía menos dependiente, de una sociedad en la que se valore más la emulación, la creatividad y el esfuerzo. Son consideraciones un tanto abstractas que se pueden reducir a proposiciones más concretas. A igualdad de otras condiciones, se crearán más puestos de trabajo allí donde haya más facilidades para que los trabajadores puedan moverse de una a otra parte del territorio. Aunque sólo fuera por eso, la economía de un campo de concentración tendría que resultar muy poco productiva. En esa ilustración liminar la movilidad geográfica es la mínima. Tanto es así que hay que disponer de ingentes energías para evitar que los «trabajadores» no se escapen. Sin llegar a ese extremo, hay que decir que la situación española deja mucho que desear en ese punto. La movilidad geográfica —y por ende social— no ha sido baja en los pasados decenios, pero ha llegado ahora a un cierto punto de enfriamiento, cuando no de retroceso. Cada vez hay más dificultades para trasladarse de una región a otra dentro de muchos gremios laborales, incluso a veces de uno a otro municipio dentro de la misma provincia. Se trata de dificultades sociales y por lo tanto artificiales.

Un dato adicional es que la menor movilidad geográfica está afectando más a las mujeres. Es un suceso grave que no se comenta. Parece que resaltarlo equivale a oponerse al Estado de las Autonomías, pero el argumento resulta falaz. Hay países con una estructura federal en los que se logra una facilidad de traslado de los trabajadores que en España no se ha conseguido nunca y, por lo visto, cada vez menos. Ese reflujo de la movilidad geográfica se subraya todavía más en algunas provincias que se sitúan a la cabeza de la industrialización. Esto confirma que en los últimos tiempos la verdadera creación de empleos no se está produciendo en la industria, en las grandes organizaciones, sino en las empresas modestas de servicios.

En síntesis, la evolución de la organización económica y social no es la más propicia para que los «nuevos bárbaros» se integren en ella con soltura.

CAPÍTULO VIII

EL ARTE DE VIVIR DE LOS ESPAÑOLES

Un pueblo con hambre de siglos, conflictivo, desintegrado, es a fin de cuentas un pueblo, el español, con una inimitable capacidad para sobrevivir y hasta para vivir bien, con gusto, con gracia. Eso explica el enamoramiento de los hispanistas y la morriña de los indianos. Veamos en qué consisten algunos de esos recursos que hacen al español salir airoso de los percances, hacer de tripas corazón. «Amanecerá Dios y medraremos», exclama optimista don Quijote en medio de la negrura de la noche.

Una vez más, tenemos que rechazar algunos prejuicios que niegan esa capacidad de adaptación que tienen los españoles.

Se ha dicho de muchas formas que «el genio español es el genio de lo concreto y no tenemos verdadero gusto ni aptitud para lo abstracto» (Martín Herrero, 87: 75). Según y cómo. Picasso o Calderón de la Barca son genios españoles y bien abstractos llegan a ser cuando quieren, cada cual en lo suyo. La poesía mística de Santa Teresa y San Juan de la Cruz podrá gustar o no gustar, pero se expresa en inefables abstracciones. Si hay algún dogma abstracto es el de la Inmaculada Concepción. Pues bien, ése ha sido el favorito de los españoles y —hay que asombrarse— muy en particular de los claustros universitarios. La Inmaculada Concepción es nada menos que la patrona de la Infantería.

Es verdad que la cultura española ha destacado más en las artes táctiles o visuales que en la música o la filosofía, saberes más abstractos. La lengua castellana no permite, con la facilidad de otras, la composición de abstractos, lo que es un trasunto de la escasa habilidad que han tenido los españoles para hacer ciencia. No es tanto la contraposición entre lo concreto y lo abstracto lo que nos sirve para trazar nuestras peculiaridades; es más bien que lo atractivo está en lo que apela a los sentidos y al sentimiento más que a la inteligencia.

Los visitantes foráneos se maravillan en España de la facundia de los nombres propios, sobre todo los femeninos. Muchas veces se refieren a abstracciones teológicas, como la de Inmaculada Concepción. Se podrían recordar otros muchos en la misma vena, no sin resonancias poéticas: Piedad, Encarnación, Prudencia, Sacramento, Pasión, Misericordia, Amor, Soledad, Purificación, Fe, Esperanza, Caridad, Angustias, Clemencia, Martirio, Felicidad, Consuelo. ¿Cebe mayor capacidad de abstracción que identificar a las personas con tan rotundos conceptos? La misma que permite llamar a una florecilla «pensamiento». José Ortega y Gasset recuerda la impresión que le produjo el marbete de una humilde tasca rural: «El Conocimiento».

El derecho es una gran abstracción que permanece muy próxima a la vida cotidiana de los españoles. Gustan éstos de pleitear y, cuando no son abogados, les hubiera gustado serlo. El campesino español sabrá poco de agronomía, pero conoce lo que es la «legítima» y hasta maneja con soltura impronunciables latinajos como *pro indiviso* o *ab intestato*. A veces esa familiaridad con el latín lejano proporciona divertidos cambios de sentido, como el *modus vivendi*, que para el hispano común es algo así como «los garbanzos», esto es, el sueldo que le permite comer y vivir. Pero sigamos con la abstracción juridicista en la vida cotidiana. El político cualquiera aspira a hacer «su» ley, no tanto a lograr que se cumplan bien las anteriores. Una reforma política es casi siempre una alteración de la legislación. El reglamentismo no asoma sólo en los funcionarios, sino que se destapa en las juntas generales de las empresas o las asociaciones, en las asambleas de trabajadores o de vecinos. Es lógico que el español ame las formas jurídicas si en verdad está tantas veces representando algo en un ubicuo escenario.

Los españoles llegaron tarde a las formas de organización de la población europea en su conjunto, pero llegaron a su modo. Por ejemplo, les costó un poco más adoptar el patrón de que las mujeres pospusieran el matrimonio unos años para dedicarse a trabajar, estudiar o simplemente relacionarse; una vez casadas, decidían el número y secuencia de hijos de una manera racional o por lo menos pensada. Todo eso tardó en aceptarse en España debido al influjo extraordinario de la religión, pero se consiguió el mismo efecto a través de una vía indirecta: la emigración. Un pueblo sometido a fuertes vaivenes migratorios, como ha sido el español, no ha tenido más remedio que adaptarse a la pauta europea de nupcialidad y natalidad. Lo que aparece como un sufrimiento es también una liberación para muchas mujeres, que pueden así cultivarse mejor, someterse a diversas experiencias de trabajo o de estudios. Es posible, también, que una excesiva dilatación del período de noviazgo conlleve el riesgo de que la persona soltera se quede en solterona, una circunstancia típica de los pueblos propensos a emigrar.

Paradójicamente son los emigrantes quienes valoran más lo que han dejado atrás. La revitalización de las fiestas populares, la restauración de casonas y casas solariegas, la construcción de viviendas de vacaciones, el aprecio por los paisajes o los productos de la comarca, todo eso suele ser obra de emigrantes retornados. Ya no se trata del indiano de antaño, que volvía, si acaso, una vez en la vida; los emigrantes de ahora van y vienen en una suerte de placentera trashumancia. Se esfuerzan por demostrar que han triunfado, aunque sea modestamente, y suelen ser generosos en convites y regalos.

Una sociedad tan pegada al pasado tenía que dar un vuelco y, en efecto, esto es lo que ha sucedido. Los españoles consideran que cambiar de camino es bueno. Este sentimiento es el que lleva al PSOE a ganar las elecciones de 1982 con el eslogan «Por el cambio». Nuevamente vuelve a ganar en 1986 con el eslogan, no menos evanescente, de «Por buen camino». Se empieza a utilizar con éxito el pleonasmo «proyecto de futuro». Algún estudioso ha señalado la coincidencia entre las vetustas proposiciones de la doctrina social católica y la práctica de la política socialista (Giner de Grado, 86: 82). José Luis Gutiérrez y yo hemos planteado que el proyecto socialista viene a ser la recuperación de los viejos sueños regeneracionistas de hace casi un siglo (Gutiérrez, 89). Para que se vea que, si todo cambia, es para que todo continúe lo mismo. Como señaló un dirigente sindical: se trata de un giro de 360 grados.

Esta aceptación del cambio sin más, de lo nuevo por lo nuevo, es ya una novedad en sí, y es extraña a la tradición cultural que ha dominado en España durante siglos. La prueba es que el lenguaje de la calle todavía recoge expresiones con el sentido anterior, opuesto al valor actual. Así, se emplea muy a menudo el verbo «sufrir», acompañado del cambio correspondiente, aunque el efecto pueda ser positivo.

Todo esto nos avisa que en España los cambios no suelen ser bruscos ni unidireccionales. Se combinan con finura elementos tradicionales y modernos. Se podría ilustrar esa sagaz combinación de mil modos. Avanzaré alguno.

En los recuerdos infantiles de muchos españoles, que hoy son talluditos, se suceden las mismas historias escolares: desalmados maestros rijosos, aulas sórdidas y gélidas, memorismo, religión escatológica, represiones mil. Pues bien, con todos esos negativos antecedentes, esa misma generación, ya adulta, supo hacer de un golpe el equivalente de todas las revoluciones que no habían tenido lugar en España durante varios siglos: el equivalente incruento de la reforma protestante, la revolución industrial, la revolución francesa, la liberación sexual, la secularización y la democracia. Una de dos, o aquellos recuerdos no se corresponden del todo con la realidad, o bien hay que pensar que las primeras experiencias educativas no son tan decisivas como pretenden padres, profesores y políticos. Como suele pasar en los dilemas, los dos cuernos tienen algo de razón.

Si una característica de la vida urbana moderna es la neurosis del tiempo, por este lado se podría afirmar que España da la imagen de una sociedad rural y tradicional (Mercadé, 70: 585). Es cierto que hay relojes por todas partes, varios por persona como media, y que este dato es de los que distinguen la vida cotidiana urbana de la campesina. Los relojes son, además, cada vez más precisos, pero no por ello se puede concluir que los españoles vivan al minuto. Antes bien, lo que destaca sobremanera es la holgura en los plazos para entregar un trabajo, para concluir un negocio o simplemente para «quedar». Funciona todavía en esto la característica imprecisión campesina. En el ritual de las oposiciones a cátedra, tan preciso y puntilloso, es sólito citar expresamente a los opositores «a las cuatro para empezar a las cuatro y media». La media hora de «cortesía académica» significa el retraso tolerable, que naturalmente se suele ampliar con un posterior añadido. Llegar a la hora prefijada de una cena o de una reunión cualquiera se considera más bien de mal gusto. El editor se sorprende de que el autor le entregue el manuscrito en la fecha convenida. ¿Será esta ausencia de la neurosis del tiempo uno de los secretos de la extraordinaria longevidad de los españoles?

De nuevo surge el contraste. Los españoles mantienen una idea tradicional del tiempo, pero no se les ve sestear sobre el poyo del zaguán. Lo que los distingue es una esmerada vitalidad, un activismo incansable.

En contra del recuerdo miserabilista de los años cuarenta, tan corriente, Julián Marías señala la «tremenda gana de vivir» que acometió a los españoles en los duros años del hambre, después de la Guerra Civil. «Los españoles tienen fuerte vitalidad, apetitos, incluso cierta estoica indiferencia ante las adversidades. Entonces [en los años cuarenta] gozaban de la vida con una intensidad que acaso no se haya conseguido después» (Marías, 88, I: 305). Mi testimonio es mucho más humilde y, además, era yo un niño por esas fechas; son mis primeras imágenes, pero estoy de acuerdo con esa impresión del filósofo. Puede que sea la condensación de siglos de catástrofes y miserias colectivas, pero es un hecho que la mejor virtud de los españoles es ésa de desplegar una inmensa vitalidad en los momentos de tribulación. Recuerdo de nuevo la impresionante expresión: hacer de tripas corazón.

Un buen conocedor de la sociedad española ha escrito recientemente: «Corremos el riesgo [los españoles] de convertirnos en una sociedad básicamente pasiva, más o menos satisfecha a nivel individual, sin grandes ambiciones colectivas e incluso individuales, aparte del bienestar, una sociedad un tanto gris. Nuestra vida política, los debates parlamentarios, la indiferencia crítica, pero inarticuladamente, hacia reformas importantes, son signos un tanto preocupantes» (Linz, 90: 664). Conviene advertir que este autor todo lo ve bajo la especie política. Es cierto que la vida política degenera en pasividad y aburrimiento, el «aquí no pasa nada» o el «aquí vale todo». Lo que ocurre es que la vida completa de los españoles tiene que ver cada vez menos con la política, sea esto bueno o malo, no entro ahora en ello. Esa realidad extrapolítica cada vez más amplia está llena de estímulo, interés, atractivo y ambición. No hay más que atisbar algunos signos: el aprecio verdaderamente masivo por el arte, la repentina inclinación a visitar otros países, el nuevo interés por aprender idiomas. A duras penas los políticos consiguen llenar los mítines, pero esas mismas salas rebosan para todo tipo de actos culturales. En cualquier capital de provincia, a las ocho de la noche de un día cualquiera, están llenas varias salas con un público que sigue atento alguna conferencia, mesa redonda o jornada de tal o cual interés cultural. Se mezclan aquí varios impulsos: el alto tono vital, el aprecio por la calle, la simpatía, la superficialidad que corresponde a esos actores aficionados que son a todas horas los españoles.

La simpatía es quizá la característica más visible del pueblo español. Los simpatizantes de un club deportivo o de un partido político no son precisamente los socios o cotizantes más fieles. La simpatía es una disposición positiva y cálida, pero superficial. Se practica, además, con los desconocidos o con los simples conocidos. No es virtud que se reserve para los íntimos (Kenny, 65). La simpatía española pertenece a la parcela de la representación escénica. Las cualidades del simpático son gestuales, retóricas, supercheras. Es el que sabe adaptarse bien a los cambios. Se requieren muchas dosis para saber salir de pobres con donaire, como lo han hecho tantos españoles en poco más de una generación.

A trancas y barrancas, mal que bien, los españoles han realizado en la segunda mitad del siglo XX la incorporación a los países de economía compleja. Con alguna pompa esto suele llamarse «revolución industrial». No lo han experimentado todavía la mayor parte de los países del mundo. El fenómeno presenta en España algunos rasgos peculiares, como no podía ser menos. Se acumula la riqueza y, sin embargo, no se crean empresas de renombre. Es un extraño capitalismo sin grandes empresarios. Lo que sí tenemos es un sinnúmero de avispados negociantes que saben comprar y vender, con inmensos beneficios, que tienen aldabas en la mansión del poder. Podrían ser especuladores si amaran el dinero como instrumento de creación de más riqueza, pero a lo que aspiran es a que se les note que se han enriquecido, aunque para ello tengan que rodearse de molestos dispositivos de seguridad. Son casi la imagen especular del empresario de los países del septentrión: austero, innovador, creador, capitán de industria. Los nuestros son más bien caballeros de industria, esto es, embaucadores, arbitristas, profesionales del unto y del engaño.

En España hay grandes capitales, pero pocas grandes empresas centenarias que den empleo a sucesivas generaciones de trabajadores, que se muestran como munificentes patrocinadores de perennes obras de cultura. Esos grandes capitales individuales acaban comprando fincas que los nietos malvenden, y vuelta a empezar. En definitiva, nos ha llegado el capitalismo, pero no lo mejor de él. No es ninguna casualidad que los grandes momentos de expansión industrial de España (con Isabel II, durante la I Guerra Mundial, en la dictadura de Primo de Rivera, durante la segunda parte del franquismo, al final de los años ochenta) hayan coincidido con tremebundas historias de agio y especulación, desde el marqués de Salamanca y Juan March hasta Juan Guerra. No es sólo, ni fundamentalmente, que los respectivos gobiernos fueran la causa de tales escándalos. Hay algo debajo más sutil y definitivo: los españoles valoran extraordinariamente el tipo humano que se hace rico de golpe a la sombra del poder, el que se ennoblece con ello, el que demuestra que se ha enriquecido con un consumo ostentoso.

En el otro extremo tenemos al español impecune y sin demasiadas esperanzas de salir de su situación subalterna. Le queda una ilusión recóndita: que le toque la lotería o que un hijo le salga torero o futbolista de renombre. No tanto por el dinero en sí —que la codicia no es vicio nacional—, sino por la vanidad, que es lo que de verdad cuenta. El pobre quiere ser rico por figurar. Antes, el que se hacía rico pretendía un título nobiliario, aunque fuera carlista o pontificio; hoy quiere salir en las revistas, para que se le envidie. Los recortes de prensa son los cartularios de hoy.

Se atribuye a la sociedad española un tono aristocrático en el sentido de que los puestos distinguidos se transmiten por herencia. Nada de eso. Los pueblos son lo que los pueblos admiran. El personaje admirado en España no ha sido el noble, sino el que irrumpe en los salones de la nobleza desde abajo. Este es el torero, por ejemplo, el torero de antes. El equivalente actual sería el banquero. La suerte de un banquero, su hora de la verdad, es algo que excita el interés de las masas. Se pregona su origen discretamente humilde, su majeza. Los financieros de hoy asisten a las monterías, como los toreros de antaño, para dar lustre a un acto social. En España, las frases epigramáticas las han dicho los toreros. Una de ellas es ésta: «Se torea como se es.» Atribúyesele a Juan Belmonte. No se puede condensar más cantidad de fatalismo y de personalidad.

Los sociólogos se preguntan por el misterioso proceder de los españoles en cuanto ciudadanos, que es la manera más usual en que son considerados por los que escriben o se dedican a los asuntos públicos. Resulta que, objetivamente, esos ciudadanos se encuentran razonablemente satisfechos, sobre todo si se comparan con el estilo de vida de sus padres y no digamos de sus abuelos. Tan satisfactorio es ese estado de ánimo general que, a la hora de votar, no suelen favorecer opciones políticas radicales, sino más bien conservadoras o continuistas. Ahora bien, si a esos mismos ciudadanos se les pregunta por su personal sensación respecto al orden social y político, las respuestas se polarizan hacia una queja constante, una actitud crítica que ve en la sociedad el reino de la injusticia, que considera las instituciones como una mezcla de ineficacia, descrédito y corrupción. «La justicia es un cachondeo» puede ser la frase tópica (en ese caso debida a un famoso comentario del popular alcalde de Jerez de la Frontera, Pedro Pacheco), aplicable a todas las demás instituciones. ¿Por qué esa contradictoria realidad de unos españoles económicamente satisfechos, políticamente resignados, pero socialmente descontentos? Ya digo que los sociólogos más afamados se hacen cruces del suceso y no aciertan con la salida del laberinto (Linz, 84a). No voy a remediar ese estado de perplejidad, aunque adelantaré mis conjeturas.

A falta de una buena, se me ocurren dos explicaciones parciales. La primera, una vez más, es la del nivel retórico. Los españoles no acostumbran a decir lo que realmente piensan cuando entienden que están representando un papel. Este rasgo hace desesperante la labor de interpretación de las encuestas. El español se queja del orden social porque así se libera de la culpa personal; por ejemplo, la que tendría que suponer la evasión fiscal o la inmersión de muchas actividades económicas. Con ello no hacemos más que recobrar esa traza interpretativa, que es la constante más firme de la sociedad española, a saber, la hipocresía.

Pero decíamos que eran dos las justificaciones parciales que nos podían ayudar a entender la contradictoria disposición de los españoles respecto al orden social. La segunda es todavía más sutil. Los españoles perciben que cada uno de ellos ha subido algo en la escala social y que otros muchos han subido bastante. No puede ser de otro modo en una sociedad tan móvil. Ahora bien, el éxito de cada uno se interpreta como una justa recompensa al esfuerzo, mientras que el éxito de los demás se explica como resultado de la buena estrella; o, lo que es parecido, que la suerte ayuda a los demás, no tanto a uno mismo. Con esa disposición mental no chocará que se pueda dar a la vez un razonable ascenso social y una actitud resentida del orden social. Obsérvese que en los dos supuestos interpretativos se trata de un truco retórico. El español se da cuenta de ese truco y por eso, pese a su manifiesta hostilidad contra el orden social injusto, no favorece soluciones políticas radicales ni deja de votar a los políticos que mandan, hagan lo que hagan éstos.

Retengamos la eminencia del factor suerte, que nos aparece por todas partes. El destino está escrito en algún lugar y hay que excitarlo para que nos revele su secreto. El sorteo es ritual muy serio que se practica en la designación de plazas para los mozos del reemplazo, en las oposiciones a funcionarios, en la distribución de los réditos de los bienes comunales, en los innúmeros concursos de la televisión.

El sorteo por antonomasia es el de la lotería, la gran institución centenaria y salvífica, el impuesto que no duele. Tras la lotería, la infinidad de juegos de azar. Ha sido tal la apetencia popular por estos juegos que antes existía el barquillero, un vendedor ambulante de barquillos. El número de barquillos que se daba por una moneda no era fijo, sino que se ajustaba de acuerdo con la rústica ruleta que hacía de tapa del depósito de los mismos. Así, el niño ya empezaba a tentar a la fortuna en sus primeras transacciones. No se olvide que uno de los juguetes infantiles clásicos ha sido precisamente el de la lotería.

Por la ley de probabilidades, tendría que suceder que la mayor parte de los españoles que se encaprichan con los juegos de azar estuvieran descontentos por el modo con que les trata el destino. Nada de eso. El español suele ser de buen conformar, en esto como en todo. Es asombrosa la confianza que tiene tanta gente en que «le va a tocar el gordo» o el equivalente de otros juegos millonarios. Todo el mundo parece estar satisfecho de la suerte que tiene porque la esperanza de ganar es ya una suerte. El español que ha sobrevivido a un grave accidente de circulación comenta, con el beneplácito de los contertulios: «Hay que ver la suerte que he tenido; podría haber sido peor.»

La confianza en la suerte no basta para salir de pobres. Un pueblo tan sufrido como el español sólo ha podido medrar con la combinación de todos los recursos mencionados: suerte, simpatía, capacidad de adaptación, vitalidad. Queda uno muy controvertido, que tiene que ver con la disposición a gozar de la calle: es el amiguismo. Con él se atenúa mucho el fatalismo. Desde fuera se percibe su costado más odioso. Con la experiencia del primer franquismo, el hispanista Gerald Brenan apuntó que «los españoles carecen del sentido de la equidad. Viven conforme a un sistema de clientela o de tribu que impone el deber de favorecer a los amigos a costa del Estado y de castigar a los adversarios. Tal es la primera ley del país, lo mismo bajo la República que actualmente» (Brenan, 52: 200). De haber sobrevivido a la transición democrática, el bueno de don Gerardo (como así se le llamaba popularmente) hubiera suscrito igualmente su terrible juicio. El «deber de favorecer a los amigos a costa del Estado» se llama ahora «tráfico de influencias». La expresión no es tan nueva como se cree; se utilizó ya para describir críticamente el clima social del franquismo: «Todo se obtiene hoy en España (...) porque se tiene un amigo. Se ha desencadenado entre nosotros un verdadero tráfico de favores, una nueva y curiosa forma de mendicidad de las influencias, que nos retrotrae a las épocas más viciosas del milagrerismo cortesano» (Ridruejo, 62: 135).

En diversas encuestas realizadas a funcionarios y profesionales se corrobora el dato de que la mayoría de los amigos se eligen entre los compañeros de cuerpo o profesión. A veces se produce incluso una elevada propincuidad residencial: los miembros del mismo grupo ocupacional son también vecinos y hasta veranean juntos. El caso extremo de este patrón de vida puede ser la casa-cuartel de la Guardia Civil, donde se vive y se trabaja codo con codo. Se reproduce un poco en las casas de militares, de profesores, etc. Estas costumbres, que podríamos llamar «endofílicas», generan seguramente muchas tensiones. No se explica muy bien por qué no se evitan. Acaso porque a las relaciones de amistad se les atribuye en España una centralidad que en otras partes ocupan las relaciones familiares.

CAPÍTULO IX

NUEVAS PERVERSIONES DE LA LENGUA

No ha mucho escribí un librito titulado *La perversión del lenguaje.* Ofrecía datos sobre la erosión de la parla de los hombres públicos. Necesitan éstos acumular muchas palabras con el menor número posible de ideas. De ahí los circunloquios y todas las formas retóricas que traducen una pérdida de sentido de las frases o les dan un inesperado tono cómico.

Lo que parecía un mal de algunos eminentes comunicadores se ha transformado en poco tiempo en una verdadera plaga que asola la comunidad toda de los hispanohablantes. La lengua común degenera, pierde capacidad de expresión. Se oculta caprichosamente el sentido de algunas palabras, a veces por contagio con el inglés imperial mal aprendido.

Una ilustración. En Valencia circula la expresión *by pass* para designar la nueva autopista de enlace o circunvalación de la ciudad. Lo grave no es la cursilería del terminacho foráneo, sino que algunas personas encumbradas lo pronuncian así: «bi peis», en la creencia de que de este modo suena más exótico.

Las palabras están casi todas en los diccionarios. Las gramáticas y los usos léxicos señalan el camino para formar nuevos vocablos. El que en el habla de una época, de unos u otros grupos, se elijan éstas o las otras voces no se explica por las leyes del azar. Tiene una razón y un sentido que se prefieran unas y no otras expresiones. El habla de un pueblo dice así mucho sobre ese pueblo. Lo que los españoles son hoy se colige bien a través de las preferencias léxicas. Pondré algunos ejemplos.

Tenemos un sutil cambio en las etiquetas políticas que revela interesantes alteraciones de lo que podríamos llamar «Constitución real». De siempre los nombres de los partidos políticos se han referido a singulares abstracciones: Partido Liberal, Partido Comunista de España, etc. En los últimos años se van descomponiendo esos enterizos nombres históricos para adoptar un extraño plural que alude a la condición ideológica de sus militantes. Así, cada vez se oye más lo de Partido de los Socialistas Catalanes (Vascos, Andaluces, etc.). No es ociosa la transformación. Antes eran los partidos entidades solemnes, que existían por delante y por encima de las personas, aunque sólo fuera por mimetismo de lo que provenía de otros países modélicos. Ahora son las personas las que se encaraman a las «plataformas» de los partidos y los utilizan para su lucimiento o su medro personal. El partido acaba siendo propiedad de sus dirigentes. Es la conocida «ley de hierro de las oligarquías», que en este caso se verifica con gran precisión y se traduce en los usos lingüísticos y políticos.

Por un lado parecería que la tradicional concepción paternalista del empresario como «patrón» iría cediendo a la más moderna del «empleador», el que firma el contrato de trabajo, idealmente de igual a igual con los trabajadores. Sin embargo, en la práctica ha ido cristalizando la figura colectiva de «la patronal» para designar al empresariado. Lo curioso es que esta denominación se fija en la jerga sindical. El pasado nunca muere del todo y menos en España. Esa sobrevivencia se detecta en el lenguaje, que cambia, pero a veces —como en el caso que señalo— para precipitar viejas esencias. Obsérvese que «patrón» es voz que se asocia con su índole religiosa, protectora. ¿Cómo es posible que los pragmáticos sindicatos hayan dado con ese nuevo sustantivo de «la patronal»? Claro que, en esa misma línea, peor es lo de «sector» para designar sin más a un grupo de empresarios unidos por el común interés del gremio o del ramo. Implica una imagen muy cara a los que peroran sobre asuntos económicos: la economía es algo redondo, un círculo, una tarta. De ahí, por lo visto, los «sectores». Hay en verdad un Círculo de Economía que reúne a influyentes hombres de negocios.

Más nuevo es lo de «agentes sociales» —con su aire policíaco— para etiquetar a los representantes de los empresarios y los trabajadores. También se habla para lo mismo de «interlocutores sociales».

Nada admira más el español de hoy que la habilidad manipuladora, programática, resolutiva. Hay una expresión coloquial que la expresa a la perfección, la de «montárselo bien». Se aplica a una persona que tiene éxito, que consigue buenos resultados, pero porque se prepara para ello, pragmáticamente, con cierta prescindencia de la moralidad de esos preparativos. Como puede imaginarse, es una expresión que emplean mucho los jóvenes. Son ellos los que se sienten más fascinados por los que «se lo montan bien». Esa adoración por los resultados puede llegar a justificar lo que sus mayores considerarían estados próximos a la delincuencia.

La vertiente hipócrita de la mentalidad que prevalece en España —y que tantas veces se registra a lo largo de estas páginas— se muestra asimismo en el lenguaje. Es curiosa la voz «desengaño», de difícil traducción a otros idiomas cercanos. Se emplea para denominar las verdades que uno obtiene de las duras experiencias de la vida. Es el mismo sentido negativo que se da a la palabra «desmentido» para indicar una declaración oficial y solemne que trata de atajar un error de información o un rumor. En ambos casos la verdad se presenta como una negación de la mentira. Una impresión como ésa se encuentra metida en las entretelas de la conciencia española.

El magnetófono es un cachivache que puede ser muy útil para todo tipo de saberes y de quehaceres, pero ha sido nefasto para la preservación de la lengua culta. Una de las esencias de una lengua civilizada es que se distinga su forma escrita y su forma hablada, distinción que es paralela a la de la conducta que uno se permite en privado y la que manifiesta en público. A menudo se sostiene que hay que borrar esas barreras en aras de la espontaneidad. Gran tontería es ésa. Una pizca de hipocresía ritual es necesaria en la vida de la sociedad compleja, acaso para vacunarse de otras mayores. Lo contrario sería regresar a la selva. Decía que el magnetófono es una desgracia en ese camino de vuelta de la civilización. Grabamos lo que decimos (o nos lo graban sin permiso, en esa felonía del «pinchazo» de los teléfonos) y, al transcribirlo, nos damos cuenta de que el lenguaje oral admite unas tolerancias que son insoportables en el lenguaje escrito. Hay que echarse a temblar con esas transcripciones literales de coloquios y mesas redondas. Lo peor no es eso, sino que mucha gente cree que, en efecto, escribir como se habla es gran mérito estilístico. Bien está que una novela reproduzca una conversación tal como se habla; lo que resulta estragante es que ese mismo recurso lo emplean el ensayista, el periodista y el hombre público cuando ponen por escrito sus ideas. Ha entrado esta moda nefanda de escribir como se habla y poco podemos hacer contra ella. Si se remansa en costumbre, corremos el peligro de regresar a nuestro remoto pasado en el que nuestros antepasados se comunicaban con sonidos guturales. No otra cosa parece la serie de ininteligibles pintadas en las paredes del metro madrileño.

En la misma línea de retroceso está la generalización de la palabra gruesa o soez fuera de contexto. Es claro que en un ambiente íntimo, familiar, el «taco» puede ayudar muy bien, como una especie de interjección, como una forma de expresividad. Ahora, si se sacan de esa ocasión, las palabras que aluden a lo escatológico, lo genésico o lo religioso, dichas con brutalidad, pronunciadas ante un público indiscriminado, no pasan de ser una manifestación de mal gusto. Si eso es así, habrá que convenir que la vida pública española ha llegado a ser la apoteosis del mal gusto. Un juez puede hablar rodeado de micrófonos y proferir las más atroces vulgaridades del léxico tabernario. ¿Se entenderá eso como una señal de progresismo, de que el tal magistrado está «por la democracia»?

Una nota más sobre sexo y lenguaje. Los místicos españoles llegaron a lo sublime en el léxico amoroso, que puede servir tanto para el amor humano como el divino. No hemos adelantado mucho en esa dirección; más bien hemos retrocedido. Las palabras que se refieren a la relación amorosa se cargan demasiado de lascivia, obscenidad, violencia. Para evitar esos sentidos, se recurre a los eufemismos infantiloides o bien a cultismos insoportables. Alguna importación ha venido a mejorar esa carencia; por ejemplo, «hacer el amor», en el sentido que ahora todos la emplean. No es del todo nueva, pero en el español de nuestros abuelos «hacer el amor» equivalía a cortejar, por lo general en la dirección del novio a la novia. Estos últimos términos casi han desaparecido, por lo mismo que el noviazgo ya no es condición definida. Es lástima este empobrecimiento. La lengua española siempre ha desplegado muchos recursos para expresar sentimientos y estados de ánimo.

El capítulo de los eufemismos estériles se haría interminable. Una ilustración más. La institución oficial que vela por la salud de los españoles se denomina INSALUD, que suena —según las reglas etimológicas— a «no salud». No menos elocuente es que los abortos (denominados con el circunloquio de «interrupciones voluntarias del embarazo») se tramiten como una sección de las «Unidades de Reproducción» del INSALUD. Si se lee todo seguido, la frase no puede ser más cómica, dentro de lo dramática que es la sustancia a la que alude.

Se dice que los tuareg del desierto disponen de una docena de palabras para designar el animal que malamente llamamos nosotros con la voz «camello». Lo mismo se puede predicar de los esquimales respecto a la palabra «hielo». La abundancia o escasez de voces para describir una parcela de la realidad, según sea una u otra cultura, indica lo que de verdad afecta aquella realidad a esa cultura.

Lo anterior viene a cuento de la existencia de un campo en el firmamento lingüístico español particularmente confuso, pobre en expresiones. Resulta significativa esa penuria léxica. Es la distinción entre el reino de lo que puede ser (posibilidad) y el del deber ser (la moralidad). En principio representan conceptos bien distintos, planos que lógicamente no se tocan. Una cosa es lo que puede suceder y otra muy diferente lo que es deseable o bueno que suceda. Y, sin embargo, la confusión está servida en la parla cotidiana. Según el consejo de la Real Academia de la Lengua, la expresión «debe de ser» sirve para indicar la posibilidad, la probabilidad de que algo suceda, un acontecimiento, por tanto, que está por venir. En cambio, la cláusula «deber ser» expresa una obligación moral, lo deseable, lo bueno, lo ético. Así podemos decir: «El jueves debe de ser fiesta y, si es fiesta, debe ser un día para descansar.»

La confusión empieza con el hecho de que dos acciones tan distintas lleven formas verbales tan parecidas («debe de ser» y «debe ser»). Tan similares son que en la práctica se confunden y hasta se intercambian los significados. Muchas personas consideran que si se dice «debe de ser» parece que se subraya la obligación moral, y si se emplea el más tajante «debe ser» se habla de la mera posibilidad, es decir, al revés de lo establecido. Para la mayor parte de los hablantes se trata de dos fórmulas intercambiables. Ni se plantean la cuestión de los dos sentidos. Es más, la tendencia en el habla semiculta es hacia el uso de «deber ser» (o más propiamente «deber+infinitivo») en cualquiera de los dos sentidos antedichos. En síntesis, cada vez más confusión.

Pero la cuestión no termina aquí. Hay una tercera fórmula, «tiene que ser» (es necesario que sea), que traduce el reino de la necesidad. En la práctica sirve indistintamente para las dos funciones de posibilidad o de moralidad. Sólo depende del tono y del acento. Si frunzo el ceño y exclamo dubitativo «hoy tiene que ser fiesta», expreso una posibilidad muy alta, casi una certeza. La misma frase con otro énfasis, con otro gesto, puede querer advertir que «hoy no se debe trabajar».

Hay veces en que la locución negativa «no puede ser» equivale tanto a escepticismo respecto a un suceso futuro como al énfasis que se pone en algo que está mal hecho. Otra vez depende del tono para saber cuál de los dos sentidos se quiere transmitir. Se entiende así el famoso dicho del torero célebre: «Lo que no puede ser no puede ser y además es imposible.» Sería difícil traducirla a cualquier idioma de los vecinos.

Todavía hay más elementos caóticos. Si un español emplea el adverbio «seguramente», puede querer decir dos cosas bastante contradictorias:

1) Que lo que sigue es probable, esto es, que no es muy seguro; equivale a «quizás» o «acaso».
2) Que el hecho que se predica es cierto y, las más de las veces, deseable.

Esta mezcla desorganizativa de planos significa mucho. Indica que en la cultura española domina una suerte de voluntarismo fatalista —si cabe la contradicción al hablar de tan contradictorios elementos— por el que se confunde el futuro deseable con el probable y a veces con el necesario. Es lógico que una cultura así confíe tanto en la lotería, en los juegos de azar. El español piensa: «El gordo de la lotería de este año debe de ser un número terminado en 9.» Espera una probabilidad más o menos sentida y al tiempo un deseo porque, casualmente, el número que juega termina en 9. No sólo un deseo, sino el reconocimiento de una necesidad. Se entiende ahora que, para mezclar todos esos sentimientos, le dé lo mismo decir «debe ser» que «debe de ser». La confusión entre la realidad y el deseo es característica de una mente que desvaría, precisamente la enfermedad que aquejaba a don Quijote y cada vez más a Sancho Panza. Por eso son también nuestros héroes nacionales.

Un desorden no menos llamativo es el que se traduce con la polisémica significación del verbo «poder». Quiere decir tanto la capacidad de hacer una cosa, la facilidad para realizarla (el plano de la posibilidad) como el que algo le sea permitido al sujeto porque es acorde con lo que está bien hecho (plano de la moralidad). La confusión de significados se redobla en la expresión retórica de «puedo y debo hacer tal cosa». El consejo de «No puedes hacer esto o lo otro» equivale a un «no debes» aún más taxativo. Las más de las veces el verbo «poder» se utiliza de esa forma negativa tan ambigua. El desesperado «no puedo más» equivale a decir que «no debo seguir haciendo lo que hago». Ante la queja del «no puedo» surge el argumento definitivo de «querer es poder», frase hecha que nos precipita en el torbellino de la superposición de los tres planos antedichos: posibilidad, moralidad y necesidad. Dios es infinitamente bueno porque es todopoderoso.

El desbarajuste es metalingüístico. En la construcción mental de los españoles fallan dos piezas: la de la representación del futuro y la del compromiso moral. Este fallo condiciona la aparición de ese estado de voluntarismo fatalista que oscila en parejas de ideas polares: «Al que madruga, Dios le ayuda» y «No por mucho madrugar, amanece más temprano».

El voluntarismo fatalista explica no pocos episodios de nuestra peculiar historia. Los héroes españoles suelen tener un componente esquizofrénico por el que confunden, en un caso límite, lo que deben hacer y lo que está de Dios que suceda. Cuando un español ignora su obligación es que nada sabe de lo que le pueda deparar el futuro. Ante esa perplejidad surge la exclamación fatalista de «Mañana Dios dirá».

¿Cómo no se va a creer en la suerte? Una suerte voluntarista, para seguir con la ambigüedad. La sabiduría popular entiende que a la suerte hay que ayudarla un poquito. Un hombre con suerte es que hace las cosas a derecho, porque sabe lo que quiere, porque sabe hacer del futuro posible una necesidad acorde con sus deseos o sus merecimientos. Siempre los varios planos secantes: posibilidad, necesidad, deseabilidad, moralidad. Por todo ello, la vida cotidiana de los españoles se presta a mil situaciones de comedia de enredo, de picaresca, porque existe esa confusión en la lengua y, por lo tanto, en las ideas y en las conductas. «La necesidad es virtud», dice el vulgo para rematar el caos lógico y moral.

Una consecuencia de esa mezcla de planos es un deje profundamente autoritario en las relaciones cotidianas. Dice el jefe al subordinado: «Mañana le quiero ver a usted a las ocho en punto.» Aparte de los efectos reduplicativos («le» y «usted», «a las ocho» y «en punto»), el tono autoritario se logra con esa expresión, que emite a la vez estos cuatro signos:

a) Ser puntual constituye un deber ser, una obligación moral.
b) Es más que probable que la norma se vaya a cumplir.
c) Es necesario que se cumpla.
d) El que se cumpla es un deseo.

La mezcla de los cuatro es lo que determina que la expresión sea una orden. Y una orden es una manera de dominar el futuro mezclando la necesidad, la voluntad, la posibilidad y la deseabilidad. La mezcla se hace explosiva en el lenguaje de los que mandan. Menester será hablar un poco de política.

Capítulo X

EL SOCIALISMO SOCIOLOGICO

No es mi intención escribir aquí un libro sobre política. Trato de dibujar un paisaje más completo que afecta a otros muchos aspectos del vivir de los españoles. La política es un retablo de limitadísimos personajes. No obstante, al menos un capítulo sí he de dedicar a lo que podría ser el peculiar régimen político que se han dado a sí mismos los españoles. Es un régimen democrático porque así lo asegura el tiempo y el espacio de la España actual, la cual aparece marcada por la experiencia de casi un decenio de un socialismo muy peculiar, que determina unos modos de gobernar que en otra parte quedan descritos (Gutiérrez, 89). En este caso no voy a insistir sobre lo mismo; voy a tratar de ver el poliedro por la otra cara, por la cara de los contribuyentes.

La política española es muy prona a las soluciones arbitristas, decisiones un tanto iluminadas, con frecuencia de importación, que desean traer la felicidad a los súbditos sin contar mucho con ellos, ni siquiera con la naturaleza humana. No hay más que recordar una vez más el glorioso precedente literario de *El Quijote,* una historia que recoge numerosos episodios de arbitrismo —digamos— menor. Sobran los ejemplos reales y contemporáneos. Citaré uno minúsculo, que me surge al hilo de este escrito, de la lectura cotidiana de la prensa. Resulta que la Universidad de Alcalá de Henares decide comprar una partida de bicicletas para que las utilicen gratuitamente los alumnos, profesores y empleados en el *campus*. El propósito es simple y loable: combatir el ruido y la contaminación, a la par que promover el sano ejercicio físico y el sentido de la responsabilidad. Desgraciadamente, a la semana del experimento faltaban ya la mitad de las bicicletas. El cronista concluye desengañado: «Una vez más, la confianza en el género humano ha recibido un duro golpe» (*Diario 16,* 23 de mayo de 1989). Como sucedía a don Quijote después de muchas de sus aventuras por no contar con el género humano, que el buen caballero descubre que se compone de malandrines y follones.

Los españoles, uno por uno, presumen de modernos y civilizados. Es posible que lo sean. En las encuestas suelen dar casi siempre una imagen de liberalidad y tolerancia que asombra. El problema está en que cada uno de ellos considera que los demás no son así. El problema son los otros. Cada uno presume, por ejemplo, de saber beber, de tomar alcohol en dosis contenidas, pero percibe que a su vera hay alcohólicos, situación que se tolera mal. De ahí que los españoles estén prontos a prohibir las conductas que se consideran perjudiciales. Se entiende que las prohibiciones no son molestas porque se dirigen contra esos otros. Imaginemos una encuesta en la que se indagara el grado de aceptación de una propuesta fantástica como ésta: «¿Estaría usted dispuesto a apoyar la prohibición de la venta y consumo de rapé?» Aunque ya nadie utiliza tan estrambótico estimulante, no dudo de que una buena porción de los entrevistados darían una respuesta afirmativa.

El autoritarismo latente en muchas formas de relación social entre españoles descansa en esa desconfianza radical respecto del prójimo. Nótese que ya esta palabra —«prójimo»— acarrea un sentido despectivo, y no digamos en femenino. Simplemente, por estar «próximo», hay que andarse con cuidado. De dónde procede esa desconfianza genérica es asunto indeterminado. De nuevo habría que acudir a la interpretación materialista: en el territorio español no hay lugar para tantos habitantes. De ahí la perenne disposición a la emigración y el resentimiento consiguiente. Sea cual sea la explicación, lo cierto es que el otro, el prójimo, es demasiadas veces una amenaza. Este es el mejor clima para que se cultive la planta del autoritarismo, que en España ha dado frutos esplendorosos y terribles.

Una consecuencia de la mala relación con el prójimo es lo que podríamos llamar «analgia» o insensibilidad para el dolor ajeno. La prueba, una vez más, está en el léxico, ese depositario de las esencias culturales de un pueblo. Las palabras que traducen el sentimiento de compartir el dolor ajeno suelen tener en castellano un sentido desdeñoso. Así, «compasión, lástima, piedad, beneficencia, caridad». La simpatía es una gran virtud de los españoles, pero ha perdido su original sentido de sufrir con el otro. Al contrario, simpática es la persona que no parece enterarse de que a su alrededor hay sufrimiento. El uso social aceptado es el que favorece la no comunicación de nuestros pesares o nuestros errores a los demás. Se comprenderá que ésta sea una de las bases sociológicas del autoritarismo.

La disposición autoritaria —todavía previa a la política— se refleja en esa cualidad tan española y quijotesca de «no enmendalla», de no arrepentirse de nada, a la que hemos aludido en páginas anteriores. Sobran los testimonios. Aduciré uno egregio, el de Leopoldo Torres, fiscal general del Estado, antiguo democristiano converso al socialismo: «A medida que uno se va haciendo mayor y va madurando, las convicciones que se han ido adquiriendo a lo largo de la vida se reafirman. Llevo luchando desde que tengo uso de razón sin haber tenido necesidad de cambiar, en ningún momento anterior de la historia de España, fueran cuales fueran las circunstancias, esas convicciones» (*Diario 16,* 15 de febrero de 1990). Lo saben los policías que interrogan: demasiado énfasis, mentira probable.

Falta por hacer una historia del autoritarismo en España, vista desde abajo, del aplauso que merecen las normas que prohíben, que «prohíben terminantemente», como se suele decir con un pleonasmo administrativo de gran tradición.

«Ordeno y mando» era otra destacada muletilla con la que se encabezaban los manifiestos de los pronunciamientos militares. Es el tono con que se redactan hoy en día los bandos de los alcaldes y hasta las modestas circulares de las comunidades de propietarios.

Resulta increíble cómo perviven ciertos usos, que en su día comenzaron con un gesto autoritario. No se sabe por qué, pero a Franco no le gustaba que vocearan los periódicos. Se suprimió por decreto arbitrario tan simpática costumbre y a ningún político del régimen actual se le ocurrió derogar tan caprichosa ordenanza. Ningún quiosquero se atreve a vocear su mercancía. Más aún, apenas existe la venta de periódicos fuera de los quioscos. Extrañas limitaciones que van en contra de la tradición de un pueblo tan vocinglero como el español.

Si quedamos en que la vida española se entiende mejor como una continua representación, habrá que convenir también que la vida política es parte principalísima de esa comedia. Se han comparado muchas veces la política y los toros, actividades ambas en las que tiene mucho que ver el gesto, la figura, el brillo de la fiesta, el público. Aduciré un testimonio algo alejado en el tiempo para que se vea que la comparación viene de lejos: «Lo más español que tenemos en España es el político (...) Para hallar, fuera de los toros, un español representativo, compendio de las cualidades de la raza, es preciso dar con un alcalde, un gobernador o un ministro» (Albornoz, 22: 69). No es casualidad que esas figuras de autoridad presidan la fiesta de los toros, un papel que sería impensable en cualquier otro espectáculo deportivo o artístico. Sigue nuestro testimonio: «La política, como el toreo, es valor personal (...), gallardía y majeza. Los políticos españoles castizos no tienen ante los acontecimientos un pensamiento, una conducta, sino una actitud y un gesto. De ahí la obcecación con que persisten en sus errores» (p. 62). Y también la saña con que se les persigue cuando se equivocan (el «acoso y derribo», suele decirse, una imagen taurina), pero asimismo el aura de dioses en las tardes de triunfo.

La imagen taurina no es muy compatible con la noción de participación política que requieren los hábitos democráticos. Si la política es un arte peligroso para unos cuantos elegidos por la fortuna, el público está para vitorear o para silbar, pero eso siempre desde las gradas. «Cada uno en su terreno» es la divisa del aristocrático orden de los toros: la autoridad, el público, el torero y el toro.

La imaginería taurina se impone, aunque no se quiera. Citaré una ilustración que me toca de cerca. Precisamente como contestación a un artículo mío, en el que sostenía que el presidente González debía dimitir ante ciertos escándalos de desgobierno en los que andaba metido Alfonso Guerra, un conocido comentarista me replica: «Un sociólogo no es quién para dictaminar cuándo, cómo, ni por qué debe dimitir el presidente del Gobierno. Hay que respetar las lindes. Y los terrenos. Mal está que un novillero bisoño, como Jesulín de Ubrique, se haya atrevido a pisar el terreno del maestro Ojeda. Pero lo que no admite calificativo es que periodistas, o lo que es peor, sociólogos, invadan esferas que no son de su incumbencia, arrogándose facultades que no les competen, tales como promover la dimisión del presidente» (Alfredo Amestoy, «González no debe irse», *Diario 16,* 26 de marzo de 1990). Asombra pensar que todavía hoy se puedan mantener en público estas esencias de pasadas doctrinas. Se entenderá ahora que podamos hablar del «carisma de Felipe» o incluso del «tirón caudillista» de González. Hay algunas semejanzas entre el «felipismo» y el franquismo, más de las que uno quisiera ver. Hay similitudes en la base misma de los españoles, en la cultura política.

Es sabido que el desinterés por la política fue un paradójico propósito inculcado por el franquismo, una peculiar dictadura que no cultivaba demasiado los entusiasmos populares, que no veía con simpatía que los españoles se agruparan para defender sus intereses. Había sólo un interés supremo de la patria, que ya se cuidaba el Caudillo de vigilar. Reléase este increíble texto del primer franquismo sociológico, el de las disciplinadas mesnadas que supieron plantear y ganar una cruel guerra civil: «No he pertenecido jamás a ninguna asociación, profesional o no, que se llame otra cosa que española y que no sea la oficial ordenada por el Gobierno de mi Patria, porque desde niño, casi, comprendí que de ese tremendo engaño [de las asociaciones] nacían casi todos los males de mi España y ningún bien para ella» (Bañuelos, 38: 18). Esta es la fecha en que, después de algunos lustros de democracia, todavía existe un escasísimo interés por asociarse y más aún con propósitos cívicos. Los partidos políticos viven de la ubre del Estado.

Con datos para 1983, diversas encuestas levantadas en los países de la Comunidad Europea demuestran que el interés por la política es más bien escaso. Destaquemos que una cuarta parte de los consultados confiesan paladinamente que no se interesan «nada» por las cuestiones políticas. Esa media admite variaciones interesantes. En Italia llega al 42 %, porcentaje que coincide con el que se expresa en España en ese mismo momento (Millán, 89: 671). No hay por qué escandalizarse de esa —que podríamos llamar— pauta latina de desconfianza, apatía o desinterés por la política. En la historia española las épocas de intensa politización no han sido precisamente las más felices. Lo que no se puede concluir de esos datos es la «manifiesta convergencia de las pautas españolas con las de los países europeos» o la «progresiva asimilación de los patrones de comportamiento político de la sociedad española con aquellos que desde hace ya tiempo definen a las industrializadas sociedades democráticas occidentales» (p. 674). Estos deseos de convergencia son los del analista. Los españoles se parecen a los italianos en el alto grado de desconfianza por la cosa pública. Sus razones tendrán. En esto se diferencian ambos pueblos del resto de las sociedades democráticas europeas. Se podría hablar en el mundo latino de un verdadero «Estado de malestar» como caricaturesca oposición al Estado de bienestar de las democracias boreales.

Todavía rebajaría yo un grado más ese nivel tan bajo de interés por la política que dan los españoles en las encuestas. A muchos de ellos el interés se les va en hablar de política, en una cierta morbosa curiosidad por las andanzas y tribulaciones de los personajes del retablillo de la política. No hay más que ver el contenido de las secciones políticas de la prensa. Predominan en ellas el chisme, el suceso menudo, la crónica de tribunales y la fugaz estela biográfica que van dejando los relumbrones de los partidos.

Después de saber la idea que tienen los españoles de los políticos, conociendo la monumental ineficacia de las instancias de poder, lo mejor que se puede esperar es que se interesen poco por la política y adopten una actitud de sano escepticismo ante los programas de los partidos, «que ya se sabe que no van a cumplirse», como solía decir el adorable Enrique Tierno Galván. De preocuparse más, se frustrarían, y al no poder cambiar las cosas, se volverían agresivos. Los etarras sí son españoles interesadísimos por la política, y Aitor nos libre de ellos.

El sano escepticismo de tantos españoles, un hispanista lo denomina «resistencia al adoctrinamiento» (Jackson, 81: 204). Es una respuesta justificadísima a la ineficacia del Estado. Gracias a esa resistencia, el franquismo no pudo ser totalitario (como algunos querían que fuera), y la misma explica la secular presencia del anarquismo durante un siglo de vida pública española.

Cuando se quiere ensalzar a una persona es corriente, entre españoles, decir que «no se ha metido nunca en política», como si la dedicación o el interés por ésta fuera algo de suyo maligno. Franco aconsejaba cínicamente a los solicitantes de dádivas que hicieran como él, que no se metieran en política. Felipe González y Alfonso Guerra reiteran que ellos están donde están por casualidad, sin mucho entusiasmo, dispuestos en todo momento a dejar la política, ya que no se consideran profesionales de la misma. Alfonso Guerra insiste en que lo suyo es la Universidad, se entiende, como profesor.

El valor dominante es, pues, que no hay que meterse en política. Ya el verbo indica que se trata de un lugar cerrado, al menos simbólicamente, como el ruedo de una plaza de toros. No hay que meterse en el terreno de los profesionales de la política porque se presume que es un terreno falso.

Naturalmente se trata de una proyección de las debilidades personales. La imagen de los políticos como mendaces y corruptos esconde una radical inseguridad por parte de los que contemplan el espectáculo. La observación, una vez más, viene de lejos: «Muchos de los males sociales, que suelen achacarse a la negligencia y perversión de los que mandan, sólo son, si bien se mira, resultado de la ignorancia y de la mala condición de los gobernados. ¿En qué se sustentan, por ejemplo, el caciquismo y la inmoralidad administrativa? Pues únicamente en el desconocimiento de sus deberes en que vive la mayoría de los españoles» (La Iglesia, 08: 58).

La despolitización se fomenta desde arriba al separar cada vez más los terrenos que corresponden a los políticos y al público. Ese aislamiento se demuestra en la práctica al aprovechar los políticos el temor a los actos terroristas para aislarse físicamente mediante mil sutiles procedimientos: coches oficiales, escoltas, lugares de reunión reservados, filtros y controles para evitar el contacto con el público (incluso en las vacaciones), aviones particulares. No hay más que ver la remodelación del palacio presidencial de La Moncloa, más parecido a una fortaleza, a una cárcel incluso.

Dos buenos observadores de la vida pública certifican que «en España los partidos políticos siguen siendo principalmente partidos de políticos» en la medida en que a los partidos no se les aplica las normas de eficacia y buen funcionamiento que rigen para las demás asociaciones y empresas (Sinova, 90: 56). En menos palabras, que en lugar de partidos habría que decir partidas. Así las cosas, desentenderse de la política puede llegar a ser un meritorio acto de honradez y de capacidad profesional. Hay razones para sospechar que las personas que se dedican a la política son los que, en algunas familias y profesiones, menos oportunidad habrían tenido de salir adelante por sí mismos mediante una actividad privada.

Una gran paradoja de la vida política actual es que algunos edificios públicos —no sólo La Moncloa— adoptan ciertas formas de autoprotección casi carcelarias. Esa es la impresión que dan los múltiples dispositivos de verjas, cámaras de televisión y otros artefactos electrónicos. En muchos de ellos desaparece incluso la posibilidad de que el visitante pueda aparcar el coche: este espacio se reserva íntegramente para los funcionarios. Todos estos símbolos acentúan la relación de aparente hostilidad que percibe el público. Las sociedades actuales son cada vez más vulnerables a las amenazas disruptoras (accidentes, terrorismo) y ello convierte a los ciudadanos corrientes en sospechosos. He aquí otra fuente de desasosiego y de tensión autoritaria, aun en las democracias más florecientes.

En un estudio realizado por el CIS en 1980 sobre los valores más apreciados por los españoles, figuran en primer lugar la justicia y el mundo sin guerras (Millán, 89: 648). Se trata de dos deseos que entran en colisión con el actual funcionamiento del Estado en España y en todas partes. Es claro que la justicia y todo lo que con ella se relaciona (cárceles, delincuencia, violencia, drogas) constituye la gran parcela de ineficacia del Estado, para no hablar de la violencia o del negocio de armas a escala internacional.

Lo anterior se comprueba en los resultados de otra pregunta de la misma encuesta, la que indaga sobre los objetivos primordiales que deben caracterizar la acción de gobierno. Destacan sobremanera estos dos: acabar con el paro y luchar contra el terrorismo. Son, precisamente, los propósitos que han destacado como «prioritarios» (así se dice, incluso a veces, como «primeras prioridades») en todos los gobiernos desde el comienzo de la transición democrática y también en los programas de la oposición. Quiere ello decir que no se han cumplido. La conclusión es nítida. Cada vez hay más Estado, pero peor Estado y por lo tanto más caro.

En la prensa se suele comentar muchas veces el dato que surge de múltiples encuestas en las que se pregunta por la confianza que tiene la gente en una serie de instituciones o de servicios públicos (la policía, los jueces, los partidos políticos, etc.). El resultado es que la proporción de los que confían en esas instituciones es bastante más bajo que el que se produce en otros países de mayor tradición democrática. El comentario del analista suele ser una especie de reprimenda a los sufridos españoles. Realmente lo son, porque a ellos sí les gustaría confiar más en esas representaciones de lo público, de lo estatal. Si se sienten retraídos o desconfiados por algo será. Lo más sencillo es que éstas no se merezcan mucha confianza porque no cumplen bien sus cometidos. También es verdad que esas grandes palabras que se escriben con mayúscula están formadas por españoles como los demás, pero es el vecindario en conjunto quien las padece.

La figura lógica de los españoles es la dicotomía. Se mantuvo mucho tiempo en los toros y luego ha continuado en el fútbol. Las dicotomías se contaminan unas a otras. Los fríos y geométricos aliadófilos de cuando la Guerra europea eran partidarios del toreo cerebral de Joselito, mientras que los apasionados germanófilos se inclinaban por la escuela fáustica de Belmonte. Esta tendencia a las dualidades, si se extrema, lleva al fanatismo y al simplismo, dos manifestaciones del talante autoritario.

Enfrentados con la dicotomía de «vivir con seguridad, orden y paz» y la de «tener libertad e igualdad», la mayoría de los españoles en 1981 se inclinaban por la primera opción (Millán, 89: 655). Recuérdese que en ese mismo año se produjo el intento de golpe de Estado que, de triunfar, hubiera forzado esa dicotomía en favor del «orden» y en contra de la «libertad». No hay manera de justificar el cuartelazo —ni ése, ni ninguno—, pero se puede explicar. No es un azar que coincidiera con el ápice de la curva de las víctimas del terrorismo. También es verdad que para muchos españoles la vida en paz y orden pasa tanto por la eliminación de los terroristas como por la prevención de los intentos golpistas desde 1981. Los gobiernos han tenido éxito en la extirpación del golpismo (entre otras razones menores porque a ello se ha dispuesto el grueso de las Fuerzas Armadas) y no tanto en la eliminación del terrorismo. Es más, si lo que desean los terroristas de ETA es forzar la autodeterminación del pueblo que dicen representar, lo que ha ocurrido en los años ochenta ha sido una notoria ampliación de ese deseo a otros grupos de esa misma y de otras regiones.

Hay mucha gente —y gente inteligente— que piensa que la distinción izquierdas-derechas está periclitada, es falsa o artificial. Esa creencia no se corrobora con la realidad. Es evidente que la distinción no significa, como hace más de medio siglo, que los de una ideología se muestran intolerantes o agresivos con los de la contraria, pero las ideologías existen, están ahí netas, influyen en la manera de ver el mundo y de comportarse. Veamos un ejemplo liviano. Si en algo tendrían que estar de acuerdo todas las fuerzas políticas es en lo que se llama coyuntura económica. Las grandes magnitudes de la economía no afectan a todos por igual, pero afectan a todos. Esto en la teoría; en la práctica cada uno sigue viendo la feria, no como le va en ella, sino de acuerdo con el traje que se ponga para ir a la misma. En 1987 el CIS lleva a cabo una encuesta y pregunta a la población adulta su juicio sobre si la situación económica ha mejorado o empeorado en relación a la de diez años antes. Lo de menos es que casi la cuarta parte considere que las cosas han ido a peor; lo significativo es que esa percepción pesimista resulta claramente condicionada por el partido político al que se había votado en las elecciones de 1986. La oscilación es clara, de derecha a izquierda: AP: 66 %, CDS: 41 %, PSOE: 29 %, IU: 20 %. La relación es tanto más marcada si tenemos en cuenta que las oscilaciones de la coyuntura, en un momento de crisis, de beneficiar objetivamente a alguien habría sido en todo caso a las personas mejor situadas socialmente, es decir, por lo general, a los votantes del partido de la derecha (AP). Son éstos, en cambio, los más pesimistas respecto a la coyuntura económica. La explicación es muy sutil, pero acorde con otras mentalidades que aquí se describen. Muchos conservadores razonan por dentro así: «Las cosas van mal en la economía si los míos —es decir, las derechas— no están en el Gobierno.» Es así de simplista, pero es así como funciona la democracia real a la española.

El éxito definitivo de la transición democrática está en asegurar que mucha gente se halla de acuerdo con que un gobierno presidido por González lo hace mejor que uno presidido por Suárez o Calvo Sotelo y mucho mejor que los gobiernos de Franco. Bien, ésta es, en efecto, la actitud predominante en la población española en la encuesta citada, aunque hay que contar con que la mayoría se halla indecisa, no sabe o no quiere juzgar. Lo interesante es que, en todos los casos, el juicio favorable a los socialistas se eleva conforme suben los ingresos y baja la asistencia a misa. Es decir, lo que podríamos llamar «socialismo sociológico» responde al perfil de los que se hallan en una posición económica desahogada y mantienen actitudes agnósticas. Dado el general progreso económico de la sociedad española y el avance del proceso de secularización, lo lógico es suponer que la mayoría de la población favorezca un gobierno socialista. Eso es lo que sucede. No es el socialismo de los pobres o de los «descamisados» —como algún aprovechado pretende—, sino el socialismo de los *yuppies*. Se entenderá ahora que Felipe González no haya podido hacer otra política que la que ha hecho, favorecedora de las familias bien situadas y de las personas alejadas de la práctica religiosa. Se traduce en medidas económicas a favor de los empresarios, los profesionales y los trabajadores sindicados, junto a medidas simbólicas moderadamente en contra de la Iglesia católica. Todo ello con buen tino.

¿Cuántos españoles se sienten cómodos con el actual sistema democrático? Se aplica la regla del 80-20, que acapara tantos ejemplos. También en este caso se trata de una encuesta del CIS de 1987. Un 20 % de los consultados favorece la opinión de que «no le interesan las elecciones». Estamos ante el quinto de los descabalgados de la práctica del ejercicio democrático. ¿Dónde se alojan? No hay grandes diferencias según las distintas características biográficas, lo que indica que deben de actuar factores de personalidad, más o menos distribuidos al azar. Alguna tendencia sí puede señalarse: los descabalgados abundan más en las derechas y en los que no saben decir si son de derechas o de izquierdas (en donde se prueba que ésa es una forma de ser de derechas), los agricultores, los que cuentan con ingresos modestos y los que van a misa regularmente. En una palabra, estamos ante los restos del franquismo sociológico.

En contraste, si decíamos que el socialismo sociológico aparece constituido por los «agnósticos ricos», la base social de los que se desinteresan por el ejercicio democrático la forman los «católicos pobres». Estas son las dos Españas de hoy, por fortuna pacíficas. No hay posibilidad de confrontación porque se cruzan los vectores. La combinación que hizo estallar la Guerra Civil fue otra: la de los agnósticos pobres contra los católicos ricos. Vamos descubriendo ya el secreto de la estabilidad que nos ha traído la transición democrática. Cuidado que se han escrito enjundiosos volúmenes sobre la transición democrática, pero ninguno ha descubierto esa piedra clave de la fábrica de la transición. El error ha estado en considerar que la transición ha sido un asunto de los políticos y no un trasunto de lo que ocurría a los españoles todos.

El régimen socialista ha basado todo su argumento legitimador en la eficacia («Para que España funcione»). Fue un buen ardid electoral en 1982 para un país acostumbrado a monumentales marcas de «no funciona». Por desgracia, éstas continúan; tanto es así que lo que prueba es la estupenda vitalidad del pueblo español, que ha sobrevivido a tantos regímenes y gobiernos, a cual más ineficaz. Los periódicos están repletos de gacetillas sobre las obras públicas que no se inician o no se terminan a tiempo. Alguna vez, el periodista más imaginativo revisa la otra cara, las gigantescas instalaciones que, después de haberse inaugurado, no sirven para ningún fin práctico. «Asturias tiene un embalse que parece una regadera; pierde agua por todos los lados. En Barcelona hay una línea de Metro que nunca se ha estrenado, o sea, como el hospital materno-infantil de Valladolid o el Centro de Quemados de Las Palmas. Murcia vio cómo se hundía un polideportivo antes de inaugurarlo» (Javier Martín, «La chapuza nacional», *El País,* 24 de diciembre de 1989). Es sólo una pequeñísima muestra. Habría que recordar la catedralicia central nuclear de Lemóniz, que nunca se puso en marcha, y tantas escuelas abandonadas porque no hay niños en los alrededores. Qué lejos queda la doctrina sociológica que considera el Estado como la máxima expresión de la racionalidad. Lo peor de todo es que la ineficacia de las oficinas públicas contamina a las privadas. La compraventa de un coche entre particulares puede consumir interminables jornadas de inútil papeleo. Se trata de controles públicos que se añaden a la general cautela que preside en España las operaciones comerciales.

La mayor parte de los españoles estaría a favor de un hipotético programa político en el que se prometiera:

1) Rebajar los impuestos y aumentar el gasto público en educación, sanidad, vivienda y otros servicios sociales.
2) Un ejército profesional, pero que el Estado gastara menos en Defensa.
3) Una más eficaz persecución de los delincuentes, pero que el Estado gastara menos en policía.

Naturalmente, no hay ningún partido que se proponga en serio los tres contradictorios puntos. Sin embargo, a mucha gente les puede parecer hacederos. A los españoles les falta conciencia de que el Estado es algo que cuesta; un coste, además, que requiere una altísima remuneración del personal y que, por lo tanto, crece sin cesar. Lo peor de todo, y en lo que es más difícil caer en la cuenta: que ese coste se carga sobre todo a expensas del grueso de trabajadores asalariados modestos. Son los que menos se benefician de la política de los socialistas, pero son los que más los apoyan con sus votos. Ese es el verdadero milagro de la transición democrática española: el milagro del socialismo sociológico.

CAPÍTULO XI

LA CULTURA DE LA APARIENCIA

Recordemos una vez más *El Quijote*. Toda la obra es una complicada comedia de enredo en la que los personajes no son lo que parecen, se muestran con mil disfraces y engaños, practican todas las artes de la afectación y el disimulo. Este es el reino de la apariencia, en el que tan a sus anchas se mueven los españoles.

Casi todos los recientes procesos de cambio social tienden hacia una mayor igualdad, pero hay uno, de cierta consideración, que consigue todo lo contrario. Me refiero a la creciente segregación social que significa el modo de construir y de habitar las viviendas. En la sociedad de antaño, ricos y pobres convivían más cerca. El servicio doméstico era un bastión de las clases populares que se alojaba —literalmente— en los hogares de las clases acomodadas. Muchas casas de pisos se diseñaban así: las viviendas exteriores y más espaciosas eran para los «señores»; las interiores, los sótanos y los áticos se destinaban a los porteros, a las clases serviciales. Esa macla social de espacios interpenetrados se rompe cada vez más. Tanto es así que en algunas casas de los centros metropolitanos, ruidosas y contaminadas, los áticos y los pisos interiores se llegan a pagar más que los exteriores.

La segregación de los espacios de vivienda es cada vez mayor. El servicio doméstico suele ser «por horas» y va y viene de muy lejos. Los ricos abandonan los centros de las ciudades, los cuales se destinan a funciones comerciales o profesionales. Las casas no se construyen tanto una por una, sino en bloques, barrios, colonias, urbanizaciones, «adosados», «residenciales». Lo que vale es el conjunto y, por lo tanto, todos los vecinos pertenecen a una misma clase social, hasta a veces a un mismo tipo de ocupación o de empresa, siguiendo en esto el modelo de la casa-cuartel de la Guardia Civil, al que varias veces hemos aludido.

El lugar donde se vive es cada vez más un símbolo de la posición social que tiene la familia en cuestión. Los constructores procuran vender también el conjunto, no sólo la vivienda. En mis traslados cotidianos me topo muchas veces con una colonia de hotelitos adosados (valga la contradicción) que se anuncia como «los jardines del César». La lista de títulos de las urbanizaciones y «residenciales» semejaría un catálogo de botánica. Esta segregación espacial de la vivienda lo que produce es una intensidad desproporcionada de los trayectos del domicilio al lugar del trabajo. Muchas veces no son los obreros, sino los altos ejecutivos, los que viven más lejos del lugar de trabajo. Es el sacrificio de la apariencia.

La creciente segregación espacial se proyecta incluso sobre la actividad escolar. Si el barrio es lo suficientemente heterogéneo, las familias pudientes no envían a sus hijos al colegio cercano, sino que eligen alguno lejano, al que se accede por una laboriosa «ruta» de autobús. Todo conduce a lo mismo: no se trata tanto de vivir bien, sino de aparentar que se vive bien, aunque para ello se acumulen incomodidades.

La cuestión no es de ahora, como puede suponerse. Américo Castro ha destacado cómo «un rasgo esencial hispánico» —es decir, sobresaliente en diversos siglos— es una suerte de estudiada dignidad que pone la persona para «quedar bien, dejar en buen lugar» sus acciones (Castro, 70: 16). El lo interpreta como una actitud moralizante extrema. No lo veo yo así del todo, sino más bien como una postura estética: la «vergüenza torera».

No habrá muchos idiomas en los que, como sucede con el español, «no tener vergüenza» resulte una característica tan oprobiosa. Desde otros observatorios culturales esta postura tan española puede parecer hipocresía, pero no siempre suele ser ése el caso. Recordemos un suceso que todos los españoles tienen presente porque lo han visto mil veces en la televisión. Es la noche de lo que se ha llamado «23-F» (el 23 de febrero de 1981), en la que se perpetró aquella pantomima de pronunciamiento. Los españoles admiran el gesto de Suárez, que dio la vuelta al mundo. Mientras casi todos los diputados se agachaban debajo de los escaños, él, altanero, permanecía sentado sin obedecer la orden de «todos al suelo». Hay que precisar que Suárez no sabía que estaban funcionando las cámaras de la televisión; tampoco lo sabían los que se acurrucaron debajo de los asientos. Y, sin embargo, la admiración no es por ese gesto inicial, sino porque luego el Duque se ha negado a sacar rendimiento de aquel soberbio gesto, puede que su mejor capital político, para quien no anda sobrado de los tales. Un porte digno, para Américo Castro, es «sentirse fuerte cuando se es débil» (p. 19), hacer de la necesidad virtud. Esa es la continua presentación de sí mismo que hace don Quijote, que por eso a los españoles les resulta tan cálida.

Hay una familia de palabras de la lengua castellana que resulta muy particular. El cultismo es «verecundia», que se introduce en el siglo XIX, pero desde algunos siglos antes ya se manejaba en buen romance «vergüenza, vergonzante, vergonzoso» y demás derivados. En latín equivalía todo ello a sentir respeto, temor y modestia ante situaciones que están por encima de uno. Se suponía, por ejemplo, que no era una cualidad deseable en los oradores, en los hombres públicos. ¿Por qué la vergüenza se convierte en la gran virtud de los españoles? Tanto es así que «sinvergüenza» es uno de los más fuertes insultos. Se trata de un derivado de la cultura de la apariencia que todo lo empapa. La vergüenza es noble virtud, pero contiene un resto de disimulo, de inseguridad, como cuando se habla de una «pobreza vergonzante». La vergüenza adquiere el definitivo tinte aristocrático en esa expresión «vergüenza torera», que es una alianza entre el pundonor profesional y el gesto, siempre frente a un público.

Algo del hidalguismo queda escondido en la trastienda biográfica de los españoles. Poco cuentan ya los títulos nobiliarios, pero mucho los académicos y más aún, desproporcionadamente, los diplomas y diplomillas que semejan títulos académicos y se conceden en la profusión de cursillos, jornadas y demás iniciativas de lo que podríamos llamar cultura rápida. El español se enorgullece de cualquier papel que incorpore su nombre. Hay varones que llevan en la cartera, roto ya por los dobleces, el justificante de haber cumplido el servicio militar. Hasta el infamante Documento Nacional de Identidad constituye un blasón universal para plebeyos.

Los españoles aman los títulos académicos, pero estiman poco el conocimiento que se supone detrás de cada uno de ellos. Es otra vez la anteposición de la forma al fondo. Es constante la queja de nuestros críticos sobre este desprecio por el conocimiento, un hecho más profundo y auténtico que la objetiva falta de ilustración. Destaca un regeneracionista, en la precisa fecha de 1898, una nota «muy característica de nuestra psicología actual: la escasa convicción de que el saber sirve verdaderamente para la vida práctica y para el éxito personal» (Altamira, 17: 198). Se dirá que desde entonces ha llovido y se ha leído mucho. No tanto, de lo uno ni de lo otro. La apariencia de la titulación académica sí ha cundido entre nosotros, pero es notorio el desprecio por el conocimiento, y más todavía por el saber técnico, incluso entre personas que han pasado por la Universidad y que cuentan con los medios suficientes para poder apreciarlo.

Un exceso de preocupación por las apariencias, una exaltada neurosis del qué dirán, el mantenimiento de un aire solemne en las relaciones mínimas, todo ello lleva a un rasgo inquietante en la sociedad española: la falta de ironía. No digo comicidad, que ésta sobra. No me refiero a la simpatía, que rebosa. La sutil ironía es algo distinto, es no tomarse en serio a uno mismo. «De mí no se ríe nadie», exclama resoluto el español quijotesco.

Hay aquí una paradoja. Seguimos con el modelo dramatúrgico. Los españoles están en escena. Cada uno de ellos representa un personaje. El hecho puede parecer universal. La cuestión es que los españoles se toman demasiado en serio sus disfraces y de ahí la carencia de ironía, la escasa comunicación, la incapacidad para ponerse en el ropaje del otro. Lo del teatro está bien, siempre que la función concluya y todos los actores se reúnan a celebrarlo. Lo malo es cuando se pretende representar el papel después de que el telón haya bajado.

En una incitante interpretación de la vida cotidiana de los españoles, Agustín Sánchez Vidal nos relata algunas peculiaridades de esa innata incapacidad hispana para ponerse en el lugar del otro. El autor la ejemplifica en las circunstancias en que media un coche o cualquier otro artilugio mecánico. Así, esa imposible descripción que hace un nativo al automovilista que le pregunta por una calle: el solícito narrador considera que el visitante tiene que saber dónde está lo que busca. Después de una sumarísima descripción, le espeta: «No tiene pérdida.» Y añade el escritor otro hábito circulatorio: «Son todavía muy numerosos los compatriotas que no utilizan el intermitente, porque carecen de la noción de abstracción suficiente como para asumir que el de atrás no tiene por qué conocer sus intenciones y que cierta velocidad necesita la correspondiente previsión sobre los movimientos ajenos» (Sánchez Vidal, 90: 162). Yo añadiría más. La incapacidad para describir al automovilista visitante la dirección perdida lleva a esa extraña conducta que tomamos como extrema cortesía. Después de intentar la imposible descripción de la dirección perdida, el solícito interpelado concluye: «Sígame usted y yo le diré por dónde hay que ir.» No, no es del todo simpatía ese gesto, sino incapacidad para ponerse en el lugar del otro. Comenta Sánchez Vidal otra situación: los que inician una llamada telefónica sin identificarse. No es sólo eso. Los hay que, lejos de identificarse, exclaman asombrados: «¿Es que no sabes quién soy?» o algo parecido. Es siempre la misma incapacidad para ponerse en el lugar ajeno, esa falta de distancia en que consiste la ausencia de ironía.

Los sociólogos han dedicado muchas resmas de papel al estudio de la satisfacción de las personas con su trabajo, su familia, su vivienda, su situación económica. En la aplicación de estos análisis a la sociedad española nos encontramos con que en ella los distintos grupos revelan un nivel razonablemente alto de satisfacción. Hay aquí una norma cultural que contamina, por así decirlo, la pretendida bondad de esas mediciones. A igualdad de circunstancias objetivas, el español se muestra satisfecho ante la curiosidad de los demás, desde luego ante la curiosidad del sociólogo o de quien lo represente. Quejarse de la vida propia es de mal gusto para la mentalidad hidalga, que late en la cultura española dominante. Lo de uno va bien, aunque la situación general sí puede ser objeto de queja. En definitiva, el mundo puede ser hostil, amenazador, pero uno en particular «se defiende». El trabajo podrá ser tedioso, la vida familiar un infierno, la vivienda invivible, pero ante el extraño o el visitante hay que dar la sensación de paz, decoro y contento. Hay que cuidar las apariencias.

Los españoles valoran el gesto, estiman el rasgo. La gran diferencia cultural la establece el saber firmar, que no es tanto poner el nombre como la rúbrica, el garabato. El nombre de la firma puede ser ilegible, pero la personalidad la da el trazo. Uno de esos minúsculos espectáculos fascinantes de la vida española consiste en asistir a la firma de un documento por un notario. Es ahí la pura forma lo que cuenta, el elegante gesto de la mano al firmar. El cliente se siente embelesado. Está justificada la minuta.

Por todas partes se nos aparece el componente retórico de la vida cotidiana española. Tendrían que tenerlo más en cuenta los sociólogos a la hora de interpretar las encuestas. No se puede aceptar el valor literal de muchos porcentajes, cuando se trata de medir actitudes, sentimientos, modos de pensar. Los españoles gustan de aceptar las respuestas rotundas, las que creen que corresponde a lo que socialmente debe decirse. Por ejemplo, las sugerencias que lleven la palabra «prohibir» reciben un entusiasmo exagerado, como ya hemos advertido.

La cultura política dominante inclina a la aceptación de declaraciones tenidas por izquierdistas. La izquierda, el progreso, es lo que se impone, aunque sea a este nivel retórico y descomprometido. Es el viejo chiste del campesino que era partidario del «reparto» de acuerdo con este razonamiento para su fuero interno: «Con la vaca que tengo y con la que me toque del reparto, tendré dos vacas.» Este mismo esquema se proyecta sobre la esfera pública y hace, por ejemplo, que los programas políticos sean más progresistas que las leyes que luego se aprueban. Estas, a su vez, lo son más que las políticas que se ponen en danza para hacerlas cumplir. Ni que decir tiene que los votantes se consideran más progresistas que los programas que votan. Se consideran de boquilla, como suele decirse, porque luego en su conducta práctica esos pretendidos revolucionarios ejercen más bien de conservadores autoritarios. Es una ilustración de la continua farsa española.

Si se desconoce esta incesante apelación a la retórica de los españoles, poco se entiende de lo que hacen y lo que piensan. No hay que detenerse en el «valor facial» de los sentimientos que vocalmente expresan. Se acepta un alto grado de mentira social cuando el español ofrece su casa al visitante, relata sus conquistas amorosas, alardea de sus varias habilidades (crematísticas, deportivas, venatorias, etc.), quita mérito a los que lo tienen, entre otras mil situaciones declamatorias. En realidad no se trata de mentiras, puesto que no engañan a nadie. Sólo se engañan los sociólogos ingenuos cuando interpretan los porcentajes de las encuestas en toda su inocente literalidad. Baste decir que a veces añaden un par de decimales a los porcentajes.

Son abundantes los ejemplos en los que se presenta esa disonancia entre la declaración solemne y la conducta real. Tómese el caso de la presunción de inocencia, un hermoso principio jurídico donde los haya. Pues bien, mientras los jueces, fiscales, abogados y demás partícipes de un proceso judicial —incluido el público— tienen derecho a un asiento con respaldo, el acusado y presuntamente inocente es «condenado» simbólicamente a sentarse en un banquillo sin respaldo. El símbolo de inferioridad es tan evidente que se tambalea la presunción de inocencia. Muchas veces el acusado viene ya de la cárcel, que dicen preventiva (gran contradicción). Aun suponiendo que todas las demás condiciones se mantuvieran neutras, es claro que al justiciable se le trata ya como medio culpable. Esto en el mejor de los supuestos de una justicia profesional, con jueces sensibles y compasivos.

La censura ha sido la inseparable compañera de la producción literaria y periodística española. No debe asociarse sólo con la censura desde arriba, más o menos vergonzante. Recuerdo, entre paréntesis, que el gabinete de censura oficial en los últimos años del franquismo se denominaba Oficina de Información Bibliográfica. No es esta censura la que me interesa ahora. Es otra más sutil que consiste en que todo el que tiene influencia para ello se ve tentado a modelar la realidad, su parcela de realidad, de tal manera que sólo exista en ella la parte que le interesa. Es otra vez la tentación del arbitrismo, la suprema manifestación de la cultura de la apariencia. Durante largas épocas en España se han proscrito los juegos de azar, el divorcio, la prostitución, los partidos políticos y tantas otras eternas instituciones. Simplemente porque alguien con poder decretaba que no existían. En la España de la preguerra, el prestigio diario *El Sol* se abstuvo de dar cuenta de las corridas de toros, lo que ya es sustraer a la realidad una porción visible de la misma, más aún titulándose precisamente *El Sol*. Lo curioso es que esta norma de abstinencia informativa se relajaba para dar cumplida noticia de los partes médicos de los toreros heridos.

En épocas más recientes, todavía hay algunos que discuten seriamente si los medios de comunicación deben reconocer o no que existe terrorismo o tráfico de influencias. La idea más general es que «no hay que alarmar a la población». Hay que saber guardar las apariencias.

Hablamos de apariencia. Su forma más primaria es el nombre de uno. Varias veces a lo largo de este texto ha surgido la cuestión de los nombres propios. Se necesita aquí inventar una palabra para dar cuenta de otro de los rasgos de la vida cotidiana de los españoles: la «onomatofobia». Quiere significar el recelo o la ambigüedad que despierta el propio nombre, el de pila. Es uno de los elementos más valiosos de nuestra intimidad, pero, a diferencia de otros, éste no lo hemos elegido y difícilmente lo podemos cambiar. Podríamos hacerlo aduciendo razones, que no siempre iba a comprender el funcionario. Esta forzada convivencia con algo tan nuestro como el nombre nos lleva a una curiosa relación ambivalente. Son muchas las personas que, sobre todo en la etapa adolescente, se encuentran a disgusto con el nombre. Por eso buscan diminutivos, apodos o sustitutos más o menos familiares o cariñosos.

Hay un extraño tabú en la cultura española que es el de no pronunciar el nombre de la otra persona. No se da entre nosotros esa obsesión que tienen los anglosajones de mencionar continuamente el nombre del interlocutor para poder mantener una conversación sin tropiezos. Al contrario, hacemos esfuerzos para hablar con esa persona sin nombrarla. En el lenguaje castizo madrileño hay una fórmula para no llamar al otro por su nombre: se dice simplemente «aquí». Otra fórmula para no nombrar el interlocutor —ésta ya perdida— es la de llamarle «su gracia». Más vulgar es el uso del pronombre «éste» o «ésta» para sustituir el nombre del cónyuge cuando hay que referirse a él en una conversación.

La mayor ofensa que puede hacer un español a otro es «mentarle la madre», es decir, mencionarla con un sentido escatológico, en su doble sentido de relacionarla con lo sucio y más todavía si ha fallecido.

En una entrevista que le hace Mary Mérida, contesta Montserrat Caballé con estudiada humildad: «Mire, yo creo que en la actualidad hay tres cantantes españoles, de los que no le voy a decir el nombre porque no sería ético, que son superiores a mí» (Mérida, 79: 52). ¿Por qué no sería ético saber cómo se llaman, si es para ensalzarlos? La contestación está en otra entrevista de la misma serie, la que hace la aguda entrevistadora al torero Paco Camino. Con el proverbial senequismo de los matadores, afirma el de Camas: «A mí no me gusta opinar sobre las personas» (p. 61). Para ello habría que nombrarlas, y eso nos acercaría a la maledicencia.

Recuerdo un episodio menor, que se repite muchas veces cuando saco un libro con algún atractivo popular. Hay que acomodarse a la exigencia de la «firma» de ejemplares. Como es lógico, la cortesía del autógrafo pasa por dedicárselo a una persona en concreto, para lo cual hay que saber su nombre. Pues bien, son muchas las veces en que la persona así interpelada se pone nerviosa. Nada menos que tiene que decir su nombre y eso que es para una relación solicitada. En ocasiones el interesado deja de contestar su nombre y me entrega su tarjeta. Supongo que en estos y otros parecidos casos lo que ocurre es que la gente se encuentra insatisfecha con el nombre que le han puesto. Son muchos los españoles que siguen creyendo toda su vida que su nombre es feo, como si hubiera alguna norma segura al respecto. Caben todas las combinaciones. Hay personas que se quejan de lo feo que es su nombre porque es común, otras que se lamentan de lo mismo porque es raro.

La obsesión por no mencionar los nombres de nuestros interlocutores se traslada al papel de los escritores, ensayistas y columnistas. La norma no escrita que se impone en esta república literaria es que se pueden citar nombres extranjeros —y cuantos más, mejor—, pero absténgase el plumífero de citar a los nacionales, sobre todo a los más próximos. Hay algunos autores, poco recatados, que mencionan de manera expresa la extraña norma. Desde luego, los que la practican son legión. En una entrevista que hace Miguel Veyrat a Dámaso Alonso, le pregunta por los otros componentes de su generación y el gran poeta le contesta: «No, no digo nunca nombres en las interviús. Cada nombre es una peligrosa sima» (Veyrat, 71: 10). En el fondo resuena la vieja máxima infantil: está feo señalar. Es una aplicación más del mundo de apariencia y sutileza en el que gustan de vivir los españoles. Al menos en este libro se incumple reiteradamente la norma de que está feo dar nombres.

Capítulo XII

LA NUEVA PEREZA: DINERO, TRABAJO Y OCIO

La nueva pereza no es la «ingénita apatía de la raza», que se decía en un texto de principios de siglo (La Iglesia, 08: 33). Se hablaba por aquellos tiempos de letargo, marasmo, abulia o indolencia para caracterizar el tono de la vida española. Los españoles adultos de hoy no nos reconocemos en esa descripción. Lo que destaca es más bien su contrario: un febril activismo, que empieza ya en la obtención de los grados escolares y concluye con la obsesión de tantos padres porque sus hijos sean «más que uno». Ser algo significa hoy ganar dinero en un puesto de trabajo que otros muchos ansían.

La noción de que es legítimo hacer dinero, triunfar en el mundo profesional o de los negocios, no es exclusivamente «protestante», como se ha dicho. Entra también en el catolicismo intelectual español y no sólo en esta última generación. Tenemos, por ejemplo, el caso de Ramiro de Maeztu, un escritor de la derecha nacionalista en sus años maduros, que importa de la experiencia inglesa la legitimación del enriquecimiento: «La adquisición del dinero no es empresa necesariamente interesada [hay que decir], que puede hacerse al solo intento de fortalecer la raza nuestra, que cabe un sentido desinteresado o reverencial del dinero» (Maeztu, 66:

36; publicado originariamente en 1927). Obsérvese, de paso, que todavía en ese léxico, que quiere ser moderno —y que, en efecto, se adelanta a su tiempo—, el «interés» aparece como algo desdeñoso. Ya no es palabra que en la actualidad lleve esa connotación. Conviene recordar que, andando el tiempo, Ramiro de Maeztu fue el santo laico de los «tecnócratas» de los años sesenta, los que fomentaron el desarrollo y el desarrollismo. El mismo Maeztu prefiguró esa herencia al razonar así: «Los hombres que no tenemos, pero que nos hacen falta, son los que consideran la economía como una de las regiones supremas del espíritu» (Maeztu, 57: 34; escrito en 1926).

El cambio fue más gradual de lo que parece. Maeztu fue un precursor de la idea de incorporar el dinero y el trabajo a la justificación de la vida. Combatió la República por otros motivos, pero la Constitución de 1931 se refería a la «República de los trabajadores» en que consistía España. Por esas mismas fechas, Gregorio Marañón se maravillaba de que «hasta en los medios más frívolos el elogio máximo que se hace de un hombre es decir que es un gran trabajador» (Marañón, 33: 45).

Un fino hispanista describe cómo se reforzó la ética del trabajo en los años que siguieron a la Guerra Civil: «Las clases medias, que no habían hecho otra cosa antes de la guerra más que sentarse en los cafés, empezaron a mostrar un nuevo ímpetu comercial e industrial. Actuar como un señorito holgazán empezaba a no estar de moda, ni siquiera era hacedero» (Adams, 59: 263).

En algunos textos del primitivo franquismo, junto a la retórica del «imperio» inmarcesible, se expresa ya el nuevo talante que va a legitimar la posibilidad de enriquecimiento personal. Un ejemplo: «El Estado español, y para beneficio de la Nación, necesita de ciudadanos que económicamente se sientan ambiciosos de sus riquezas» (Ferrandis Luna, 39: 48). Se acompañan los mandamientos del nuevo calvinismo a la española: «Todos los españoles deben trabajar, deben ser ambiciosos y, si pueden, deben ser ricos» (p. 49). «Es más útil al país el que bebe vino que el abstemio voluntario»

(p. 51). «Los hombres codiciosos y activos serán los más útiles al Nuevo Estado» (p. 52).

Qué lejos estamos de aquella generalización de Menéndez Pidal sobre el carácter español, uno de cuyos rasgos era «la desatención hacia los intereses materiales» (Menéndez Pidal, 59: 19). Esa visión mirífica no es sólo cosa del pasado y respecto del pasado; llega hasta nuestros días. Así resuena en la idealizada versión de la vida española, que recoge un apasionado hispanista: «Es muy cierto que la gente [en España] actúa constantemente de un modo que no tiene nada que ver con sus intereses prácticos inmediatos» (Jackson, 81: 196).

El mismo idealismo lo proyectan también algunos «hispanólogos». Todavía en 1966, Julián Marías se maravillaba de la «extraña fatiga» que producía al español «plantear las cosas en términos estrictos de economía», acostumbrado como estaba a una actitud «inutilitarista». Y añade este rasgo que al filósofo resulta simpático (aunque él no sea precisamente un ejemplo, como se deduce de sus memorias): «El español siente aún una extraña vergüenza de sus quehaceres y ocupaciones, y procura ocultarlos» (p. 24). Eso pudo ser hasta 1966, año más o menos, el fin de un largo período en el que el español se podía inhibir de tratar de los asuntos de la intendencia doméstica. No hay tal español abstracto, pero lo que es hoy, los varones de mediana edad y de las clases urbanas ya no saben hablar más que de dinero y de su trabajo. Bueno, pueden hablar de política o de deportes, pero son asuntos que cada vez se relacionan más con el dinero y el trabajo, es decir, con el éxito.

Dejemos a un lado las polémicas intelectuales. Lo cierto es que el pasado inmediato es para nosotros «laborocentrista», es decir, el trabajo se constituye en el centro de la vida, un signo no ya de predestinación, pero sí de seguridad en el éxito personal, de justificación del bienestar que legitima un consumo incesante. No olvidemos que hasta hace muy poco el empleo de un funcionario se denominaba «destino». No otro en la vida era más fundamental que ése: encontrar un trabajo fijo, realizar una vocación profesional.

De repente, ese subsuelo de creencias se cuartea. Aunque la obsesión de enriquecerse y de consumir sigue en pie, el destino o la vocación dejan de ser equivalentes a una etiqueta laboral. La vida es larga y móvil, caben en ella varios empleos y dedicaciones. Lo esencial es que para mucha gente, y a partir de un cierto umbral de subsistencia, el trabajo no lo llena todo, ni siquiera lo fundamental de una biografía. Los solicitantes de un puesto laboral incluyen en su currículum no sólo los méritos académicos o profesionales, la experiencia laboral, sino las aficiones, las dedicaciones sin ánimo lucrativo, los gustos. El trabajo se desplaza a los márgenes y lo que se hace centro es la fruición de la vida. Es una suerte de nuevo hedonismo lo que caracteriza a las sociedades actuales, desde luego a la española. La pereza deja de ser un vicio y, por lo tanto, no ha de ser combatida con la virtud de la diligencia. Paradoja de las paradojas, la tradicional «fiesta del trabajo» (el primero de mayo) se ha convertido en la ocasión de un benéfico «puente» primaveral que el vecindario aprovecha para gozar de una añadida holganza.

Cualquier especulación sobre las posibilidades de la vida española debe tener en cuenta la base económica, la evolución cíclica de la coyuntura. Durante los años ochenta hemos tocado fondo en la onda de los ciclos de Kondrátiev. Con el comienzo del nuevo siglo estaremos instalados en una nueva rama ascendente de la onda. Por fortuna, la crisis económica que acabamos de pasar ha coincidido en España con un momento de extraordinario optimismo político. Esa circunstancia ha ayudado a digerir mejor el infortunio. Durante la transición política la estructura de la sociedad ha experimentado fuertes cambios, como se certifica en estas páginas. Todo lleva a augurar un inmedidato futuro económico con más facilidades y la posibilidad de ulteriores transformaciones sociales.

Tampoco deben esperarse cambios radicales. La gran mayoría de los españoles que va a vivir a comienzos del siglo XXI están vivos ahora. Los que van a dirigir la economía y la política en el año 2000 y siguientes se encuentran matriculados en la Universidad o acaban de salir de ella. Junto a las condiciones mayúsculas de carácter institucional o ideológico hay que contar con la persistencia de ciertos rasgos culturales de alcance más doméstico y privado, del estilo de los que se exponen en estas páginas.

Hay una constante generacional muy marcada en la sociedad española. Las personas que se incorporaron al mercado laboral a principios de los años sesenta protagonizaron un período de inusitado desarrollo, sin comparación con toda nuestra historia y sin más parecidos que los de Japón o Italia. Ese «milagro» español fue posible gracias al desenvolvimiento de una notable «ética del trabajo» que llevó a acumular esfuerzos educativos, horas de trabajo y una general disposición de emulación y competitividad. Es sorprendente la coincidencia entre la duración de los ciclos de Kondratieff y la de una generación demográfica: unos veinte-treinta años. En ese lapso no sólo cambia la posición de la coyuntura, sino que se alteran los valores predominantes en la sociedad. Los hijos de la generación del desarrollo, los que se incorporan malamente al mercado laboral en los años setenta, despliegan una ética contraria: hedonista, reacia a diferir las satisfacciones, narcisista (no hay sentido de culpa, uno es el centro del mundo), irresponsable. Sólo un dato. En la generación de los padres el hecho de tener dos empleos constituía un orgullo, algo que se exhibía socialmente; en la generación de los actuales jóvenes la idea de tener dos empleos se considera como moralmente reprobable, más que mantener relaciones homosexuales, abortar o negarse a hacer el servicio militar.

Si nos atenemos a una estricta secuencia ondular de las coyunturas y las generaciones, hay que imaginar que dentro de unos diez años, con el simbólico cambio de siglo y de milenio, empezaremos a notar el ascenso de una nueva generación de españoles otra vez movida por una intensa ética creadora, disciplinada. Cuesta imaginar hoy tal transformación, vistos los valores que predominan en los jóvenes de estos últimos años, pero hay que suponer que ese cambio puede darse.

Así como la generación que trajo la República e hizo la guerra se proyectó sobre la política, la que le sigue, treinta años después —en los sesenta—, incide sobre el desarrollo económico. La actitud de la generación de los noventa va a ser más bien la creatividad en los aspectos culturales o artísticos. Se cumple la teoría de la «olla tapada»: los cambios son más bruscos cuando se contienen durante un tiempo. La llegada de la democracia en 1975 no ha visto todavía la eclosión cultural que tuvo la vida española con el advenimiento de la República en 1931. No es razón suficiente la mala coyuntura económica, que también fue regresiva en los años treinta. Simplemente, ahora se ha pospuesto ese fermento cultural, que hará explosión según nos aproximamos al final del siglo.

La erosión de la ética del trabajo se puede rastrear en algunas encuestas. En una realizada por el CIS en 1987 se anotaban las respuestas a la pregunta de si se siente tener que volver al trabajo cuando termina el fin de semana. La asociación es clarísima con la edad: los jóvenes son los que más sienten ese trance (un 62 %) y la proporción decrece conforme avanza la edad (hasta un mínimo del 18 % en los que superan los 60 años).

En una encuesta realizada en 1981, sólo un 22 % de una muestra de adultos consideran que «después de acabado el fin de semana es agradable volver al trabajo». El resultado para Italia es el 31 %. Lo interesante para España es que el porcentaje varía entre un 32 % en las personas de más edad a un 7 % en los jóvenes (Andrés Orizo, 83: 182). Lo que destaca es siempre una insuperable distancia generacional. Padres e hijos ven el trabajo de distinta manera.

La ética del trabajo partía de una idea optimista en la relación de la economía y el empleo, como correspondía a una coyuntura económica favorable: según crecía el producto social, el empleo aumentaba en parecida proporción. La ética que la sustituye no es sólo hedonista o consumista, es también pesimista, acaso podría decirse realista, vistos los resultados. Considera que la economía podría expandirse, pero no el empleo en la misma medida. No queda más que aceptar unas reglas del juego que se traducen en la propuesta de que sólo puede mejorar uno a costa de la pérdida correspondiente de otro. La creencia habitual, en las encuestas recientes que se han hecho a los jóvenes, es que el mejor medio para que haya más empleo es que se rebajen las horas extraordinarias, que se acorte la duración de la jornada laboral o que se adelante la edad de jubilación. Esta noción crea una larvada tensión generacional, un bajo sentimiento de solidaridad entre las generaciones. Los adultos no son ya los que preparan el camino para los jóvenes, sino los que lo obstaculizan.

Ahí empiezan los problemas, no concluyen. Se considera que otras muchas dedicaciones son las que interesan, no sólo la del trabajo. De momento sucede que nuestra larga etapa de formación nos ha preparado sobre todo —a los adultos, digo— para trabajar y competir. Las gentes tienen cada vez más espacio de ocio, o mejor, de no trabajo, pero no saben muy bien qué hacer con ese abundante tiempo.

Hay analistas que sostienen que eso del creciente tiempo para el ocio es una falacia. No, no lo es. Los españoles viven más años y viven sobre todo más años inactivos, bien porque se dedican a estudiar o se encuentran jubilados.

Es fácil imaginar una sociedad esclavista y concluir que el progreso consiste en que todos los que trabajen reciban un salario proporcionado al esfuerzo personal. En esto, como en todo, no hay una trayectoria rectilínea de progreso indefinido. Bien es verdad que hace un siglo desaparecieron los esclavos, pero en épocas más cercanas lo que se afianza es la tendencia a que se destaquen cada vez más las actividades que no reciben una compensación económica proporcional. Súmense las personas adultas que realizan estudios, las que se dedican a labores políticas, religiosas o humanitarias sin carácter profesional, las amas de casa, los jubilados que realizan tareas parciales o marginales, los enfermos crónicos graves o impedidos, la población reclusa y la población mendicante. Esta suma da un conjunto cada vez más amplio. Es una consecuencia de la ley general de la creciente complejidad que venimos observando en la sociedad española.

Dentro del período laboral, menudean los tiempos muertos de vacaciones, «puentes» y ausencias del trabajo por causas mil. Incluso si reducimos el cómputo al calendario estrictamente laboral, la presión productiva está muy lejos de ser la que se deriva de la estricta interpretación de los reglamentos. Hay que ser sinceros: en la mayor parte de los centros de trabajo sobra una gran parte del personal o, lo que es lo mismo, son innumerables los tiempos en los que los empleados están mano sobre mano. Es algo que no se dice, que no conviene decir porque a nadie interesa que se divulgue, pero así es.

Si la afición al trabajo disminuye y no lo hace la del consumo, la salida no puede ser otra que la de la creciente popularidad de nuevas formas de hacer dinero súbito, espectacular, aunque puedan rozar a veces la ilegalidad y hasta la inmoralidad, extremos que preocupan poco. Anotemos estos nuevos métodos:

1) Venta clandestina o ambulante de artículos escasos (de modo llamativo la droga).

2) «Apuntarse al paro» y mantener al tiempo algún tipo de dedicación más o menos fija.

3) Conseguir alguno de los mil tipos de subvenciones públicas.

4) Para los jóvenes, vivir a costa de la familia.

5) Demorar el pago de las deudas o simplemente no pagarlas. Si lo hacen los Estados y las grandes empresas, ¿por qué no van a copiar esa conducta los particulares?

6) Apostar en los innumerables juegos de azar, oficiales, oficiosos, legales o ilegales.

7) Ejercer la prostitución en sus diferentes variantes, algunas no profesionales.

8) Dedicarse profesionalmente a la política, a través de la cual se generan interesantes «contactos» para hacer negocios.

9) Ejercer la mendicidad o actividades parasitarias parecidas, mejor de forma empresarial que asalariada.

10) Dedicarse a la intermediación económica («despachos de influencias»).

11) Trabajar en las mil actividades que generan transacciones sin impuestos, las más de las veces dentro de una dedicación mayormente legal.

En definitiva, la vieja picaresca renovada, con la que mucha gente se defiende de una irritante presión fiscal. No se trata de moralizar en ningún sentido, sino de precisar las conductas de muchos españoles. En su defensa hay que decir también que, al tiempo que la sociedad se hace más compleja, se generalizan las manifestaciones de trabajo como dádiva, que no espera una compensación económica. No es sólo que se amplíen las actividades sin ánimo de lucro (en la política, en la religión, en mil acciones humanitarias, filantrópicas o culturales), sino que ese aspecto llena muchos ratos de muchas personas. Lo que ocurre es que, al no intervenir la contraprestación económica, dejamos la órbita laboral para acercarnos al ocio.

La situación anterior es compatible con la realidad de una economía que cada vez produce más y que, por lo tanto, permite también mayores dosis de corrupción o de picaresca. La máxima producción se deriva de la creciente eficacia de máquinas y organizaciones, compatible, por tanto, con una actitud más relajada por parte del personal. Es más, en las interesantes conversaciones que mantienen entre sí los empleados de muchos centros de trabajo, la cuestión primordial es lo que los interlocutores han hecho o van a hacer con el tiempo de asueto. Casi siempre esa descripción de los planes para las vacaciones empieza por un viaje. Viajar como un fin en sí mismo, con un propósito placentero —aunque no siempre sea un placer lo que resulte— constituye uno de los elementos que mejor definen el estilo de vida de una persona en este nuestro mundo móvil. Viajar es por definición gastar. Se corresponde muy bien con la ética del consumo que sigue cronológicamente a la ética del trabajo.

He dicho lo de viajar como un fin en sí mismo, pero habría que precisar que se trata más bien de una actividad con un fin encubierto de carácter extraeconómico: el de poder contarlo. El viajero, el turista, se provee de elementos que puedan demostrar que el traslado ha tenido lugar:

1) Objetos más o menos exóticos que sólo se pueden comprar en el lugar adonde se viaja, por lo menos a un precio reducido.
2) Pruebas gráficas de que «se ha estado allí» (postales antaño, vídeos hogaño).

La recopilación de estos dos elementos de prueba consume una buena parte del tiempo del viajero, de tal modo que a veces logra descompensar el pretendido equilibrio que supone el viaje placentero como ruptura de obligaciones.

El cambio verdadero de los últimos decenios en España no ha sido tanto la recepción del turismo extranjero como el nuevo hábito de muchos españoles de hacer turismo también ellos. Han descubierto que es otra manera de cumplir con el inveterado uso social que marca la conveniencia de vivir volcados hacia el exterior. El español tradicional podía emigrar a lejanas tierras si hacía falta, pero el interés era escaso por visitar otros lugares. Los novios de clase bien, después de la boda, salían para un difuso, fugaz y pecaminoso «extranjero», representado mayormente por París. Las costumbres foráneas se tenían por extravagantes. Todo eso ha cambiado. Los grandes almacenes organizan intermitentes ferias para la venta de productos exóticos. Su adquisición es un asequible sucedáneo del imposible (para la mayoría) viaje a esos lejanos países.

Hubo un tiempo en el que los símbolos asociados con la profesión o el trabajo determinaban la consideración social de que podía gozar el sujeto. En la actualidad no pesa tanto esa dimensión; lo que marca hoy la posición social es el uso del tiempo libre. El empleado y el jefe, el ama de casa y la sirvienta pueden vestir de parecida manera, coinciden en un similar horario de obligaciones, pero sus costumbres difieren una vez que concluye el trabajo y comienza el tiempo para ser consumido por sí mismo, el tiempo llamado libre. Aquí las opciones se multiplican. Incluso si se adscribe uno a la recepción de los programas de la radio o la tele, es amplísimo el abanico de posibles opciones. El ocio es el reino de la diversidad. Lo que verdaderamente determina una posición desahogada es la no distinción entre ocio y trabajo en una misma biografía. Ese fue el ideal monástico, que luego asimilaron los artistas y los escritores de vida bohemia. Hoy día se han incorporado a ese ideal algunos profesionales liberales y hasta algunos hombres de negocios. Los ricos de verdad son actualmente los que consiguen que el trabajo sea un placer, no una obligación.

En los tiempos que corren existe una verdadera mística del tiempo libre paralela a la adoración por todo lo juvenil. Ambas tendencias se hallan emparentadas desde el momento en que los jóvenes disfrutan de más ocio, aunque sólo sea por el tiempo tan dilatado que tienen que aguardar en la «sala de espera» de las instituciones educativas que les preparan para el trabajo. Los jóvenes hacen de la necesidad virtud y se convierten en formidables acaparadores de ocio. Su conducta es imitada por los adultos, que quieren así parecer más jóvenes. A diferencia del ocio tradicional —que significaba literalmente no hacer nada—, el modo juvenil de disfrutar el tiempo libre consiste en consumir ocio como se consume cualquier otro producto, es decir, gastar. No basta con hacer ejercicio físico (por ejemplo, paseando por el campo), sino que hay que utilizar costosas instalaciones deportivas, proveerse de la ropa deportiva adecuada, someterse a una estudiada dieta y a continuos cuidados higiénicos e incluso médicos. Se trata, pues, de un ocio activo y masivo, muy lejos de la tradicional indolencia de las clases pudientes. Tanto es así que la desvanecida ética del trabajo (espíritu competitivo, emulación, satisfacción por la obra bien hecha, realización personal en la tarea profesional) se ha trasladado a muchas actividades de ocio: las deportivas, las de culto al cuerpo, el bricolaje.

No todo el tiempo de no trabajo es tiempo libre o de ocio propiamente dicho. Entre uno y otro hay lapsos variables y crecientes de actividades imprescindibles, no remuneradas y que tampoco promueven una gran significación. Están, por ejemplo, los espacios del día dedicados a las tareas domésticas, el transporte, la resolución de gestiones y papeleo, las llamadas telefónicas rutinarias, la compra, la comida convencional próxima al lugar de trabajo. El secreto está en hacer placenteras algunas de esas actividades. No siempre se consigue. Es difícil encontrar gusto en la búsqueda de una plaza de estacionamiento para el coche, en fregar los platos o en comer de cafetería.

Tampoco debe considerarse como ocio satisfactorio el tiempo de no trabajo que caracteriza al que va buscando empleo. A veces incluso el jubilado forzoso encuentra que le sobra tiempo porque no sabe qué hacer con el que de repente le conceden. En casos extremos esta situación brusca puede provocar una verdadera enfermedad.

Aun en situaciones en que podríamos hablar con más propiedad de tiempo verdaderamente libre, si el sujeto no es capaz de entretenerse, de encontrar un aliciente a ese asueto, estamos lejos de poder considerar esos momentos como un capítulo de sus ocios. Este problema es más general de lo que parece. Simplemente mucha gente se aburre cuando no tiene nada que hacer por obligación. Media vida hemos estado aprendiendo a trabajar, pero poco se nos ha enseñado a disfrutar del tiempo ocioso.

En todo lo anterior partimos del hecho de que el trabajo es algo odioso, que fatiga. Queda dicho que en algunos casos puede ser estimulante, creador, como ocurre con los artistas y algunos profesionales liberales. En ese supuesto está menos clara la distinción entre trabajo y ocio, pero esa bienaventurada superposición sólo afecta a una escuálida minoría de personas. Casi todas agradecen concluir la faena cotidiana y ponerse a hacer lo que de verdad les place.

Habría que distinguir entre ocios pasivos y activos. No

es lo mismo ver cine que rodar una película familiar, asistir a un espectáculo deportivo que ver deporte, leer que escribir. La distinción no tiene por qué ser moral o valorativa. No se entiende muy bien la razón de que sea de un orden superior jugar al tenis que ver un partido de tenis en la tele. Lo primero beneficia más al cuerpo, pero no tanto si antes se ha consumido el día en un trabajo manual o simplemente un trabajo que exige estar de pie toda la jornada, como hay tantos. La distinción es circunstancial, depende del momento y del lugar. Leer parece más pasivo que escribir, pero si va uno en un tren, la lectura puede ser un pasatiempo más activo que solazarse con el vídeo. No nos apeamos del «laborocentrismo» si insistimos en que los ocios deben ser activos.

Otra distinción es la del ocio solitario o compartido. Aquí entra un rasgo cultural muy influyente. Ya sabemos que los españoles gustan de emplear sus ocios en compañía. De ahí el poco aprecio que hacen de la lectura y el encanto que producen las mil formas de tertulia. Precisamente una de las razones del éxito de las tertulias radiofónicas es que las «siguen» muchas personas que se encuentran solas (en casa, en el trabajo, en el coche) y de esa forma se entretienen en grupo, aunque sólo sea de esa forma vicaria. Puede parecer sorprendente, pero es un hecho que en las sociedades complejas cada vez hay más personas que viven solas.

En principio el ocio representa la recuperación de un espacio privado, íntimo incluso, frente al alojamiento del trabajo en lo que podríamos llamar espacio público. Ahora bien, esto no siempre es así. No lo es si el trabajo se realiza en casa, y tampoco lo es —situación más frecuente— si el ocio se emplea en estar con más personas, con mucha gente incluso. Aquí es donde entra el ramalazo gregario de los españoles. No se entiende muy bien por qué el fin de semana consiste para muchos en hacer lo que hacen otros tantos, en los mismos lugares, lo que resulta en un cierto hacinamiento de las carreteras, los restaurantes, las estaciones de esquí, las playas y otros muchos lugares teóricamente de esparcimiento. Lejos de «esparcirse», la población se concentra, se arracima en esos lugares de acogida de los ociosos. Es difícil saber desde fuera dónde reside el placer, pero alguna satisfacción debe de dar la asistencia a un espectáculo junto a otras muchas personas que van a lo mismo. No se piense sólo en fiestas ruidosas. El mismo placer gregario se obtiene asistiendo a una exposición en un museo después de aguardar varias horas en una cola. La unión de lo gregario y lo placentero es cada vez más firme en el gusto de los españoles. Contradice un poco los estereotipos de la insolidaridad y del individualismo. «Yo estuve allí donde había tanta gente» es un extravagante placer que se hace más y más corriente.

Hay actividades pensadas en principio como parte del trabajo que, precisamente por su carácter colectivo, admiten varios elementos de ocio. Piénsese, por ejemplo, en los congresos, convenciones, simposios y jornadas de todo género que cada vez proliferan más. El fin expreso puede ser el de trabajar, aprender, desarrollar contactos útiles; el fin latente, pero firme, es el de divertirse. Cuando no hay espectáculo para la ocasión, el auditorio crea el suyo propio, se escucha a sí mismo y se solaza con ello. Puede organizarse muy bien un congreso para estudiar el tiempo libre o incluso para aprender a organizar congresos. También los operadores turísticos se reúnen para hacer turismo.

Cada vez es más frecuente el hecho de que las grandes empresas premien a sus directivos con reuniones, formalmente de trabajo, que tienen lugar en tierras lejanas y a las que suelen asistir emparejados. El viaje y la estancia se convierten en una excelente oportunidad para el descanso, el turismo, y más aún si el lugar elegido permite realizar compras interesantes. ¿Qué es ocio y qué es trabajo en esas tenidas? Fiscalmente se podrían considerar como un salario en especie. Desde el punto de vista de las organizaciones, el acto contribuye a reforzar la identificación con la empresa y también con las respectivas familias.

Muchas formas de ocio consisten en cambiar de escenario, en poner tierra por medio de un modo ocasional. El fin de semana fuera de la ciudad de uno es la ilustración más característica. Es como una venganza, un desquite del poderoso atractivo que ha supuesto la ciudad para tanta gente. En cuanto hay dos días libres se forman largas colas para escapar momentáneamente de ese efecto imán, acaso para volverse a juntar en otro polo de atracción efímera, como puede ser la playa o a veces otra ciudad. A la trashumancia del fin de semana contribuye mucho el agobio que supone la vivienda pequeña e incómoda de la mayoría de los españoles. Curiosamente, el coche se transforma en una especie de segunda vivienda rodante, tanto tiempo se pasa en él. Ha llegado un momento en que hay más plazas de automóvil que españoles, más automóviles que viviendas, más viviendas que hogares.

La abundancia de ocio y la necesidad de llenarlo con un ulterior consumo de energía genera, paradójicamente, todo un nuevo y poderoso rubro económico. No sólo el turismo, sino el transporte, la industria editorial, la del entretenimiento y el espectáculo, la hostelería, los deportes, las comunicaciones, la información, los juegos de azar, los parques de atracciones, todo eso junto y algo más constituye el capítulo económico más expansivo: el de los servicios para el disfrute. El ocio para unos es trabajo para otros, es el negocio del ocio. El comercio no subsistiría si no fuera porque comprar es cada vez más una parte de la actividad de ocio. Los sábados, y cada vez más también los domingos, constituyen excelentes jornadas comerciales para muchos establecimientos, sobre todo las llamadas «grandes superficies» y los mercadillos. Son el equivalente de las antiguas ferias (en principio de ganado), que eran por ello fiestas.

El ocio tiene que ver menos con la Naturaleza de lo que a menudo se suele suponer. Cierto es que a casi todo el mundo le gusta el campo, la playa, la montaña, pero los pasatiempos favoritos de los españoles son ver la tele, escuchar la radio y subirse a un automóvil. Los tres implican, por lo tanto, la utilización de un artefacto mecánico y electrónico, un producto bastante artificial.

La idea estereotipada del fin de semana o de las vacaciones algo más duraderas es el descanso. Ahora bien, en realidad lo más característico de este tiempo es moverse, desplazarse. A diferencia de otras épocas, los españoles viajan hoy mucho más por placer, por gusto, que por necesidad. No se viaja tanto porque en el lugar donde uno reside no existan amenidades suficientes. La prueba es que también se mueven con regularidad los que habitan en zonas residenciales, en ciudades turísticas. El trasladarse de lugar es un fin en sí mismo, como lo es muchas veces el ir de compras. En la lógica del ocio no se busque demasiado utilitarismo. Precisamente lo que lo define es el relajamiento de la racionalidad utilitaria, como contraste con la saliencia de esa racionalidad en el mundo del trabajo, de las obligaciones educativas o familiares. Este último es el mundo de la responsabilidad. La responsabilidad es cansancio y tensión. El arco no puede tensarse indefinidamente sin romperse.

El ocio tiene sentido porque es en principio para todos. En la sociedad tradicional había personas indolentes (nobles, hidalgos, eclesiásticos) y personas que trabajaban. Nadie discutía esa que hoy nos parece injusta distinción. Es más, se consideraba que las personas indolentes eran superiores. Actualmente la distinción se ha borrado y se entiende, con más juicio, que en el tiempo de todas las personas hay momentos para el trabajo —remunerado o no— y para el ocio. Los trabajadores no reivindican sólo vacaciones, sino vacaciones pagadas. Los españoles reivindican el derecho a la pereza. Ese es un cambio mucho más sustancial que el que expresan los preámbulos de muchas leyes.

Capítulo XIII

A GOLPES: VIOLENCIA Y CRUELDAD

¿Qué hay de cierto en la caracterización de los españoles como violentos, sanguinarios, crueles? La cuestión resulta enmarañada.

En los escritos de los «hispanólogos» predomina una concepción belicista, la de los españoles enfrentados unos contra otros, agitados, hostiles. Para Ortega y Gasset el adjetivo de España es «invertebrada», y para Juan J. Linz es «no sedimentada». Para Camilo José Cela «España es una manera de ser, un entendimiento de la existencia basado, paradójicamente, en el no entendimiento de los españoles entre sí». Más terrible aún es la conclusión de José María García Escudero: «Sólo una pasión aventaja en los españoles a la de matarse unos a otros y es apuñalar a su país, denigrarlo». (Las referencias pueden verse en De Miguel, 86.) ¿Será posible? Creo que los intelectuales han exagerado un tanto el descoyuntamiento de la sociedad española, la virulencia con que los españoles se han visto unos a otros. Quizá proyecten sobre el conjunto de los compatriotas esa nota de duro enfrentamiento que a veces destaca en la república de las letras. Cierto es que se recuerda la última y crudelísima Guerra Civil, pero fue más que nada una «guerra de ideas», para utilizar el título de un libro básico sobre la historia intelectual española, la cual preparó y dio contenido al enfrentamiento de 1936. Visto así, es cierto que se trató de una guerra «civil».

Los juicios severos sobre la convivencia española son abundantísimos. Uno reciente: «Salvo breves períodos de paz, abiertos al progreso de la libertad, la historia interna de los españoles es la historia de sus propias matanzas» (Zaragoza, 85: 18). Un dato curioso: en la cubierta del libro que cito, subtitulado «una reflexión sobre la violencia de los españoles», figura una reproducción del cuadro de Goya *Los fusilamientos de La Moncloa.* Se trata de un terrible acto de violencia, pero los que fusilan a quemarropa son franceses. No se corresponde esta imagen con la conclusión del autor, para quien «el español (de los últimos dos siglos) labra su propia historia con surcos de crueldad distanciadores de una Europa moderna, que se humaniza progresivamente en el dulce arte de la convivencia» (p. 23). Una Europa demasiado idealizada, como precisamente lo ilustra el cuadro antedicho de Goya.

Estoy con Julián Marías en su reiterada observación de que la historia española no es tan cruenta como la de nuestros vecinos europeos, a pesar de que nosotros llevamos la fama de levantiscos y belicosos. Cierto es que en este siglo nos enzarzamos en una sanguinaria (¿y cuál no lo es?) guerra civil, pero no es menos cierto que en las otras dos guerras mundiales, mucho más destructivas, los españoles prácticamente no participamos. Después de todo, las pomposamente apellidadas «mundiales» fueron más bien guerras civiles europeas. Aun así, el doméstico bombardeo de Guernica ha quedado más en el recuerdo de los horrores que los que asolaron poco después a Alemania o a Inglaterrra, mucho más sanguinarios, sin comparación. Habrá que preguntarse por qué la paja en el ojo español molesta a tanta gente.

En este siglo nuestro, además de otras desgraciadas aventuras, los españoles hemos logrado cambiar un par de veces un régimen de dictadura militar sin que el tránsito costara ni una sola vida humana. Pocas naciones pueden narrar hazañas tan pacíficas.

La tradición violenta en la política española se ha movido siempre en la idea de un rechazo de la política como algo falso o artificial y de una alternativa apelación a los elementos de espontaneidad, hermandad y solidaridad natural. Este es el factor común que une fenómenos tan distantes, pero tan españoles todos ellos, como el carlismo, el anarquismo, el falangismo o Herri Batasuna. «Herri Batasuna es la consumación del viejo sueño aberriano [patriótico] de hacer una política que no sea tal, que sea un rechazo de la política, porque la política es una cosa de españoles. Los vascos, es un decir, hacen patria, no política» (Morán, 82: 383).

También los nacionalistas catalanes «hacen país» con el mismo sentido de superar la política que se hace en «Madrid». El resultado en ambos casos —y con distinto grado— lleva a justificar la violencia, contra la cual —de otra forma— se rebelan los nacionalistas. El nacionalismo, dejado a sus impulsos, acaba siendo violento. Muchos de los ejemplos más característicos de violencia política en la España contemporánea tienen que ver con una u otra forma de nacionalismo.

El fenómeno del terrorismo de la ETA no puede despacharse con una calificación simplista que lo identifique con una «banda criminal», como se dice de manera oficial fuera del País Vasco. Hacia 1979, precisamente en el momento más sangriento de la ofensiva etarra, la mitad de la población vasca expresaba en las encuestas una opinión positiva sobre los terroristas (idealistas o patriotas). Esa proporción (a la que habría que sumar un 14 % de no contestación) se alza hasta representar una clara mayoría absoluta en los estratos de menos de treinta y cinco años de edad (Linz, 86: 638). El dato resulta estremecedor.

En una encuesta sobre los jóvenes vascos de 1986 se obtiene nada menos que un 36 % de respuestas que justificarían el terrorismo «en ciertas circunstancias». En el conjunto de los países de la Comunidad Europea, en 1981, ese porcentaje sólo llega al 25 % e incluso en Irlanda se llega a un máximo del 30 % (Elzo, 86c: 429). En el caso vasco, los lectores de los diarios nacionalistas hacen elevar la proporción justificadora del terrorismo: hasta un 62 % en los lectores de *Egin* y un 40 % en los lectores de *Deia* (p. 431). El porcentaje alcanza un máximo del 65 % en el pequeño grupo de los consumidores habituales de drogas duras (página 435) y un 75 % en los votantes de HB (p. 436). También es alto (60 %) en los que se consideran ateos (p. 435). Como puede verse, estamos muy lejos del estereotipo del nacionalista vasco extremo como un católico fanático. Habrá que volver sobre ello.

En general, la actitud más violenta de los jóvenes en toda España se asocia con el alejamiento de la religión. En una encuesta reciente a jóvenes de 15 a 24 años, la proporción de los que nunca justificarían la violencia oscila entre un 76 % de los católicos muy practicantes a un 54 % de los ateos. La asociación con religiosidad es clara en todos los grados de esta última (González Blasco, 89: 133). En síntesis, los jóvenes violentos no son cruzados, sino rebeldes. En un mundo secularizado, la religión cultiva la tolerancia

El pecado español no es tanto la violencia como la crueldad, que es una dimensión más cotidiana. Así lo considera, por ejemplo, ese monumento al escepticismo que es Josep Pla (Mérida, 79: 249). Hay otros testimonios también muy elocuentes que descomponen la crueldad española en sus elementos más sutiles: «Uno de los más graves defectos de nuestra raza es la sequedad de alma, la sequedad de corazón, la falta de emoción y ternura. El medio físico y la historia nos hicieron duros; la miseria, que nos hizo sobrios, nos hizo también crueles. Una religión de tristeza y de muerte nos dio el culto fanático del dolor. Nuestro espíritu es seco como la meseta central en que culmina nuestra geografía» (Albornoz, 22: 49).

Quizá se exagera un poco la influencia del medio físico, pero no va descaminada la interpretación de la «sequedad moral», que tanto contradice el estereotipo de la efusión y la alegría.

La crueldad contra el débil y el marginado ha sido la norma sempiterna por la que se ha regido la vida colectiva española. En la España de otros tiempos ésta se practicaba contra las minorías heterodoxas, fueran judíos, moriscos o protestantes. Dentro de algunas regiones, la etiqueta de grupo débil y marginado se colocaba sobre algunas minorías ocupacionales o étnicas: maragatos, vaqueiros, pasiegos, agotes, chuetas, gitanos, afiladores, quincalleros. También es curioso que, como respuesta a ese rechazo, algunos de esos grupos se dedicaran más que nada al modesto comercio, a la trashumancia o al nomadeo, actividades que de suyo han resultado sospechosas a los españoles «respetables». Todavía hoy la palabra «hortera» (dependiente de un comercio) resulta un insulto, como lo es a veces el calificativo popular de «mercantilista». Las palabras «gitano» o «quinqui» presentan normalmente un sentido de desdén.

En la actualidad la marginación se define en términos legales. Los grupos marginales lo son porque actúan al margen de las leyes: inmigrantes ilegales, «camellos» o modestos traficantes de droga, mendigos, vendedores ambulantes, pandillas juveniles, terroristas. Todos ellos tienen de común el despliegue de una intensa solidaridad dentro del grupo, solidaridad que resulta sospechosa para la sociedad —digamos— establecida.

La forma más taimada de crueldad es la que significa «echar la culpa a la víctima». Se practica todos los días y en todos los ambientes de la vida española, incluyendo algunos tribunales de justicia. Cito sólo una ilustración minúscula, un suceso que se narra en los periódicos el día en que esto se escribe (*El Mundo,* 24 de mayo de 1990). Resulta que en Santiago de Compostela (da igual el lugar) una camarera de una cafetería sufre una violación. La reacción de la empresa es su despido inmediato por «la repercusión negativa que podría tener para el negocio». Lo extraordinario del caso es que la denuncia de la violación la realizó un grupo de profesores ante la resistencia a presentarla por parte de la joven o de su familia. Ahora se ve que había buenas razones para resistirse a denunciar el atropello. La actitud de los profesores, en su aparente ejemplaridad, no deja de ser una forma de crueldad adicional en esa triste historia; de crueldad y de arbitrismo, para recuperar los viejos fantasmas. Meterse a redentor de buena fe, qué español es.

El clima de crueldad confiere un tono agrio a la vida cotidiana española. El famoso torero El Niño de la Capea (Pedro Gutiérrez Moya), a la pregunta de cuáles han sido sus estudios, contesta que «de niño muy poco, lo que antiguamente se llamaban estudios primarios. Lo demás lo he aprendido a bofetadas» (*El Correo Español,* 89: 75). Es la idea bíblica de que la vida es lucha y que esa dureza es la mejor escuela.

Una sociedad no consiste sólo en relaciones fluidas, amables, cooperadoras; también chirrían los contactos humanos. Hemos visto algunos elementos hoscos del vivir de los españoles. No sólo hay conflictos, hay personas cuya presentación ante los demás es ya amenazadora. Molestan al orden social, tratan de deshacerlo desde su modesta instancia, hacen que los demás se sientan inseguros, sufren ellos mismos esos desajustes. Una sociedad compleja no sabe cómo excluir de su nómina a los mendigos, los delincuentes habituales, los terroristas, los alcohólicos, los locos (en todas sus variedades), los drogadictos, los vagos y pícaros profesionales. La suma de todos ellos —aunque haya superposiciones— supera el volumen de lo que razonablemente se puede describir como un grupo minoritario. Marginación, desviación y desorganización no son conceptos intercambiables, no son sinónimos. Implican maneras distintas, y aun contrapuestas, de encararse con el problema social primordial: la existencia de situaciones y de individuos que producen o que acumulan malestar en las relaciones de convivencia. Son casos muy dispares que pueden ser diagnosticados y tratados de forma diferente.

Cuando se habla de *desviación* o de conducta desviada se parte de que el sujeto en cuestión tiene la culpa de salirse de la corrente principal de normas y valores. Suele ser el punto de vista jurídico, cargado con una inmensa tradición individualista. Si el diagnóstico es un sujeto que se desvía de la norma, la solución más común consiste en la pena de aislamiento, reclusión o, por lo menos, la segregación simbólica para que su caso no sea visible. También había enfermedades en el pasado cuya solución pasaba por aislar a los enfermos en un lazareto.

El punto de vista de la *marginación* carga la culpa sobre la sociedad en donde vive el sujeto. La causa del malestar se deriva de la posición social, la etnia, el lugar de asentamiento en el que vive el sujeto. La solución del malestar consiste en organizar la protesta de los grupos así marginados e incluso conducirlos por el camino de la revolución. Ni que decir tiene que por este lado no se abren muchas esperanzas.

Hay una tercera vía, que es la del punto de vista de la *desorganización* o mala integración social. Se trata aquí de exonerar de la mayor parte de culpa que cae sobre el sujeto o sobre la sociedad. La raíz del problema está en la biografía del sujeto, en las condiciones y tipo de vida. El observador o el analista adopta un aire clínico y la solución del problema está en la curación, en la reintegración social de los casos inadaptados.

Los tres puntos de vista no son excluyentes del todo. Hay situaciones (por ejemplo la miseria del barraquismo) que se comprenden mejor con la perspectiva de la marginación; hay otras (como la delincuencia juvenil) que se entienden mejor con el esquema de la desorganización social. Es posible que la violencia estricta y profesional se pueda comprender mejor a partir de la idea de desviación.

Sea cual sea el punto de vista que se adopte, la clave de todas las formas de marginación, desviación o desintegración se encuentra en el conflicto de valores y normas con la conducta del sujeto. Por ejemplo, la sociedad española actual —ya lo hemos visto— valora hasta el límite el éxito personal y su símbolo más característico, el dinero. Los fines son aceptados por casi todos, pero la misma sociedad no proporciona los medios legítimos a todos sus componentes para alcanzar esos valores. La presión rompe por algún lado, por los individuos en una posición más débil, sea por razones de personalidad, educativas, familiares o de cualquier otra índole. En definitiva, las formas de desorganización social son el coste que hay que pagar por el hecho de que la sociedad española esté sometida a un intensísimo ritmo de cambio y con niveles muy destacados de urbanización.

El supuesto más claro de conducta antisocial es el que se tipifica como delito por los códigos. Hay aquí una notable confusión de planos. No todos los daños contra la sociedad se definen como delitos. En España, por ejemplo, todavía se está discutiendo si el «tráfico de influencias» o la «información privilegiada» en asuntos de lucro pueden incluirse en el Código Penal. Es sólo un ejemplo de la no universalidad de los delitos. Lo que aquí y ahora es delito puede no serlo en otro lugar o en otro tiempo. Además, no todas las conductas que se tipifican como delitos son antisociales o no lo son igualmente. Por ejemplo, hay algunos «delitos sin víctimas»: el caso más característico es el de algunos relacionados con la conducta sexual. Sea cual sea la panoplia de delitos, el hecho es que no todos los delincuentes son castigados y en su persecución es posible que no pocos inocentes paguen injustas penas.

Lo más grave es que las conductas tipificadas como delitos en los códigos no sancionan igualmente todas sus posibles manifestaciones. Por ejemplo, «robar» puede ser una conducta reprobable en un atraco callejero, pero apropiarse de lo ajeno en sutiles operaciones financieras puede ser algo digno de mérito si lo realiza un gran empresario o un profesional brillante.

Por otro lado, las estadísticas de delitos contra la propiedad significan poco cuando muchos robos en domicilios o vehículos ni siquiera se denuncian, tan tenue es la creencia en la capacidad que tiene la policía de aprehender a los ladrones. No digamos si los latrocinios son a través de complicadas maniobras económicas o de relaciones con los entresijos del poder. Esas son «corrupciones de mayores», tantas veces impunes.

A la violencia callejera —una confusa mezcla de experiencias personales y de impresión a través de los medios de comunicación— junto con la desvaída creencia de que la policía es ineficaz para contenerla, a todo ello junto se denomina «inseguridad ciudadana». Antes se llamaba «orden público» —nótese la curiosa inversión del sentido de las palabras. ¿Es un hecho cierto la base de delitos contra la propiedad o las personas, o bien es una exageración más o menos medrosa o interesada? Así se ha preguntado en una encuesta del CIS de 1987. Dado el carácter del objeto, no habrá que asombrarse de que el resultado siga la norma del 80 %, repetidamente aludida. En efecto, un 80 % señala que «es verdad» que existe «la inseguridad en la calle y el aumento de la delincuencia en general». Lo que sucede también es que esa percepción se condiciona por la circunstancia del partido al que se votó: AP: 91 %, CDS: 85 %, PSOE: 77 %, IU: 71 %. Es decir, la inseguridad ciudadana es las dos cosas en una: un hecho y una impresión que refuerza la ideología conservadora. ¿Por qué ese sesgo? Muy sencillo. En el fondo no se está calibrando un fenómeno de percepción, en el que no tendrían que existir grandes diferencias según la ideología de los perceptores. La polémica de verdad es otra y no se hace explícita. Lo que se discute sin discutir es la justificación del Gobierno. Ninguno de los dos bandos piensa que el orden público o la inseguridad ciudadana es un suceso autónomo, que se desarrolla con cierta prescindencia de quien esté al frente del Gobierno. Es la mezcla de los valores dominantes en la sociedad lo que determina este resultado no deseado (para las víctimas, no para los delincuentes). No se puede afirmar el predominio de la ética hedonista, el realce del éxito material, la relajación de las conductas sociales que representa el medio urbano, una economía que persigue más la productividad que el dar trabajo, un ambiente que considera inocuas las drogas alucinógenas; no se puede defender todo eso y esperar que no vaya a proliferar la inseguridad ciudadana. Algo de culpa hay en el Gobierno, en su manifiesta incapacidad para dirigir la complejidad de la sociedad metropolitana. Se ha hecho un gran esfuerzo en dedicar lo mejor de las fuerzas policiales a proteger a los altos cargos, a vigilar los edificios públicos; luego no hay policías para custodiar al vecindario. Los medios se escatiman aún más para rehabilitar a los delincuentes, para prevenir que lleguen a serlo.

Hablamos aquí de sociedad metropolitana porque este problema afecta más que nada a las grandes ciudades y sus arrabales. En la citada encuesta del CIS se preguntaba si algún amigo o familiar había sido víctima de algún delincuente (fundamentalmente robos o agresiones). Un 38 % contestó afirmativamente, pero este porcentaje era la media de dos extremos según el tamaño del municipio: 24 % en los de menos de 10.000 habitantes y 49 % en Madrid y Barcelona.

Muchas formas de delincuencia terminan en la reclusión carcelaria. Cuando el recluido es un delincuente no profesional, la cárcel o el reformatorio (a pesar de las expresiones eufemísticas de «centro de detención» o «colegio-hogar») actúan como mecanismos etiquetadores que propician la constitución de una verdadera «cultura» delincuente. He aquí la gran paradoja: lo que pretende ser la solución de la desorganización social (teóricamente la reinserción del delincuente) se constituye más bien en su refuerzo. El internamiento con otros delincuentes profesionales es lo que contribuye definitivamente a la profesionalización del delincuente bisoño.

No es sólo que la cárcel deje de cumplir sus objetivos. Todo el complejo represivo (policía, justicia, cárcel) no está diseñado realmente para ayudar a los posibles delincuentes, ni siquiera para prevenir sus extravíos y mucho menos para reinsertar a los presos. La función fundamental de todo ese esquema es la venganza. No porque esas instituciones quieran vengarse, sino porque eso es lo que les pide la sociedad. De nuevo aparece la crueldad como uno de los pilares del edificio social. La sociedad se conforma con que se aplique una pena para vengar o compensar el daño del delito. El mecanismo es así de primitivo, pero es así. Hubo un tiempo en que también la enfermedad era considerada como un castigo contra los hipotéticos pecados del enfermo. En el caso de la salud del cuerpo hemos superado la noción de culpa (aunque no del todo; véase el sida), no todavía en el supuesto de la salud social. La comprensión de los fenómenos de desorganización social es más difícil porque, sin pretenderlo, interfieren nuestros temores y deseos, nuestros valores. Si hay daño no podemos evitar la noción de culpa.

Lo que hay que explicar, ya más en concreto, es por qué la actual sociedad española empieza a acumular distintas formas de desorganización social, sobre todo las que tienen que ver con la violencia sobre las personas o sobre las cosas. El ejemplo extremo puede ser el terrorismo y el más corriente lo que se denomina como «inseguridad ciudadana».

Hay que olvidarse por un momento de las falsas explicaciones, que son las que resultan más atractivas para los expertos que tratan estos problemas. Falsas en el sentido de tautológicas. Por ejemplo, se contienen en los enunciados de que la drogadicción genera delincuencia o que los delincuentes viven junto a otros delincuentes. No se puede explicar una forma de desorganización por otra. Las explicaciones hay que buscarlas en hechos más generales y previos. Por ejemplo, una de las raíces es que la sociedad actual es más compleja y más móvil y, por lo tanto, se presta más a que haya un mayor número de biografías truncadas, en las que chocan los fines dominantes de logro y éxito con la insatisfacción de los medios para alcanzarlos. La publicidad nos reclama a cada minuto que todos podemos gozar de todo y además inmediatamente, pero eso no es posible. Los delincuentes son los que se toman demasiado en serio la publicidad. Sería curioso ver cuál es el impacto emotivo de los anuncios que contemplan por la tele los reclusos de una cárcel. Es lógico que en éstas se consuman más drogas; la adicción ejemplifica bien el deseo de conseguir el placer inmediatamente, necesario cuando otras satisfacciones no son asequibles. En muchas formas de desorganización social se podría rastrear esa incapacidad de los sujetos para diferir las satisfacciones.

La afirmación de que el consumo de drogas es un factor de desorganización social no es un juicio de valor: viene avalada por los hechos. En la encuesta citada sobre los jóvenes vascos de 1986 se verifica que, a mayor ingesta de alcohol y sobre todo a mayor familiaridad con los estupefacientes, los jóvenes son más proclives a la violencia. Un 69 % de los que no han probado drogas duras dicen que nunca utilizarían la violencia personal en manifestaciones callejeras. El porcentaje puede parecer bajo, pero es que va descendiendo según aumenta la familiaridad con las drogas, hasta el 33 % de los consumidores habituales (Elzo, 86c: 403).

¿Cómo es posible que el clima de violencia sea tan acusado en una región en la que tanto ha pesado el catolicismo? La pregunta no es ociosa. Realmente la religión tiene todavía mucho que ver con esa disposición a utilizar la violencia en las manifestaciones. Nunca lo harían el 83 % de los católicos practicantes, pero sí un 59 % de los indiferentes en religión y un 41 % de los ateos (p. 408).

Aunque más adelante nos vamos a referir por extenso a la cuestión de la religión y también a la del nacionalismo vasco, vale la pena que recojamos ahora el perfil de esa minoría de jóvenes que se consideran ateos en el País Vasco: «Doblan los hombres a las mujeres, dan el mayor porcentaje de lectores de *Egin,* son los que más prensa leen, los que más se aburren en su tiempo libre (...) son los que dicen tener el mayor índice de insatisfacción con su vida en casa, son los que justifican en más situaciones la violencia o el terrorismo, son los que más fuman, los que más beben, los que más droga ilegal consumen, los que más se autoposicionan a la izquierda, votan mayoritariamente HB (...) Es el colectivo que se identifica en mayor proporción como *vascos sólo* en cuanto a la nacionalidad. Referente al idioma que dicen hablar mejor, afirman que es el castellano el que mejor dominan, pero al mismo tiempo son los que en mayor proporción estiman que lingüísticamente el País Vasco tiene que ser sólo *euskaldún*» (Elzo, 86c: 409). Interesantísima descripción.

La cuestión está precisamente en el contexto. Ser ateo en otra parte de España, con menos tradición religiosa, no comporta marginación o radicalización en los demás sentidos. Eso sucede en el País Vasco porque el contexto general cuenta todavía con un gran peso social de la religión. Si alguna vez se pudo hablar en España de «nacional-catolicismo», en el País Vasco podríamos hablar hoy de «nacional-ateísmo». Habrá que volver sobre este nudo de ideas.

La solución más radical a estos problemas de desorganización social sería la de volver a una sociedad más simple, en la que los papeles biográficos fueran más fijos, en la que la herencia determinara más que nada la biografía de cada individuo. Eso es imposible y puede que poco deseable. La salida se nos hace problemática. Se trata de cómo aminorar las formas de desorganización social manteniendo la complejidad del conjunto, por lo menos en sus aspectos deseables, que son los más. No queda otra solución que dedicar más medios a las funciones preventivas o clínicas. Si se quiere que una biografía no se desorganice, no hay más opción que proporcionarle los medios alternativos para que pueda realizar los fines comúnmente aceptados. Sólo así se podrá prevenir el recurso a la violencia, a la destrucción del sujeto por sí mismo y a la destrucción de lo que le rodea. No se vean sólo las manifestaciones más brutales y externas de destrucción o violencia. El simple consumo de alcohol, tabaco y drogas es el equivalente demográfico de una guerra.

Uno de los factores que estimulan la aparición de las distintas formas de desorganización social —sobre todo la delincuencia contra la propiedad, que es la más común— es la gran desigualdad social que se ha instalado en las sociedades complejas. Puede que objetivamente no sea tanta como en algunas sociedades tradicionales o agrarias, pero en el caso de las sociedades complejas tropieza de hecho con el ideal igualitario, tan común a muchas ideologías políticas y desde luego ampliamente sentido por toda la sociedad. La gente no se compara con la desigualdad que había antes o la que puede existir en otros países, sino que lo hace con ese ideal compartido de la igualdad. Me viene a la memoria una imagen de irónica plasticidad. En una plaza céntrica de Madrid, por la que transito a menudo, hay una tienda de dietética con productos para adelgazar, entre otros refinamientos. Pues bien, junto a esa tienda se suele situar un mendigo que pide para comer.

No se trata tan sólo de desigualdad en las oportunidades vitales o en la posesión de bienes. Una desigualdad especialmente irritante es la que deja impunes los actos injustos, fraudulentos, que permiten la acumulación de grandes fortunas cuando, al tiempo, castiga o estigmatiza los pequeños atentados contra la propiedad. Sin llegar a tanto, contrasta la gran facilidad con que los más ricos pueden evadir *legalmente* ciertos impuestos frente a la dificultad para hacerlo que tienen los asalariados modestos. Esas comparaciones irritantes producen una gran desazón en los sujetos de las clases humildes, lo que puede repercutir en ciertas conductas antisociales o por lo menos insolidarias. No es la pobreza absoluta lo que genera la desorganización, sino una especie de distancia percibida respecto a las oportunidades que tienen otros, distancia que se desea superar y que se considera prácticamente insuperable.

Muchos de los estados de predelincuencia o delincuencia se producen en los jóvenes por una deficiente orientación de sus energías. El descontento, la insatisfacción, la rebeldía incluso, son actitudes humanas legítimas (y particularmente juveniles) que, bien canalizadas, constituyen positivamente el progreso social y por lo tanto una sociedad ordenada, organizada. Ahora bien, cuando las instancias políticas o religiosas se tornan acomodaticias, se burocratizan y acaban por desentenderse de ese fermento de insatisfacción popular, la rebeldía, que podría haber contribuido al progreso, se vuelve sobre sí misma, se hace egoísta e insolidaria y termina engrosando las filas de la protesta violenta o de la delincuencia pura y simple. Vistas así las cosas, los delincuentes aparecen como las verdaderas víctimas de la desorganización social, aunque por su parte contribuyan a dañar a esa misma sociedad que los repele.

Las conductas antisociales suelen manifestarse primero en los adolescentes como un rechazo de las obligaciones escolares, ahora que se ha implantado la educación obligatoria hasta la edad adolescente. El colegio aparece como la más exacta representación de la sociedad, con su conjunto de normas, valores, exigencias, responsabilidades. El adolescente que fracasa en la competición escolar —es decir, se aburre más de la cuenta en las clases— está dando la señal de alarma de que demanda atención y cariño, de que se ha percatado de la disonancia entre los fines que se le proponen y los medios de los que le proveen. En lugar de darle la respuesta adecuada, la sociedad —representada por los padres y los maestros— lo recrimina, lo sanciona. Se produce entonces el abandono de los estudios, primero como «novillos» y luego como desinterés por todo lo que significa aprendizaje. Si el sujeto no ha podido cumplir esa responsabilidad como de juego que es la educativa, lo lógico es que se sienta rebelde u hostil frente a las responsabilidades más reales, como las familiares o laborales. De ahí que el fracasado en la escuela, si no logra asumirlas, tenga una alta probabilidad de convertirse en un rebelde, en un inadaptado. No se tome tampoco este factor como una causa única, ni siquiera decisiva; no hay ninguna en esa categoría.

La desorganización social suele producirse como respuesta a la confluencia de diversas causas, a las que se añade seguramente un difuso factor de personalidad que resulta más ilocalizable.

En ocasiones, el fracaso escolar es consecuencia de otros elementos. Incluso está la causa contraria de un exceso de escolaridad con poca calidad. Hoy los jóvenes permanecen demasiado tiempo en la «sala de espera» de las instituciones de enseñanza, no tanto para prepararse para un trabajo, sino porque ese trabajo no llega o lo hace con carácter precario. Quien espera tanto, desespera. El resultado es paradójico. El tiempo que debía ser para despertar el espíritu de responsabilidad acaba siendo de cultivo de la ausencia de responsabilidad. Es la mejor preparación para que se despierte el irresponsable egoísmo que significa la conducta delictiva. Otra paradoja es que ese egoísmo aparece a veces como trasunto del difuso altruismo que significa la vida en las pandillas juveniles. En ellas el individuo ha de sacrificarlo todo por la supervivencia del grupo, del grupo primario, claro está, hostil como suele ser a la sociedad exterior, representada por las figuras de autoridad: los padres, los profesores, los policías.

Un elemento común a muchas formas de desorganización social es que los sujetos en ese trance mantienen una constante relación con los representantes del Estado, sean jueces, policías, asistentes sociales, sociólogos, educadores, guardianes de las instituciones totales o funcionarios. Se convierte así en la parte de la sociedad más alejada de las estrictas relaciones de mercado, con escasos elementos de autonomía como sociedad civil. Este hecho definitorio agrava el problema por cuanto que en muchas de esas formas de desorganización social las carencias son las de afecto, ayuda familiar, ambiente hogareño, estímulo de los familiares o los amigos, es decir, las que menos pueden proporcionar las instituciones estatales o las autoridades. Esto es algo que se repite una y otra vez: las situaciones de desorganización social se presentan como círculos viciosos, que se van cerrando sobre sí mismos. Lo que parece ser salida o solución se convierte en un nuevo factor que refuerza el desenlace de desorganización social.

Si las formas de desorganización social se derivan de un tipo de biografía, la terapéutica lógica consiste en alterar o recomponer todo lo posible esa biografía dañada en la dirección integradora. Es un procedimiento mucho más costoso que el correccionalismo y más eficaz que el de organizar la protesta de los grupos marginados. Los puntos de vista de la marginación o de la conducta desviada adoptan una creencia fatalista: poco o nada se puede hacer para remediar el problema. No sólo a los pobres, sino a los delincuentes, los tendremos siempre con nosotros. En cambio, el planteamiento de la desorganización social implica una consideración más optimista: los trastornos biográficos son remediables, corregibles. La pobreza, la delincuencia, las otras formas de desorganización social son una cuestión de grado. Quizá no pueda remediarse del todo que ésta exista, como tampoco puede evitarse la existencia misma de la enfermedad. Ahora bien, lo que sí se puede disminuir, en uno y otro caso, es la cantidad total de sufrimiento. Para ello tendríamos que cambiar lo más difícil: reducir el potencial de crueldad que despliega con insistencia la sociedad española.

Capítulo XIV

LOS ESPAÑOLES Y LA VIRGEN

No se puede realizar un alegato sobre España y los españoles sin una alusión al papel de la religión, a la católica, pues los demás credos son episódicos entre nosotros. Se sea o no creyente, es innegable que el catolicismo impregna todos los recovecos de la vida española, es parte inseparable de nuestra cultura, como lo es el idioma común. Señala Julián Marías que «la religión no es cuestión de sentimientos», pero que «hay sentimientos religiosos» y estos constituyen «un decisivo ingrediente en la manera como mucha gente vive la religión» (Marías, 86: 34). Para Ortega y Gasset, tomarse la vida en serio es ya un sentimiento religioso. Hasta los grandes agnósticos en España respiran por la herida de la religión que perdieron. Cuenta la actriz Nuria Espert lo que tantos españoles podrían replicar, que su madre era agnóstica, pero que le enseñó a rezar en los momentos de apuro (Massanés, 78: 101). Se recuerda el dicho de «Soy ateo por la gracia de Dios», que pronunciaban los buenos anticlericales de antaño.

La literatura que identifica el ser de los españoles con una supuesta misión evangélica no es cosa de antes, llega así hasta nosotros. En la secularizada España de 1981 se ha podido escribir este exabrupto: «Es un imposible histórico homologar a España con Europa. Europa tiene un costado vital de su existencia; pragmática y con cultura de medios, no puede conformarse con España, que sabe a Oriente, por su cultura de fines, por su intuición y su profunda religiosidad, hasta hacer de ella la quintaesencia del espíritu y alma española» (Saiz Barberá, 81: 395). Es decir, con lenguaje más directo y propio, que España es la reserva moral de Occidente. El autor citado no parece ningún don nadie. Afirma ser miembro del Consejo Superior de Investigaciones Científicas, lo que prueba cómo se entiende entre nosotros la ciencia. Para nuestro apasionado investigador, católico y español son sinónimos (p. 406), a pesar de que comunistas, socialistas y liberales quieran acabar con esa espiritualidad esencial del alma española (p. 404).

Mi impresión es que la religiosidad no es mucha en la vida española, si bien la cultura católica impregna las conductas de los españoles, incluidos los indiferentes o ateos. Lo que no puede demostrarse es ese pretendido intercambio entre ser español y ser católico. Son muchos los españoles egregios que se han mantenido al margen de la Iglesia católica y que incluso han sido ajenos al sentimiento religioso. También es verdad que el ateísmo militante ha quedado arrumbado en la historia, donde tampoco fue muy sobresaliente. A pesar del reciente impulso que han dado otras confesiones religiosas, no se puede decir que vaya a sustituirse el poso cultural, abrumadoramente católico, de los españoles. Lo más seguro es que ya no haya españoles que estén dispuestos a enfrentarse entre sí por la cuestión religiosa. De un tiempo a esta parte, la tolerancia (o si se quiere, el desinterés) es lo que domina en el capítulo religioso. En esto, como en todo, el retablo de la España actual constituye una excepción en el secular drama histórico de los españoles.

La peculiar disposición religiosa de los españoles se manifiesta en ese rasgo tan común de la vida de muchos pueblos, por lo menos hasta hace pocos años. Varones y mujeres asisten a la misa dominical. Llegado el sermón, las mujeres se sientan a escuchar con paciencia la prédica del oficiante; los varones, mientras dura la homilía, se salen al atrio a liar un cigarrillo y echar una parlada. Ellos creen en el sacramento, mas no en el intermediario.

El éxito de la Iglesia católica en España ha radicado durante mucho tiempo en su faceta más mundana y menos trascendental (siempre que se generaliza hay que olvidar a los místicos), en su integración como parte de la cultura cotidiana. Todo esto apunta también a un cambio sobresaliente.

En la sociedad tradicional (casi toda España hasta hace una generación, el campo hasta hace pocos años), el ocio de los españoles giraba en torno a la festividad religiosa. Este es uno de los hilos que más decididamente se ha salido de la urdimbre religiosa hispana. Las fiestas son cada vez menos religiosas, aunque conserven ciertos ritos, sobre todo los que se sitúan en torno a la Virgen de cada lugar. Determinadas celebraciones, como el Corpus o San José, se «pactan» en cada comunidad autónoma para conseguir otros arreglos vacacionales. Si religiosidad significa congregar a la parroquia en esas «fiestas de guardar», la tendencia reciente es a que esa feligresía se disgregue, cada uno atento a su plan de viaje, a su entretenimiento casero o deportivo. La religiosidad se recobra porque ha surgido una nueva «Iglesia de los pobres», pero no se puede decir ya que para la generalidad de los españoles el domingo sea el día del Señor. Más aún, las festividades centrales de Navidad o Semana Santa se han transformado en tentadores «puentes» para la diáspora de las vacaciones, para la pura diversión, tan alejada a veces de los propósitos santificadores o simplemente familiares de otras épocas.

Puede que los sentimientos religiosos no se hayan alterado mucho en los últimos decenios, pero sí las prácticas religiosas. El cambio en este aspecto resulta espectacular, mucho más todavía que en el dominio de la política, del sexo o de las costumbres en general. Lo que se llama proceso de secularización es un rasgo común a todas las sociedades occidentales, pero en España se acusa con particular decisión.

Una de las primeras encuestas que se realizaron en España fue la que se hizo en 1954 sobre la religiosidad de los estudiantes universitarios. Se concluye que el pecado y la oración para superar el pecado constituyen el eje de la religiosidad de los jóvenes de aquel tiempo (Mencia, 62: 281). No es sólo que desde entonces haya descendido bruscamente el nivel de religiosidad de las sucesivas promociones de jóvenes, sino que en la juventud actual se ha casi borrado de su preocupación religiosa —cuando la tienen— la noción de pecado y, en consecuencia, la práctica de la oración que con ella se asocia. Cuando existe, se trata de una religiosidad sin sentido de culpa.

En esa misma encuesta de 1954 se daba este juicio de la práctica religiosa de los estudiantes: «El número de los que habitual y sistemáticamente no practican es escasísimo. Acaso un tres o un cuatro por ciento que no llegue a lo que se llama cumplir con la Iglesia. Que dejen la misa de cuando en cuando con relativa facilidad parece que se dé entre un diez y un quince por ciento de los casos (...) Comparada con la de otras épocas, la juventud de hoy es mejor y más religiosa» (p. 43).

Desde esos años «nacional-católicos» se ha producido una caída vertiginosa en las marcas que señalan la práctica religiosa más convencional. En 1960, el 58 % de los jóvenes iba a misa regularmente los domingos; esa proporción baja al 53 % en 1968, al 25 % en 1975 y a un mínimo del 17 % en 1984. En la siguiente encuesta (1989) el descenso parece haberse detenido: la proporción es ahora del 18 % (Elzo, 89: 257). Como puede verse, la caída se precipita como consecuencia del radicalismo juvenil centrado simbólicamente en 1968. Es posible que ahora estemos a punto de una cierta revitalización religiosa.

Aunque pueda parecer extraño, el cambio en la religiosidad de los jóvenes ha sido mucho más fuerte en las mujeres. En 1960, la proporción de jóvenes que iba a misa los domingos era del 40 % en los varones y del 71 % en las mujeres. Las posiciones se van acercando con los años, hasta llegar a la mínima diferencia en 1989: 16 % y 25 % respectivamente (De Miguel, 66 y Elzo, 89). Seguramente ocurría que en los años sesenta era también distinta la forma y la intensidad del sentimiento religioso en varones y mujeres. En los años recientes ha descendido el fervor religioso, pero se han acercado varones y mujeres en la forma de expresarlo. Otra conclusión interesante es que la secularización, que ha tenido lugar en los últimos decenios, se ha precipitado precisamente en los ambientes que tradicionalmente eran más religiosos. La prueba de este último aserto es que la práctica religiosa ha disminuido de manera más destacada en el País Vasco, antaño uno de los reductos más fieles del catolicismo español. Un dato: la práctica de la misa dominical en 1984 era sólo del 14 % para los jóvenes españoles de 21 a 24 años, proporción que sube ligeramente en 1989 hasta el 16 %; en el País Vasco, en 1986, esa proporción era del 12 % (Elzo, 86a y Elzo, 89). En la encuesta de jóvenes de 1960 destacaba el País Vasco por ser, con mucho, la región en donde era más frecuente la asistencia a misa. Ya vemos que en la de 1989 se encuentra por debajo de la media española. En la encuesta realizada a los jóvenes vascos en 1986 se concluye que sólo un 36 % se autocalifican como católicos practicantes. Lo peregrino del caso es que esa proporción no se eleva significativamente si la enseñanza se realizó en un centro privado religioso (39 % si en él siguieron la enseñanza primaria y un 37 % si en él estudiaron el bachillerato) (Elzo, 86: 56).

Según distintas encuestas levantadas hacia 1984, los jóvenes del País Vasco se distinguen de los del resto de España por su menor predisposición al matrimonio por la Iglesia y el mayor favor que otorgan a la unión libre o al contrato matrimonial civil. Por lo mismo son mucho más tolerantes con las relaciones extramaritales (Andrés Orizo, 86: 114).

Otra indicación de la más intensa secularización del País Vasco la tenemos en la respuesta a la pregunta de si se aprueba o no el hecho de que una mujer desee tener un hijo como madre soltera. El porcentaje supera con mucho al del conjunto español. En 1984 y 1989 es un 64 % para España, y en 1986 un 75 % para el País Vasco (Toharia, 89 y Andrés Orizo, 86). Nótese que en todos los casos los valores se mantienen muy por encima del 50 % y se refieren a un estrato etáneo (jóvenes de 18 a 24 años) que, al menos en este aspecto, tendría que caracterizarse por un cierto idealismo. Esto indica que lo que era una conducta considerada como mal vista se ha ido transformando en un uso social aceptado. A ello ha contribuido, sin duda, el hecho de que determinadas mujeres famosas hayan optado públicamente por la maternidad extramatrimonial, más aún, sin el reconocimiento público de la figura del progenitor. Esta circunstancia hubiera sido impensable en otros tiempos, hace sólo una generación.

La pérdida de la religión en los jóvenes tiene mucho que ver con lo que se llama «conflicto generacional». Una manifestación de la rebeldía familiar de los jóvenes consiste en atenuar las crencias religiosas o prescindir de ellas en la medida en que se supone que constituyen un elemento de la definición del mundo adulto o parental (Andrés Orizo, 86: 108).

Hay que advertir también que el proceso secularizador en este aspecto está dando últimamente un cambio de sentido, sobre el cual todavía no tenemos suficiente perspectiva. En los últimos años cada vez son más los jóvenes que favorecen el matrimonio por la Iglesia, desde un 53 % en 1984 a un 63 % en 1989 (Andrés Orizo, 86 y Toharia, 89). Es posible que se empiece a apreciar otra vez la liturgia, el aspecto religioso del que la Iglesia ha prescindido en buena parte con manifiesta cortedad de miras.

La disolución de la creencia religiosa no sólo ha sido un fenómeno urbano, consecuencia del avance de lo que podría ser la sociedad compleja. Afecta también a los reductos de religiosidad más arraigada, como son —aparte de los del País Vasco— los de una región tradicionalmente campesina como Castilla y León. En un reciente estudio sobre los jóvenes de esa región (de 15 a 29 años), sólo se encuentra un 18 % de varones y un 38 % de mujeres que se autocalifiquen como católicos practicantes. Las proporciones se reducen al 13 % y al 34 %, respectivamente para varones y mujeres, en el grupo de 25 a 29 años (Arribas, 87: 307). Es decir, los católicos practicantes son ya una pequeña minoría en una región antaño tan religiosa como Castilla y León. Se confirma que la descristianización se ha producido también en esos ambientes.

Como ilustración extrema de esa paradoja en que consiste la erosión de la religión en los núcleos antes más proclives a esa influencia, se puede aportar el contraste del dato que sigue, por estrafalario que pudiera parecer. En una encuesta dirigida a las prostitutas en 1985 se precisa que el 71 % confiesa tener creencias religiosas y el 44 % se considera practicante (Santamaría, 88: 167). Es decir, las prostitutas alcanzan unos niveles de religiosidad que superan los de los jóvenes de las regiones tradicionalmente más católicas. Siempre se puede recordar que Jesucristo perdonó a la adúltera y santificó a María Magdalena; en cambio arremetió contra los mercaderes del Templo de Jerusalén. No es éste el orden de valores que ahora prevalece en la católica España.

Los sociólogos gustan de cuantificarlo todo. Se sabe lo que manda y lo que prohíbe la Iglesia católica; se conoce, por medio de encuestas, cuántos españoles se comportan o no de acuerdo con esa doctrina. Así se puede calcular, con un razonable margen de error, cuántos españoles van a ir al infierno si el buen Dios no se apiada de ellos. El cálculo se hizo a principios de los años setenta: «Cerca de la mitad de los españoles no tienen un pensamiento moral ortodoxo, según la ortodoxia oficial de la Iglesia [católica]. Cerca de la mitad de España vive habitualmente en la situación llamada por los moralistas de pecado mortal. Se condenarán diecisiete millones de españoles, por lo menos» (Alonso Torrens, 74: 31). Estos datos permiten asegurar que, aplicando la misma fórmula, el número de españoles en pecado mortal no ha hecho más que crecer desde entonces.

En conclusión, que si razonamos con la lógica empírica tenemos que convenir que la mayoría de los españoles, bautizados como han sido en la Iglesia católica, se hallan moralmente fuera de ella. No habría más que sumar los que apoyan el terrorismo, los que defraudan o especulan con los dineros propios y sobre todo con los ajenos, los que se divorcian, los que utilizan anticonceptivos eficaces, los que favorecen el aborto, los clientes y profesionales de la prostitución, los que practican el sexo antes o fuera del matrimonio, para no recordar otras infracciones menores. Todos ellos viven técnicamente en pecado mortal. Otra cosa es que mueran en esa condición. Si la muerte llega por sus pasos, los españoles suelen llamar a un cura, más que nada por guardar las formas, por lo mismo que se casan por la Iglesia o preparan a sus hijos para hacer la primera comunión. Se trata de vivir la religión católica por fuera, en consonancia con esa característica tan repetida aquí de los españoles como actores, en permanente representación escénica.

Son tan escandalosamente bajas las cifras de práctica religiosa, que los sociólogos se preguntan si no será que la asistencia a misa o la recepción de los sacramentos no han dejado de indicar, como en otros tiempos, la verdadera religiosidad que va por dentro. Hay que comprobar no la erosión de las prácticas litúrgicas, sino el camino que siguen las creencias y los sentimientos. Hay quien piensa que en este terreno más íntimo no es tan perceptible la descristianización del pueblo español. Por desgracia para ese esperanzador supuesto, los datos disponibles no parecen confirmarlo.

Son muy desaconsejables las definiciones de catolicismo basadas en la autoidentificación con las enseñanzas de la Iglesia y no digamos en la práctica de los sacramentos. Desde luego, apenas sirve el indicador del bautismo. Es mucho más claro el estímulo de si se está o no de acuerdo con las doctrinas de la Iglesia respecto a ciertas materias que afectan a la vida corriente. También es verdad que una cierta proporción puede presumir de católica sin estar de acuerdo con la Iglesia en esos puntos concretos, y todavía algunos pueden coincidir con la Iglesia en ellos y no sentirse o no ser católicos. Pero podemos decir que el grueso de los que se identifican de ese modo son católicos prácticos o consecuentes, no tanto una calificación moral como sociológica.

Pues bien, en una encuesta realizada por el CIS en 1988 se preguntaba a una muestra de adultos si estaban o no de acuerdo con la Iglesia católica en la cuestión del aborto. Sólo un 30 % contestó afirmativamente. Todavía es más bajo el porcentaje de los que dicen estar acordes con la Iglesia en materia de métodos anticonceptivos: el 21 %. Como se podría esperar, las proporciones en el grupo de los jóvenes (18 a 25 años) son aún más bajas: 17 % y 9 % respectivamente para varones y mujeres. Es decir, por lo que respecta a los jóvenes, se puede suscribir el viejo dicho de que España es tierra de misión.

Como es lógico, la identificación con la Iglesia en estos puntos morales asciende según se hace más frecuente la práctica de la misa dominical, pero lo chocante es que ni siquiera llegan a ser mayoría (un 47 %) los que se identifican con la Iglesia en la cuestión de los anticonceptivos, entre los que van a misa todos los domingos. Sigue, pues, habiendo una práctica litúrgica puramente formal, es decir, la misa como un mero acto social.

Qué lejos quedan los tiempos en que una revista pastoral, *Hombres de Acción Católica* (octubre de 1949), titulaba un editorial: «Peor que la atómica». Peor que la bomba atómica era «la terrible epidemia de la limitación de la natalidad» que «nadie ignora que está muy extendida entre nosotros». Han transcurrido más de cuarenta años, lapso más que cumplido para una generación, y han proliferado las armas nucleares. Los españoles han llegado a las marcas más bajas de fecundidad de todos los tiempos y de todos los países. ¿Seguirá siendo España una nación católica?

Si nos atenemos a las creencias, habría que convenir que la mayoría de los españoles no son católicos, ni siquiera vagamente religiosos, como muestran algunos datos de las encuestas de jóvenes que estamos manejando y que se pueden comparar con los de una encuesta similar levantada en Irlanda en 1981. En ese mismo año, sólo el 52 % de los jóvenes españoles cree en un alma inmortal y un 20 % en el infierno; los valores para Irlanda, por ejemplo, son respectivamente el 73 % y el 39 %. A lo largo de los años no varían mucho en España. Si acaso, en 1989 los porcentajes son todavía un poco más bajos: sólo un 16 % de los jóvenes españoles cree en el infierno (Elzo, 89: 268).

En conclusión, la mayoría de los españoles —sobre todo los jóvenes— se encuentran muy alejados de lo que manda la Santa Madre Iglesia. Lo llamativo es que la Iglesia católica como organización sigue teniendo un formidable peso en la opinión pública a través de la enseñanza y de los medios de comunicación, pero —como vemos— no acierta a que los fieles comulguen con la doctrina ortodoxa. Lo que sí ha conseguido la jerarquía eclesiástica es que desaparezcan los tradicionales resabios anticlericales, tan característicos del paisaje cultural español durante siglos.

El anticlericalismo español se ha apoyado en una colosal mistificación, en el recuerdo de la frase cervantina de «con la Iglesia hemos topado». ¿Qué español no la reconocerá? Y, sin embargo, la frase no es tal. La que don Quijote pronunció realmente en la memorable visita nocturna al pueblo de Dulcinea fue: «Con la iglesia hemos dado, Sancho»; frase de desengaño y reconocimiento, pues amo y escudero andaban buscando el supuesto alcázar de Dulcinea. Sancho le contesta: «Ya lo veo. Y plega a Dios que no demos con nuestra sepultura.» No hay que buscar demasiados pies al gato: la alusión a la sepultura del medroso Sancho era porque antes el fosal o cementerio local se situaba al costado de las iglesias. En cualquier caso, la celebérrima frase apócrifa ha quedado como santo y seña del anticlericalismo hispano, que es lo que importa. Es una forma de religiosidad como otra cualquiera la de responder al estímulo de una casta levítica demasiado pegada a las formas y las rutinas. Según eso, ¿no fue el mismo Cristo un formidable anticlerical?

El hecho es que el anticlericalismo de izquierdas ha desaparecido de la vida española. «Ello constituye un corolario a la creciente tolerancia a las opiniones ajenas y a la atenuación de los antiguos fervores que solían caracterizarnos» (Flaquer, 90: 65). En realidad, la extinción del anticlericalismo no es más que una consecuencia lógica de la práctica evaporación del clericalismo. También en esto lo que se ha producido verdaderamente es un proceso secularizador. La intolerancia, la intransigencia, se resuelven hoy en otros escenarios más profanos. Proliferan, sí, los debates, mesas redondas y encuentros de toda estirpe, pero por lo general se montan para los participantes con parecidas opiniones. Las feministas organizan congresos, pero sólo para mujeres. Resulta impensable que los gobiernos autónomos de Cataluña o del País Vasco apoyen iniciativas tenidas por «españolistas», tales como el fomento de la lengua española, después de todo la única que entienden todos los vascos y catalanes. El fanatismo de los grupos nacionalistas violentos puede compararse con las exaltaciones inquisitoriales de otros tiempos. Ser crítico del Gobierno cierra hoy canales de expresión intelectual que ni siquiera se velaban en los años postreros del franquismo. Hoy la intolerancia clerical no es religiosa, se ha trasladado a la política, paradójicamente en un contexto de libertades formales que nadie niega.

¿Por qué esa forma de religiosidad como la descrita, o mejor, de irreligiosidad de los españoles? Tiene alguna lógica si hemos de creer en el principio conductor de estas páginas, que la gente no es tonta. Por un lado está el sustrato religioso, que va con la naturaleza humana y con la tradición cultural. Los españoles no pueden despegarse de ese fundamento. Otra cosa es la forma que adopte esa querencia religiosa. Puede ser a través del ingreso en una nueva religión o en ciertos sustitutos sectarios, o bien —esto es más usual— adaptando las creencias heredadas a la particular situación cotidiana. ¿Cuál es ésta? Desde luego una que hace difícil la vivencia auténtica de las enseñanzas de la Iglesia. No es posible participar de una atmósfera de corrupción política, de codicia financiera, de fiera competitividad económica o profesional, de relajación sexual, de hedonismo general y, al tiempo, pretender ser fiel a las máximas del Evangelio y más aún a su estricta interpretación por la Iglesia católica. La salida de muchos españoles es, pues, la de afiliarse a un catolicismo de las formas, en el que cuenta más la Virgen de cada pueblo que el Dios justiciero del Antiguo Testamento.

No es casualidad que el alambicado dogma de la Inmaculada sea el genuinamente español. Han sido vanos todos los intentos para eliminar esa fiesta del calendario laboral o escolar, a pesar de que forma un escandaloso «puente» con el día de la Constitución.

El arraigo popular del misterio de la Inmaculada Concepción está en que representa la parte de religiosidad que es más atractiva para el español: todo lo que sean dogmas abstractos y rituales escatológicos, es decir, precisamente lo que más se aleje del compromiso con la vida práctica, diaria. El culto a la Virgen satisface plenamente esos deseos de una religión que no comprometa, una religión exteriorizante, barroca, más de tradiciones populares que apoyada en la lectura de la Biblia. De ahí que pueda darse la paradoja de un pueblo como el español, profundamente creyente en la Virgen y al tiempo reacio a los sacramentos y no digamos a las enseñanzas morales de la Iglesia, sobre todo cuando esas doctrinas resultan incómodas. Los mercaderes del Templo de Jerusalén se apuntarían hoy a la romería del Rocío.

CAPÍTULO XV

LOS ESPAÑOLES QUE QUIEREN DEJAR DE SERLO

En lo que antecede nos hemos referido casi siempre al conjunto de los españoles, con escasas referencias a la región de donde proceden. Es una necesaria simplificación por razones de comodidad. Para redondear este relato vamos a mencionar lo que pudiera ser el problema insoluble de la convivencia nacional: hay algunos españoles extremosos que no se identifican como tales, que quieren dejar de serlo. Entienden que eso de España es un Estado que se les impone, no una comunidad espontánea de sentimientos. Allá cada cual.

Es muy típica de la vida española lo que podríamos llamar «tensión territorial» (Salcedo, 90: 249). Una parte de la población se enfrenta a otra dependiendo de su situación en el espacio. Así, Madrid se siente rival de Barcelona a escala nacional; Las Palmas se enfrenta a Santa Cruz de Tenerife dentro de la Comunidad Canaria; en una misma provincia se producen polarizaciones tan agudas como las de Oviedo-Gijón o Pontevedra-Vigo; y dentro de una misma zona metropolitana caben oposiciones tan radicales como las que distinguen la margen derecha de la izquierda en la ría de Bilbao. Todavía se podrían encontrar miles de ejemplos de tensión territorial en muchos pueblos y ciudades, entre los habitantes de los barrios bajos y los altos, los de ésta y la otra calle. Los testigos de la Guerra Civil recuerdan la especial hostilidad que se creaba entre los vecinos de los pisos exteriores e interiores de la misma casa.

El hecho de vivir en un lugar, o mejor de ser de allí, significa un potencial de enfrentamiento con los otros, los de enfrente, los que residen en otra unidad territorial comparable y competitiva. Esta adscripción espacial se refuerza en España porque algunas instituciones se pegan al terreno con fuerza vegetal: las fiestas populares, los clubes de fútbol y otros deportes. Para reafirmar lo que no deja de ser un tanto artificioso, el grupo territorial necesita un opositor. De ahí vienen esas rivalidades locales, regionales y nacionales que tantas polémicas y a veces tanta sangre han ocasionado.

Los observadores de la vida española han anotado muchas veces esta peculiar identificación con la «patria chica», lo fuertes que son los vínculos de paisanaje, a veces superiores a los de parentesco (Menéndez Pidal, 59). Un hispanista inglés se maravilla de esa cualidad del idioma español, que no deja traslucir la clase social por el acento, pero sí la región e incluso la provincia o hasta la localidad de donde procede el hablante (Thomas, 62: 113).

La extrema identificación territorial genera muchos conflictos, precisamente porque las dificultades económicas han propiciado las migraciones exteriores e interiores. Sólo una provincia ha conseguido ser un crisol para todas esas corrientes migratorias hasta el punto de que no se llega a distinguir el autóctono del forastero: Madrid. Aun así, también sobre Madrid ha caído la leyenda que se deriva de la frialdad administrativa: «Madrid es una ciudad artificial más que orgánica y por eso mismo nunca ha ocupado un lugar importante en el afecto de la nación» (Hooper, 87: 252). Resulta difícil registrar la contabilidad de los afectos territoriales. El hecho es que Madrid ha recibido más inmigrantes que ninguna otra capital española y además provenientes de las otras cuarenta y nueve provincias. No ha sido nada artificiosa esa expansión. Al contrario de lo que sucede en otros grandes centros metropolitanos, en Madrid no hay palabra denigratoria para el que viene de fuera.

Aunque las emigraciones interiores plantean tensiones —especialmente donde tienen que convivir dos lenguas—, el balance general resulta más bien saludable. El que los españoles se muevan de una a otra región representa una benéfica acción lubricante para la marcha de la sociedad. Asusta pensar lo que sería la docena y media de tribus españolas sin esas expediciones pacíficas y regulares de unas a otras. De ahí el asombro que produce el juicio contrario de los que perciben las corrientes migratorias como amenazadoras invasiones. Hasta una mente tan equilibrada como la de José María de Azaola expresa esa alarma al referirse al flujo de inmigrantes que recibe Vasconia (según su terminología el País Vasco y Navarra). Así, se lamenta del «enorme trauma producido por el advenimiento de un número elevadísimo de inmigrantes que se instala en el país» (Azaola, 84: 253). Modestamente, en algún momento me he contado entre ellos. ¿No será más trauma para el País Vasco el más reciente hecho de que esa corriente inmigratoria se haya agotado?

Los textos del nacionalismo vasco sobre la inmigración son todavía más contundentes. Valga éste de 1960 (citado en Apalategi, 85: 162): «La inmigración masiva está produciendo nuevos modos de vida, hábitos incompatibles con nuestra manera de ser, que acabarán ahogando al pueblo vasco si éste no reacciona (...) Y no se trata de una inmigración polaca, sino española precisamente. Una inmigración insultante las más de las veces (...) Es un instrumento español al servicio del genocidio (...) es una maniobra alevosa de España para acabar con Euzkadi.» Está claro que el nacionalismo (el vasco, el español, cualquier otro) acaba respirando odio. Los odios colectivos desfiguran la realidad. La verdad es que la inmigración masiva que recibió el País Vasco en los años cincuenta y sesenta fue una bendición en todos los órdenes. Y fue justamente la extinción de esta corriente en los años posteriores lo que significó el inicio de una declinación económica y, en consecuencia, de un general sentimiento de decadencia del pueblo vasco.

Un testimonio paralelo para Cataluña es el de Jordi Pujol, en este caso con el peso que le da su autoridad política y moral. Se escribe por las mismas fechas en las que la corriente inmigratoria se hizo más intensa y también la expansión económica. Para Pujol, la inmigración que llega a Cataluña presenta «un carácter muy amenazador», porque supone «la destrucción del sentido de comunidad y la ruptura de la íntima unidad colectiva» (Pujol, 76: 62). Su interpretación es que «Castilla [lo que no es Cataluña dentro de España] tiene fuerza suficiente para intentar destruir a Cataluña, que es lo que está intentando» (p. 66). Entre los inmigrantes que llegan a Cataluña distingue dos tipos: «uno, es el que viene con mentalidad de amo», funcionarios y profesionales, que son «los que responden a una mentalidad castellana pura, castellana central»; el otro «es generalmente poco hecho. Es un hombre que lleva siglos pasando hambre y que vive en un estado de ignorancia, miseria cultural, mental y espiritual. Es un hombre desarraigado, incapaz de expresar un sentido un poco amplio de comunidad. A menudo da pruebas de una excelente madera humana, y eso puede ser una esperanza, pero, de entrada, constituye la muestra de menos valor social y espiritual de España (...) Es un hombre destruido y anárquico. Si por la fuerza del número llegara a dominar, sin antes haber superado su propia perplejidad, destruiría a Cataluña (...) Lo que este hombre, puede que sin ser consciente de ello, viene a pedir a Cataluña, además del pan, es la forma espiritual que su propio pueblo no le da desde hace siglos. Justamente la gran misión de Cataluña consiste en darles esa forma, es hacerles formar parte, por vez primera, de una comunidad. Es enraizar a los que no tienen raíces, cohesionar a los que son el puro desorden» (p. 68). El texto es largo, pero vale la pena recordarlo para que no se pierda un testimonio tan autorizado y valioso. Pocos más he encontrado yo de tan hondo contenido racista. Baste decir que su lectura precipitó mi decisión de emigrar de Cataluña.

Obsérvese que, entre las varias confusiones de esos terribles textos de Pujol, está la de identificar a los españoles que no son catalanes con los castellanos. La confusión proviene de forzar el término «castellano» para el idioma común en el que se entienden —o dejan de entenderse— los españoles.

La distinción fundamental es la de una clase de españoles, la de los que se identifican como tales por una historia común y no tanto por la lengua que hablan —que suele ser el español—, frente a la otra clase, la de los que se identifican nacionalmente por el idioma que hablan, que suele ser fundamentalmente el catalán, el valenciano, el vascuence o el gallego. Así como este segundo tipo admite gentilicios característicos (catalanes, vascos, etc.), el primer grupo no cuenta con una denominación común. Desde luego no es la de «castellanos», porque el idioma no es el vínculo decisivo y porque Castilla es una región o parte de una región o de varias. La lengua española es la oficial, además, en otras varias naciones (Linz, 75).

Este hecho hace que la disparidad lingüística en España sea entre desiguales. Un catalán o un vasco está obligado a saber castellano para andar por España y aun para entenderse con otros vascos o catalanes. En cambio, un andaluz no necesita saber catalán o vasco para establecer esas comunicaciones. De ahí que la imposición de las lenguas propias regionales a todos los habitantes de sus respectivas comunidades —sobre todo si con ello se produce una preterición del castellano— levante todo tipo de suspicacias. ¿Qué ocurrirá el día en que el idioma castellano no sea la lengua común de todos los españoles? La pregunta no es ociosa, porque en Cataluña y en el País Vasco retrocede el uso público de la lengua castellana. No es casual el hecho de que en esas dos regiones crezca el núcleo de los catalanes o vascos, respectivamente, que quieren ser sólo eso y no españoles. Hay que contar con ello.

La gran paradoja política de vascos y catalanes es que sus respectivas regiones, cuando más se han desarrollado, ha sido en los momentos en que han estado más cercenados los nacionalismos, los idiomas propios. Es un raro azar de la Historia que no permite concluir una relación de causa-efecto, pero los hechos son así de porfiados. Por lo mismo, esas épocas de mayor auge económico han significado una generosa corriente inmigratoria cuya inmensa acumulación de trabajo ha sido una de las causas del desarrollo de ambas regiones.

Puesto que son los hechos lo que interesa, anotemos éste. En los últimos lustros, en las regiones con lengua propia crece el sentimiento de pertenecer a la región respectiva (en realidad ya nación), de identificarse con ella por encima del sentimiento de sentirse españoles. El fenómeno es mucho más abultado en el País Vasco. Un 64 % de los jóvenes en 1984 se sentían más vascos que españoles, proporción que sube al 69 % en 1989. Los porcentajes para Cataluña son 31 % y 40 %, respectivamente (Toharia, 89a: 252).

En el mundo oficial, las tres regiones en las que es más claro el criterio de identificación de la lengua (País Vasco, Cataluña y Galicia) reciben el desgraciado título de «nacionalidades históricas». ¿Es que las demás no lo son? Algunas, como Cantabria, podrían presumir de prehistóricas. Si por «nacionalidad histórica» se entiende una entidad que en el pasado medieval tuvo una personalidad distintiva, habrá que recordar que León fue nada menos que un reino y en el mapa actual ni siquiera ha merecido el estatuto de comunidad autónoma. Navarra fue también un reino que se incorporó tardíamente a la corona de Castilla y Aragón.

Sobre estas cuestiones no se puede escribir con soltura; siempre se levantan suspicacias. Nos adentramos en la jungla de los nacionalismos. Por increíble que parezca, uno razona según el lugar donde le han nacido o de acuerdo con la lengua en que mejor se expresa.

El nacionalismo es como una suerte de enfermedad del sentimiento político. Proyecta el odio sobre lo circundante que no es el «nosotros». Hay algunos más enraizados —el vasco y el catalán— y luego otros menores. Está también el nacionalismo españolista, que a veces se superpone al castellanista para confundir más el cuadro. Son virus distintos, pero mutaciones de la misma progenie. Los nacionalismos todos han levantado pirámides de sufrimiento en la vida española.

Los orígenes de las dos cepas más enraizadas, los nacionalismos vasco y catalán, se hallan emparentados con algo tan español —y aun españolista— como fue el carlismo. Se trata de un movimiento arcaizante, resistente a los símbolos del Estado contemporáneo: la bandera, los impuestos, las fuerzas armadas. Hoy, como hace más de cien años, siguen siendo los tres elementos de contraste del lamento nacionalista.

El asunto va para largo. Hace casi un siglo, el historiador Rafael Altamira se refería a la «carencia de amor a la patria española» por parte de algunos españoles, aunque a la vez se propusieran «el mantenimiento del Estado español». Esa carencia se basaba en las «diferencias interiores de nacionalidad, que se estiman irreductibles» (Altamira, 17: 181). A nuestro autor no le preocupaba tanto la posible constitución de Estados federados como «el desamor al resto de la tierra española y la creencia de que no hay nada de común entre las diferentes partes de ella o, a lo menos, entre algunas» (p. 182). En otras palabras, «lo grave no es el separatismo político, sino el separatismo espiritual» (p. 184).

Es amplia la creencia de que el laberinto nacionalista no tiene salida segura y definitiva. A comienzos de siglo, el jurista Durán i Bas, al ser destituido como ministro, pronunció el lacónico «nunca nos entenderemos». Se refería a Cataluña con el resto de España. En fechas más recientes, un buen conocedor de la situación vasca concluye amargado: «Lo seductor y lo trágico del problema vasco es que no tiene solución» (Aranzadi, 81: 24). Qué reacciones más españolas son ésas de concluir que hay problemas que no tienen solución.

Ortega y Gasset utilizó el doméstico término de «conllevar» para indicar el especial matrimonio de conveniencia entre Cataluña y el resto de España. García Escudero recurre a la metáfora matrimonial para referirse a esas relaciones entre las regiones españolas; emplea el lenguaje de quien no acepta el divorcio e intenta aconsejar a una pareja que se lleva mal. Se trata de «aceptar la irrevocabilidad de la situación, conformarse con ella, sacar partido de ella, esperar pacientemente y confiar en que el tiempo vaya tejiendo la costumbre de lo que acaso un día brote de nuevo el perdido amor» (García Escudero, 75: 657). El consejo resulta tan poco realista como el que se dedica a los matrimonios que ya se han roto. El problema es que la Constitución permite el divorcio de las parejas, pero prohíbe su equivalente entre las regiones y el Estado.

En las sociedades democráticas, el hecho de la nacionalidad tiene un carácter meramente administrativo: los que nacen y viven regularmente en el país son nacionales del mismo sin exigírseles una declaración expresa de querer pertenecer a esa nación ni mucho menos una voluntad íntima de identificarse con sus esencias. Esas exigencias son más de índole totalitaria. Durante el primer franquismo funcionó algo así en España, una suerte de voluntarismo nacionalista. Los españoles tenían que ser, además, buenos españoles para distinguirse de la «anti-España». Aunque resulte extraño, ese resto totalitario late hoy en los nacionalismos catalán y vasco. No basta con residir en cada una de esas dos nacionalidades para ser catalán o vasco, respectivamente, sino que, en la doctrina oficial de los partidos nacionalistas, hay que demostrar que se quiere ser catalán o vasco.

No es sólo una cuestión de doctrina. Lo significativo es que este planteamiento ha calado en las creencias de la gente. Así, en una encuesta dirigida a los jóvenes vascos en 1986, se les pregunta por las condiciones para ser vasco. La más destacada (73 %) es la «voluntad de ser vasco», seguida a mucha distancia (33 %) del hecho de «vivir y trabajar en el País Vasco». Esta última definición sube un poco en los hijos de inmigrantes (39 %), pero todavía se sitúa a mucha distancia de la definición voluntarista (67 %) (Jiménez Blanco, 86: 497).

Cabe otra interpretación más benévola. En algunas encuestas, al preguntar por lo que define el hecho de ser catalán, vasco, etc., se incluye sólo lo de «vivir y trabajar» frente a las características menos alterables, como lengua o herencia. Por lo general, la gente elige la primera alternativa, que exige ya un cierto voluntarismo, por lo menos la decisión negativa de no emigrar a otro sitio. Si los jóvenes vascos se identifican tan intensamente con la definición de vasco como «la voluntad de serlo» es, en parte, porque esa alternativa se les presenta a su consideración. Se trata, pues, más de un artificio del instrumento de medida. La pregunta sigue siendo un tanto metafísica, como corresponde a esa inveterada tendencia de los sociólogos a tratar de que el público investigado defina y precise lo que ellos mismos no sabrían amillarar muy bien.

La «voluntad de ser» miembro de una nación no deja de ser un concepto etéreo, que no se sabe muy bien qué pueda querer decir. Hay algo circular en ese rasgo que deja muy tranquilo al que responde. ¿Cómo no va a tener una cierta voluntad de ser lo que es? Con todo, quede registrado el alto aprecio que esta consideración merece a los jóvenes vascos. Indica una tensión latente en el hecho de sentirse vascos. No hace falta hacer muchas encuestas para darse cuenta de esa conclusión. Hasta hace poco, la imagen que se tenía de los vascos por el resto de los españoles era francamente positiva. Hoy en día predomina un estereotipo negativo, todo lo inmerecido o desproporcionado que se quiera, pero no por ello menos real. Quizá ante esta cruel realidad haya que reafirmar tanto la voluntad de ser vasco.

No se olvide tampoco un elemento circunstancial, pero presente en la vida de hoy. Es la influencia del lenguaje político. La palabra «voluntad» se repite con demasiada presteza en esa jerga. Un grupo político no desea, aspira o pretende tal o cual demanda, sino que tiene «voluntad política» de su consecución. Es un extraño y falso voluntarismo éste que empapa el habla pública cotidiana.

Si se me deja opinar, el hecho de ser español no es una cuestión de voluntad, sino de naturaleza y cultura. Una parte del conjunto de los españoles la constituye el grupo de los que no quieren serlo. Fundamentalmente se trata de vascos. Se observará que en este libro aparecen muchas ilustraciones del caso vasco. La razón es que representa lo hiperespañol, incluso hasta ese punto límite de negar la españolidad.

Siempre se podrá decir que los que no desean ser españoles se concretan en un grupo reducidísimo, «cuatro locos» que se identifican con los símbolos de la ETA o de sus réplicas catalana o gallega. Bien, pero son muchos más los que ven con simpatía los fines de esas organizaciones violentas, aunque desaprueben sus métodos. El fin es muy claro: la independencia de sus respectivas nacionalidades; en lo que no deja de haber una gran coherencia, puesto que todo nacionalismo, para serlo de verdad, debe aspirar a la correspondiente independencia del Estado. Esa situación se ha planteado ya en el País Vasco, donde existen varios partidos nacionalistas comprometidos con la necesidad de independencia o, por lo menos, de una indefinida «autodeterminación».

Existe una fijación al hablar del País Vasco: describir lo que es por lo que fue. Su raíz campesina es evidente, como en casi todos los pueblos del mundo, pero en la actualidad el caserío es sólo una supervivencia sentimental. No estoy de acuerdo, pues, con la solemne conclusión de que «Euzkadi continúa siendo, demográficamente, una zona, un área de población aldeana» (Genovés, 86: 94). Antes bien, lo característico de esa región es que muchos pequeños núcleos de población, por el tamaño del censo, presentan características muy acusadas del modo de vida urbano, incluso en sus rasgos más desagradables, como el alto consumo de droga o la contaminación del medio ambiente.

En el caso de los vascos, la lengua propia es sólo una parte del complejo cultural que representa el «pueblo», lo que antes era la «raza» (y todavía lo es, aunque no se diga). Por eso mismo se trata del nacionalismo más cercano a la consecución de un Estado propio.

Paradójicamente, uno de los rasgos que definen el complejo de inferioridad de las lenguas propias regionales es la de imponer la no traducción de los gentilicios cuando se utiliza el castellano. Así, en la actual parla castellana ya no se dice «vascuence», sino *euskera;* tampoco «Cataluña», sino *Catalunya.* Sería ridículo que tuviéramos que decir en castellano *El Corte English* para referirnos a unos famosos almacenes, pero sí existe un diario que se llama *El Periódico de*

Catalunya. Puede que sea una inteligente adaptación a las circunstancias, de por sí ambiguas.

Levantar una ideología nacionalista con una excesiva insistencia en el pasado acarrea algunos problemas de difícil solución. Por ejemplo, ¿cómo lograr que un Baroja o un Unamuno se incorporen, con efecto retroactivo, a la cultura vasca? Ambos abominaban la idea de expresarse en vascuence. Por otra parte, resulta difícil excluir a esos dos escritores, y a otros muchos vascos que se han expresado en castellano, de la cultura vasca. Algo parecido se podría decir de la cultura catalana.

Con el atrevido título de *Los españoles que dejaron de serlo,* el periodista Gregorio Morán se refiere a los nacionalistas radicales, que son los que dominan hoy la escena en el País Vasco. Han dejado de ser españoles como reacción frente a la superespañolidad de otros vascos, los escritores y los hombres de negocios que Morán identifica con Neguri, el barrio residencial de la margen derecha del Nervión. La oposición pendular entre los dos grupos no puede ser más española. Para complicar aún más el cuadro, debe advertirse que los nacionalistas radicales proceden de los antiguos carlistas, en tanto que los españolistas de Neguri representan la evolución de los liberales de antaño. Sea como sea, resulta sintomático que se afirme una nacionalidad como rechazo de otra. Desde dentro de la nación vasca se ha podido escribir este feroz juicio: «La razón del apoyo popular a la lucha armada de ETA ha sido (...) la comunidad de odio a la que ha atacado y ataca» (Aranzadi, 81: 482). Qué español suena eso de «la comunidad de odio», el odio como aglutinante, qué español y qué antiguo.

En la monumental obra de Linz sobre el país Vasco (datos referidos a 1979), la opción independentista atrae al 20 % de los vascos nacidos en la región y al 7 % de los inmigrantes. La proporción se hace máxima (41 %) en el grupo de autóctonos y vascoparlantes (Linz, 86: 106). Las proporciones pueden no ser alarmantes (o alentadoras, según se mire) en la medida en que no llegan nunca a constituir mayoría, pero no dejan de ser extraconstitucionales. Sería impensable la convivencia de los españoles si esas proporciones se dieran en más de media docena de regiones. La extravagancia vasca se tolera con resignación por parte de los demás españoles, precisamente por lo que tiene de caso extremo y quizá también porque, como queda señalado, la imagen de «lo vasco» ha sido tradicionalmente positiva en toda España y también fuera de ella (honradez, trabajo tenaz, espíritu emprendedor, sinceridad).

Un observador foráneo, aunque culturalmente próximo, se atreve a estampar este juicio, que en España se puede decir, pero no se escribe: «Se percibe hoy en toda España, en grado distinto y variable, pero claro, una cierta satisfacción por la baja de la economía del imperio vasco» (Genovés, 86: 55). Se trata de una nueva manifestación de la reacción del resentimiento. El silencio a este respecto se fomenta desde las alturas del poder —español y vasco—, no vayan a irritarse aún más los patriotas vascos. Pero es la verdad. El problema vasco reside muy fundamentalmente en que su situación económica empeora desde hace varios decenios en relación con la del resto de España. No es nuevo que los nacionalismos estallen en los momentos de declive económico.

La cuestión económica, grave como es, siempre puede ser circunstancial. Lo más grave es que ha contribuido a otros deterioros, alteraciones bruscas no del todo deseadas y a veces indeseables. Por ejemplo, está la cuestión religiosa, que ya hemos planteado en páginas anteriores. El País Vasco se identifica con el catolicismo como parte de su peculiar herencia cultural. Todavía hoy, ser católico en el País Vasco tiene mucho que ver con ser autóctono y, naturalmente, con expresar simpatías nacionalistas. Ya es curioso que el tradicional *Aberri Eguna,* o Día de la Patria Vasca, se celebre el Domingo de Resurrección. La bandera vasca está formada por dos cruces que se entrecruzan, la griega y la de San Andrés. Esta superposición de características —religión y lengua, naturaleza y política— hace particularmente tensa y conflictiva la sociedad vasca. Una vez más recuerda, en algunos aspectos, lo que fue la situación de la España toda antes de la Guerra Civil.

Como queda dicho, en el País Vasco se ha producido una brusca caída de la práctica religiosa. El proceso ha prendido sobre todo en el contingente inmigratorio. El resultado es que la distinción entre católicos practicantes y el resto se superpone a la de nativos-inmigrantes o a la de vascoparlantes y castellanoparlantes (Azurmendi, 86: 337).

La mayor secularización del País Vasco se deduce de los datos de una reciente encuesta en la que sobresalen los índices de permisividad respecto a una serie de situaciones moralmente polémicas, como vivir juntos sin estar casados, aborto u homosexualidad. Sólo una minoría de la población vasca condena esas situaciones, que hace sólo unos pocos decenios hubieran parecido aberrantes (CIS, 90: 29).

La confluencia de un lento proceso de decadencia económica, más la brusca pérdida de los valores religiosos, se une a la frustración de unas expectativas de autodeterminación que no se cumplen. El precipitado no puede ser más irritante para la sociedad vasca. Produce una extrema desorganización social, que a su vez agrava el sentido de desilusión, hoy predominante en el País Vasco. Un factor de desorganización social es que en los jóvenes vascos el consumo de todo tipo de drogas nocivas (tabaco, alcohol y estupefacientes) es más alto que el que corresponde al conjunto español. Uno de cada cuatro jóvenes vascos bebe alcohol en exceso. Sucede, además, que el consumo de drogas se eleva en el núcleo de los nacionalismos radicales (Elzo, 86).

Desde el País Vasco se han visto a menudo con superioridad sus relaciones con el resto de España, que no suelen nombrar. Es una forma de ocultar la gravedad de los problemas internos. Una pequeña ilustración. El alcalde de San Sebastián, Ramón Labayen, recibe a un grupo de ecologistas del Parlamento Europeo con estas palabras: «Tenéis suerte porque estáis en la única parte verde de la Península. El resto del país es desértico y tierra de cabras.» El vitriólico comentarista Martín Sagrera le dedica una de sus acéticas «cartas al director» —en este caso de *El Correo Gallego* (8 de marzo de 1987)— y clasifica el desplante del edil donostiarra entre las «actitudes cerriles irresponsables». La pequeña anécdota bien puede servir de colofón para ilustrar la acrimonia con que se plantean las polémicas nacionalistas. Definitivamente, lo nuestro es no entendernos.

BIBLIOGRAFIA

Adams, Mildred, «Twenty Years of Franco», *Foreing Affairs*, enero 1959, 257-268.

Albornoz, Alvaro de, *El temperamento español. La democracia y la libertad,* Minerva, Barcelona, 1922.

Alonso Torrens, Javier, y Vergara Ivisón, Eduardo, «La moral de los españoles», *Vida Nueva,* 931, mayo 1974, 24-31.

Altamira, Rafael, *Psicología del pueblo español,* Minerva, Barcelona, 1917 (primera edición en 1902).

——, *Los elementos de la civilización y del carácter españoles,* Losada, Buenos Aires, 1956.

Andrés Orizo, Francisco, *España, entre la apatía y el cambio social,* Mapfre, Madrid, 1983.

——, «Familia», en Elzo 86, 95-134.

Apalategi, Jokin, *Los vascos, de la autonomía a la independencia,* Txertua, San Sebastián, 1985.

Aranzadi, Juan, *Milenarismo vasco,* Taurus, Madrid, 1981.

Arribas Macho, José María, y González Rodríguez, Juan Jesús, *La juventud de los ochenta: estudio sociológico de la juventud de Castilla y León,* Junta de Castilla y León, Valladolid, 1987.

Ayala, Francisco, *La imagen de España,* Alianza Editorial, Madrid, 1986.

Azaola, José Miguel de, «El hecho vasco», en Linz, 84, 213-284.

Azurmendi, María José, «La juventud de Euskadi en relación con el euskera», en Elzo 86, 327-384.

Bañuelos, M., *Los grandes errores nacionales de los españoles,* Santarén, Valladolid, 1938.

Barcenilla, Miguel Angel, «Primera industrialización», en Orella, José Luis (comp.), *Los vascos a través de la historia,* Caja de Guipúzcoa, San Sebastián, 246-276.

Barco Teruel, Enrique, *Vosotros los españoles,* Marte, Barcelona, 1963.

Bergua, José, *Psicología del pueblo español,* Librería Bergua, Madrid, 1934.

Brenan, Gerald, *The Spanish Labyrinth,* Cambridge University Press, Cambridge, 1950.

——, *La faz actual de España,* Losada, Buenos Aires, 1952.

Campo, Salustiano del, y Navarro López, Manuel, *Nuevo análisis de la población española,* Ariel, Barcelona, 1987.

Caro Baroja, Julio, *El mito del carácter nacional,* Seminarios y Ediciones, Madrid, 1970.

——, y Temprano, Emilio, *Disquisiciones antropológicas,* Istmo, Madrid, 1985.

Castro, Américo, *La realidad histórica de España,* Porrúa, México, 1954.

——, *Aspectos del vivir hispánico,* Alianza, Madrid, 1970 (primera edición en 1949).

Castro, Cristóbal de, *Las mujeres,* Biblioteca Nueva, Madrid, 1916.

CIS (Centro de Investigaciones Sociológicas), *Actitudes y comportamiento de los españoles ante el tabaco, el alcohol y las drogas,* Madrid, 1985.

——, *Actitudes y opiniones de los españoles frente a la natalidad,* Madrid, 1985.

——, *Los lugares sociales de la religión: La secularización de la vida en el País Vasco,* Madrid, 1990.

Edelvives, *Nociones de Ciencia,* Luis Vives, Zaragoza, 1943.

El Correo Español-El Pueblo Vasco, *Aula de Cultura 1989,* Bilbao, 1989.

Elzo Imaz, Javier (comp.), *Juventud vasca 1986,* Servicio Central de Población del Gobierno Vasco, Vitoria, 1986.

——, «La religiosidad juvenil», en Elzo 86, 135-212 (86a).

——, y González de Audicana, Manuel, «Análisis sociológico y epidemiológico del consumo de drogas en la juventud vasca», en Elzo 86, 245-326 (86b).

——, «Aspectos de algunas violencias sociopolíticas», en Elzo, 86, 385-476 (86c).

——, «Actitudes de los jóvenes españoles ante el tema religioso», en Fundación Santa María, *Jóvenes españoles, 89,* S. M., Madrid, 1989, 253-334.

Epton, Nina, *El amor y los españoles,* Plaza & Janés, Barcelona, 1971.

Fernández de la Mora, Gonzalo, *La envidia igualitaria,* Planeta, Barcelona, 1984.
Ferrandis Luna, S., *La hora de la economía,* Ediciones Españolas, Sevilla, 1939.
Flaquer, Lluis; Giner, Salvador, y Moreno, Luis, «La sociedad española en la encrucijada», en Giner 90, 19-74.
Fulguera, Pilar, *Vida cotidiana en Madrid,* Comunidad de Madrid, Madrid, 1987.
GAUR, *La situación del anciano en España,* Euramérica, 1975.
Genovés, Santiago, *La violencia en el País Vasco y en sus relaciones con España,* Fontanella, Barcelona, 1986.
Giner, Salvador (comp.), *España: sociedad y política,* Espasa Calpe, Madrid, 1990.
Giner de Grado, Carlos, «Balance del cambio social», *Documentación Social,* 65, octubre-noviembre 1986, 69-91.
Gomá, Cardenal, *Las modas y el lujo,* Editorial Católica Toledana, Toledo, 1938
González Blasco, Pedro, «Sensibilidades sociales», en Fundación Santa María, *Jóvenes españoles 89,* S. M., Madrid, 1989, 11-144.
González Ruano, César, *Las palabras quedan,* Afrodisio Aguado, Madrid, 1957.
Gooch, Anthony, «Machos, caudillos, desperados, vaqueros, vigilantes and dagos», *LSE Quarterly,* 1-3, otoño 1987, 301-315.
Gutiérrez, José Luis, y De Miguel, Amando, *La ambición del César,* Temas de Hoy, Madrid, 1989.
Hooper, John, *Los españoles de hoy,* Javier Vergara, Madrid, 1987.
INE (Instituto Nacional de Estadística), *Encuesta de Fecundidad,* 1977.
——, *Encuesta de Fecundidad, 1985.*
INNER, *Los hombres españoles,* Instituto de la Mujer, Madrid, 1988.
Jackson, Gabriel, *Aproximación a la España contemporánea, 1898-1975,* Grijalbo, Barcelona, 1981.
Jiménez Blanco, José, y Elzo, Javier, «La participación política del joven vasco», en Elzo 86, 477-598.
Kenny, Michael, «Poise and counterpoise in the presentation of the Spanish self», *Antropological Linguistics,* abril 1965, 79-91.
La Iglesia, Gustavo, *El alma española,* Centro Editorial de Góngora, Madrid, 1908.
Latorre, Joaquín, *Los españoles y el VI mandamiento,* Ediciones 29, Barcelona, 1971.
Linz, Juan J., «Politics in a multi-lingual society with a dominant world language: the case of Spain», en Savard, Jean-Guy, y Vigneault, Richard (comp.), *Multilingual States: Problems and Solutions,* Presses de l'Université Laval, Quebec, 1975, 367-444.

——, (comp.), *España: un presente para el futuro* (Madrid: Instituto de Estudios Económicos, 1984).
——, «La sociedad española: presente, pasado y futuro», en Linz 84, 57-96 (84a).
——, *Conflicto en Euskadi,* Espasa-Calpe, Madrid, 1986.
——, «Reflexiones sobre la sociedad española», en Giner 90, 657-686.
López-Ibor, Juan José, *El español y su complejo de inferioridad,* Rialp, Madrid, 1960.
——, *Rasgos neuróticos del mundo contemporáneo,* Ediciones Cultura Hispánica, Madrid, 1968.
Maeztu, Ramiro de, *Con el directorio militar,* Editora Nacional, Madrid, 1957.
Malo de Molina, Carlos, y otros, *La conducta sexual de los españoles,* Ediciones B, Barcelona, 1988.
Mancebo, Mayte, y Lago Jordán, Juan José, *¿Cómo se hace el amor en España?,* Sedmay, Madrid, 1976.
Marañón, Gregorio, *Raíz y decoro de España,* Espasa-Calpe, Madrid, 1933.
Marías, Julián, *Meditaciones sobre la sociedad española,* Alianza, Madrid, 1966.
——, *La España real,* Espasa-Calpe, Madrid, 1976.
——, *La mujer y su sombra,* Alianza, Madrid, 1986.
Márquez Reviriego, Víctor, *Diálogos españoles,* Argos-Vergara, Barcelona, 1982.
Martín Herrero, Ramón, *La crisis del sentimiento nacional,* Tecnos, Madrid, 1987.
Massanés, Nati, *Crecer en España,* Argos, Barcelona, 1978.
Mencia Fuente, Emiliano, *La religiosidad de nuestros jóvenes en un momento crítico,* Consejo Superior de Investigaciones Científicas, Madrid, 1962.
Menéndez Pidal, Ramón, *Los españoles en la historia,* Espasa-Calpe, Madrid, 1959.
Mercadé, Francesc, «Vida cotidiana, valores culturales e identidad en España», en Giner 90, 569-592.
Mérida, María, *Los triunfadores,* Plaza & Janés, Barcelona, 1979.
Michener, James, A., *Iberia: Spanish Travels and Reflections,* Random House, Nueva York, 1968.
Miguel, Amando de, «Religiosidad y clericalismo de los jóvenes españoles», *Revista del Instituto de la Juventud,* 8, diciembre 1966, 55-84.
——, *El rompecabezas nacional,* Plaza & Janés, Barcelona, 1986.
——, *La España oculta,* Espasa-Calpe, Madrid, 1988.
Millán, Jorge Benedicto, «Sistemas de valores y pautas de cultura política predominantes en la sociedad española (1976-1985)», en

Tezanos, José Félix y otros (comp.), *La transición democrática española,* Sistema, Madrid, 1989.
Morán, Gregorio, *Los españoles que dejaron de serlo: Euskadi 1937-1981,* Planeta, Barcelona, 1982.
Ninyoles, Rafael Lluis, *Madre España,* Prometeo, Valencia, 1979
Ortega y Gasset, José, *Estudios sobre el amor,* Revista de Occidente, Madrid, 1966 (Primera edición en 1940).
Patronato de Protección a la mujer, *La moralidad pública y su evolución,* Madrid, 1944.
Pinillos, José Luis, *España y la modernidad,* Centro Regional Asociado de la UNED, Palencia, 1987.
Porcel, Baltasar, *Los encuentros,* Destino, Barcelona, 1971.
Racionero, Lluis, *España en Europa,* Planeta, Barcelona, 1987.
Ridruejo, Dionisio, *Escrito en España,* Losada, Buenos Aires, 1962.
Sagrera, Martín, *Las mil Españas. Artículos y cartas al país,* Ediciones H. F., Madrid, 1989.
Salcedo, Juan, «La España urbana», en Giner 90, 243-258.
Saiz Barberá, Juan, *Europa y España. Comunismo o Catolicismo,* Asociación Española de Lulianos, Madrid, 1981.
Sánchez Vidal, Agustín, *Sol y sombra,* Planeta, Barcelona, 1990.
Santamaría, Ana, y otros, *La prostitución de las mujeres,* Instituto de la Mujer, Madrid, 1988.
Sanz Agüero, Marcos, *La sexualidad española. Una aproximación sociológica,* Ediciones Paulinas, Madrid, 1975.
Sinova, Justino, y Tusell, Javier: *El secuestro de la democracia,* Plaza & Janés, Barcelona, 1990.
Thomas, Hugh, *Spain,* Time, Nueva York, 1962.
Toharia, José Juan, «Los jóvenes y la religión», en Fundación Santa María, *Juventud española 1960-82,* S. M., Madrid, 1984, 117-158.
——, «Los jóvenes españoles ante la familia y el matrimonio», en Fundación Santa María, *Jóvenes españoles 89,* S. M., Madrid, 1989, 207-234.
——, «Los jóvenes y la política», en Fundación Santa María, *Jóvenes españoles 89,* S. M., Madrid, 1989, 235-252 (89a).
Tracy, Honor, *Silk Hats and No Breakfast,* Random House, Nueva York, 1958.
Unamuno, Miguel de, *Obras Completas,* Afrodisio Aguado, Madrid, 1951.
Vaca, César, «Graves desviaciones de conciencia en la vida actual española», *Hombres de Acción Católica,* junio 1949, 11-12.
Vasco, Eusebio, *Treinta mil cantares populares,* Imprenta de Mendoza, Valdepeñas, 1929.
Vergara, Máximo, *La unidad de la raza hispana,* Editorial Reus, Madrid, 1925.

Veyrat, Miguel, *Hablando de España en voz alta,* Gráficas Reunidas, Madrid, 1971.
Voltes, Pedro, *El tiempo inmóvil. ¿Ha cambiado alguna vez España?,* Plaza & Janés, Barcelona, 1986.
Zaragoza, Cristóbal, *Acta de defunción. Una reflexión sobre la violencia de los españoles,* Planeta, Barcelona, 1985.

INDICE ONOMASTICO

TITULOS DE ESTA COLECCION

A. Pérez Henares, C. A. Malo de Molina y Enrique Curiel, *Luces y sombras del poder militar en España.* Una obra que recoge, por primera vez en nuestra historia reciente, la opinión de los oficiales y jefes de las Fuerzas Armadas.

Dirigida por Rafael Conte, *Una cultura portátil. Cultura y sociedad en la España de hoy.* Un análisis exhaustivo de los diversos aspectos de la cultura y de los cambios que en ella tienen lugar.

Pilar Salarrullana, *Las sectas. Un testimonio vivo sobre los mesías del terror en España.* Un libro que pone al descubierto las terribles prácticas de las sectas destructivas. Un fenómeno que afecta a muchas familias españolas (5.ª ed.).

Pedro Muñoz, *RTVE. La sombra del escándalo.* La historia del «ente público» desde su fundación. Un escenario de maquinaciones, intrigas y contubernios de alto nivel.

Dirigida por Antonio Alférez, *España 1999. Imágenes del futuro.* Nueve expertos de reconocido prestigio realizan un análisis del siglo que viene con el propósito de iluminar el presente a la luz de los futuros posibles.

María Aurelia Capmany, *¿Qué diablos es Cataluña? Ser catalán hoy.* Una obra que da respuesta a todas las preguntas que suscita la controvertida «cuestión catalana».

Raúl Heras, *El clan. La historia secreta de la* beautiful people. Los entresijos de la nueva aristocracia de finales del siglo XX, modelo para los jóvenes «tiburones».

Joaquín Araújo, *La muerte silenciosa. España hacia el desastre ecológico.*